Mincoff-Marriage, Eliza

Volkslieder aus der badischen Pfalz

Mincoff-Marriage, Elizabeth

Volkslieder aus der badischen Pfalz

Inktank publishing, 2018

www.inktank-publishing.com

ISBN/EAN: 9783747794999

Herrn

Professor Wilhelm Braune

in Dankbarkeit und Verehrung.

Vorwort.

„Nicht weit von Heidelberg der Stadt
ein Dorff gelegen ist, das hat
den Namen Hendschuchßheim, da noch
ein Thal gelegen, heist: im Loch.
ebendaselbst ein Esel klein
suchet allzeit die Weide sein.“

So steht es im Liederbuch des Churfürstl. Pfälz. u. s. w. Kapellmeisters Johannes Knöfelius, gedruckt zu Nürnberg 1581, wo man auch die weitere traurige Geschichte des Esels lesen kann. In jenem Dorfe ist der größte Teil dieser Liedersammlung aufgeschrieben worden.

Um Fastnacht 1897, als ich schon seit einigen Monaten in Heidelberg Germanistik studierte, wurde ich von einer Freundin bei einer ihr bekannten Bauernfamilie dort eingeführt. Das war der erste einer langen Reihe von Besuchen, der Anfang einer angenehmen Bekanntschaft mit der Tochter des Hauses und ihren Kameradinnen. Bei warmem Wetter begleiteten mich die Mädchen Sonntags auf weiten Spaziergängen durch den Wald. Sobald wir das grüne Siebenmühlenthal hinauf an der letzten Mühle vorbei kamen, stimmten sie an und sangen ein Lied nach dem andern. Wenn wir uns auf dem Rasen ausruhten, oder beim Einkehren ins Wirtshaus, diktierten sie mir mit bewundernswerter Geduld die Liedertexte, die ich noch nicht kannte. Die Reinheit dieser Texte war ihnen eine wichtige Sache; wieder und wieder mußte ich ihnen das Aufgeschriebene vorlesen und vorsingen; und immer waren sie freundlich bereit die Lieder nochmals durchzusingen, bis alles ins Reine gebracht war. Ich betrachtete mich als ihr Mundstück und schrieb alles auf, wie ich es hörte, Sinn und Unsinn zusammen. Wenn hier oder dort trotz aller Mühe in der Weise ein Fehler sein sollte, werden die Leser sich freundlich daran erinnern, daß es nicht immer eine leichte Aufgabe ist dem Sänger nachzuschreiben, wie zum Beispiel wenn er falsch singt oder fast keine Singstimme mehr hat. Aus diesem Grunde möchte ich die klassisch gewordenen, immer wieder erscheinenden „Ältesten Mütterchen“ als Quellen für das Volkslied nicht zu hoch stellen. Zeit und Ruhe zum Singen haben sie freilich, sind aber nur noch für die Texte eine zuverlässige Quelle, ebenso die alten Männer. Was die Burschen betrifft, — selbst wenn sie sich nicht zieren und genieren, haben sie zu wenig Geduld alles genau und langsam vorzusagen. Lumpelieder kennen sie allerdings besser als die Mädchen, und bei ihnen wird der Schnörkel hauptsächlich gepflegt. Das kann man schon an der Sprache dieser Gattung merken: wo es sonst in den folgenden Liedern „schönster Jüngling“, „mein Geliebter“ heißt, steht bei den Schnörkeln dafür „schönes Mädchen“, „Feinsliebchen“; auch wenn die Mädchen Schnörkel singen, bleibt dieses der Fall. Die verheirateten Frauen haben viel zu schaffen und verlieren in der Ehe unter Brotsorgen ihre Freude an Poesie und Gesang; freilich mit einigen rühmlichen Ausnahmen. Zum Beispiel sagte mir ein Mädchen: „Wenn mei Mutta nit singt, wird sie glei krank.“ Von den Mädchen also ist es am leichtesten die Lieder zu lernen, wenigstens für eine Frau. Oscar

Schade[1]) spricht davon, wie die Bauern nicht begreifen können, „was ein studierter Mann an ihren alten Stückchen finden könne“, und deshalb zuerst wenig mitteilsam werden. Eine Ausländerin aber, die unvollkommenes Deutsch spricht, kommt den Bauern nicht so erschreckend „gebildet“ vor; und wenn der Sammler gerne mitsingt, können sie nicht mehr glauben, daß er sich über ihre alten Lieder lustig mache. Die Sammlung machte also nach und nach gute Fortschritte, bis im folgenden Mai eine lange trübe Unterbrechung durch Krankheit und Tod eintrat.

Aber im Herbst kam eine noch reichere Ernte für den Volksliedforscher. Die Spaziergänge wurden abgekürzt; wir hielten uns Sonntags mehr im Hause oder im Stall auf. Dann aber fingen die Vorsetzabende an, die Spinnstuben. Samstags auf dem großen Markte sagte mir die eine oder die andere der Bekannten, wo Vorsetz die Woche sein würde; und am bestimmten Abend, gewöhnlich Mittwoch, ging ich hinüber. Von etwa acht Uhr an sammelten sich die Mädchen mit ihrem Strickzeug, einige von ihnen mit Spinnrädern. Sobald alles beisammen war, fing das Singen an. Für ein allzufeines musikalisches Gehör wäre es wohl wenig Genuß gewesen. Bei einer größeren Zahl unausgebildeter Stimmen kann man sicher erwarten, daß einige falsch singen, daß der Klang zuweilen durch die Nase komme ꝛc. Und dennoch muß man die Lieder so singen hören! Von dem Papiere, schwarz auf weiß, sehen sie mich fast traurig an; pedantisch und steif sehen sie jetzt aus. Keine Note darf man jetzt rühren, kein Wort ändern, alles ist fest fixiert — und damals sang jede Sängerin, was ihr recht däuchte, ob es mit dem Gesang der Anderen stimmte oder nicht, in goldner Freiheit! Damals

---

[1]) Weimar. Jb. III, 242.

flatterhafte, bunte Schmetterlinge; jetzt jedes mit einer Stecknadel auf dem Kork in ordentlichen Reihen rangiert. Der volle Ton des zweistimmigen Gesanges, der naive Ernst des Vortrags, die gewissenhafte Art, mit welcher alle Wiederholungen ohne Übereilung vorgenommen wurden: das alles hatte etwas Feierliches, Erhabenes. Für das Auge wie fürs Ohr war viel zu merken: die lange Reihe der frischen, niedlichen Gesichter auf der Holzbank; das schöne Farbenbild, das manchmal blaue Schürze, blaues Kopftuch in Kontrast mit goldbraunem Haar machte; die anmutigen Bewegungen einer Spinnerin, über einen ärgerlichen Knoten des schlechten Wergs gebeugt; alles zusammen bildete ein liebliches, wenn auch einfaches Ganze. Vor dem Aufbruch, etwa um halb elf, wurde ein Laib Schwarzbrot, eingemachte Johannisbeeren und ein Steinkrug mit Wein herumgereicht. Danach begleiteten mich ein halbes Dutzend Mädchen zurück bis zum Neckarstaden.

Um die Neujahrszeit machte ich einen Ausflug nach Nüstenbach, einem kleinen Dorfe hinter Mosbach, wo nach dem Sprichwort „Fuchs un Has enanner gute Nacht sage". Ich sagte der Bäuerin, bei der ich mich einquartierte, daß ich dort bleiben wolle, so lange ich neue Lieder sammeln könnte. Die gute Frau wollte ihre Mieterin gern behalten und gab sich so viel Mühe jeden Abend andere Sängerinnen und Sänger auf meine Stube zu bringen, daß ich binnen einer Woche eine ganze Menge Lieder aufgeschrieben hatte.

Während der nächsten Osterferien verbrachte ich einige Tage in Bockschaft bei Grombach. Es kamen Mädchen aus dem naheliegenden Kirchardt, die Kartoffeln zu lesen; meinetwegen gab man ihnen Erlaubnis bei der Arbeit zu singen, und sobald die erste Scheu überwunden war, sangen sie so viele Lieder, daß ich endlich kaum mehr nachschreiben konnte. So ging es zwei Tage; den Sonntag besuchte ich einige in

Kirchardt und hörte wieder Neues. In Bockschaft selbst war wenig zu erfahren, weil die erwachsenen Mädchen meist in Dienst fort waren.

In Heidelberg lernte ich Lieder hauptsächlich von Fräulein L. Reiffel, Frau Bronner, Frau Dr. Walter und Frau Ertel, die alle das freundlichste Interesse und die größte Geduld zeigten. Einiges hörte ich auf der Straße, besonders auf dem Kornmarkte, wo an sonnigen Frühlingstagen die kleinen Kinder gern Ringelreihen spielen. Herrn Karl Christ verdanke ich auch verschiedene wertvolle Mitteilungen. Bei Gelegenheit eines Ausflugs nach Bruchsal sang mir Fräulein Marie Vogt daselbst freundlich manches vor. Was ich aus anderen Ortschaften sammelte, schrieb ich am dritten Orte auf; so hörte ich in Heidelberg verschiedenes aus Schriesheim von einem Mädchen in Dienst bei Frau Bronner, und letztere Dame teilte mir vieles aus Wiesloch mit. Die Sammlung besteht also aus Liedern der folgenden Ortschaften: Bockschaft, Bruchsal, Handschuhsheim, Heidelberg, Kirchardt, Neckarsteinach, Nüstenbach, Schlierbach, Schönmattenwaag, Schriesheim, Sinsheim, Wiesloch, Wilhelmsfeld, Wimpfen, Ziegelhausen. Geschriebene Liederbücher hatte ich aus Handschuhsheim, Heidelberg und Sinsheim zur Verfügung; schriftliches auch aus Wiesloch und Schriesheim.

Die Einteilung der Lieder ist nur der Bequemlichkeit wegen gewählt worden. Das Volk würde sie etwa folgenderweise einteilen: a) Lieder (unsere vier ersten Abteilungen); b) Lumpelieder oder Lumpesticklin (V); c) Schnörkel, Rengling oder Rengle (so genannt vom Rengle oder Lodler = Jodler, der oft refrainartig bei ihnen eintritt; d) Tanzlieder; e) Kinderlieder. Die ältesten Balladen habe ich voran gesetzt (Nr. 1—9), dann diejenigen, welche nicht so früh belegt sind (10—21) und eine Gruppe ganz moderner Soldatenballaden (22—26).

28—36, mit Ausnahme von 33 und 35, rühren von bekannten Verfassern her, und hinten (38—42) kommen die Mordgeschichten, wie sie Bänkelsänger noch auf Kirchweihen vortragen. Darauf folgen die Liebeslieder, scheinbar volkstümlichen Ursprungs (43—66); 67—88 Liebeslieder, mehr oder weniger von bekannten Verfassern. Die Standeslieder sind nach den Ständen geordnet. Tanzlieder befinden sich etwa 250—255. Wo die Lieder mit denjenigen der Sammlung von Köhler und Meier verwandt sind, wird man die Anmerkungen in Zusammenhang mit denen John Meiers[1]) lesen müssen. Ich teile eben nur eine Übersicht jener Anmerkungen mit und füge hinzu, was ich sonst gefunden, sowie Mitteilungen, die ich Herrn Professor John Meiers Freundlichkeit verdanke, entweder schriftlich eingesandt oder seinem Verzeichnis der Kunstlieder im Volksmunde (als Ms. gedruckt) entnommen.

In den Melodien habe ich nicht alle Wiederholungszeichen gesetzt, die man setzen könnte; es ist eine ziemlich sichere Regel, daß man bei vierzeiligem Versmaß die erste Hälfte der Strophe sowie die zweite wiederholen sollte. „Das Schloß in Österreich“ (Nr. 7) schien bei dem langsamen Vortrage auf diese Weise ewig lange zu dauern, aber für den Nachschreiber sind solche Wiederholungen äußerst bequem. Und da ich bei dieser Einzelheit bin, möchte ich gleich auf anderes derartiges hinweisen. Die Liedertitel in Anführungszeichen sind nicht von mir, sondern den schriftlichen Quellen entnommen. In den Anmerkungen bedeutet *, daß die Melodie des betreffenden Liedes mit der von mir aufgezeichneten Melodie mehr oder weniger Verwandtschaft zeigt, † daß die Stelle, worauf hingewiesen wird, das betreffende Lied nur erwähnt, nicht citiert.

---

[1]) Volkslieder von der Mosel und Saar, gesammelt von Carl Köhler, hrsg. von John Meier. Halle 1896.

Daß zu etwa zehn Liedern die Litteraturnachweisungen fehlen, kommt daher, daß sie erst 1900 bei Gelegenheit eines Besuches in Heidelberg der Sammlung einverleibt worden sind, und um diese Zeit waren die Anmerkungen schon fertig. Ich wollte diese Lieder weder ausschließen noch ihretwegen die ganze Litteratur nochmals durchsehen, nahm sie deshalb so auf.

Was die Sprache der Lieder betrifft, so singt meiner Erfahrung nach das Volk in dreierlei Sprachformen: a) Reindialekt,[1]) sehr selten, meist bei Spottliedern und überhaupt nur bei lustigen Stücken, z. B. Nr. 181—183 und 194; b) Mischdialekt, der sich den Nachbardialekten annähert; auch selten; eine mißlungene Nachahmung des schwäbischen, baierischen oder schweizerischen, z. B. Nr. 210, 160; c) Meist Hochdeutsch mit mehr oder minder Dialektfärbung, besonders bei Aussprache der Vokale. Diese Färbung habe ich meist außer Betracht gelassen, teils weil sie nicht immer gleich bemerkbar ist, teils weil sie beim Lesen sehr störend wirkt ohne besonders charakteristisch für das Lied zu sein. Wenn man aber die folgenden Lieder recht akkurat singen will, so verwandle man vor allem ö in e und ü in i (beide sowohl kurz wie lang) und sehr häufig s in sch (z. B. „desch isch" für „das ist"). Andere Umänderungen habe ich wohl durch die Schreibweise angedeutet. So viel von der äußeren Form der Lieder; vom Inhalt will ich jetzt auch nicht viel sagen. Sie vom moralischen Standpunkt aus zu entschuldigen, wie so oft bei Volksliedersammlungen geschieht, halte ich für unnötig. Ist doch die Modelitteratur heutigen Tages nicht so rein, daß Gebildete auf die Bauern den ersten Stein zu werfen haben. Außerdem kommt wenig Schmutziges darin vor, und das nicht weil die Lieder bearbeitet oder recht

---

[1]) Vgl. „Der Handschuhsheimer Dialekt" von Dr. P. Lenz. Leipzig und Darmstadt 1888 und 1892.

sorgfältig ausgewählt sind. Es braucht auch keine Entschuldigung, daß ein gut Teil der Lieder an Wort und Weise wenig oder nichts Schönes haben. Ich wollte ein genaues Bild des heutigen Volksliedes in der Pfalz geben; es ist zwar mehr eine Skizze als ein vollständiges Bild, doch könnte wenigstens mit dieser Sammlung in der Hand ein jeder den Abend in der Spinnstube eines Pfälzerdorfes ohne Blamage zubringen, denn die beliebtesten Lieder der Jetztzeit stehen darin.

Kein schwärmerischer Dichter war es, der einmal sagte, wenn er nur die Volkslieder und Gassenhauer seines Landes machen dürfe, kümmere er sich wenig wer die Gesetze verordne. Ein nüchterner, praktischer Mensch, gar nicht für die Volkspoesie seiner Zeit eingenommen, ahnte er den großen Einfluß, den diese Lieder schließlich auf die Sänger gewinnen müssen. Und wer hat nun heutzutage diesen Einfluß? Im Ganzen, darf man sagen, sind die hauptsächlichen neuen Eindringlinge aus der Kunst in die Volkspoesie die süßlichen schwülstigen Produkte der Taschenbücher und Almanache aus der letzten Hälfte des 18. und den ersten Jahren des 19. Jahrhunderts. Diese wurden auf fliegenden Blättern unterm Volke verteilt; auf diese Weise wurde der Geschmack oder Mangel an Geschmack der kleinen Verlagsfirmen solcher Blätter in der Geschichte des Volksliedes geradezu verhängnisvoll. Die Dichter dieser Lieder sind alle tot und meist vergessen. Sie können sich nicht mehr der Macht freuen, die sie so unverhofft bekamen. Ob wir ihnen dieselbe mißgönnen oder nicht, so können wir ebensowenig andere Lieder an die Stelle der ihrigen setzen, als ehemals jener Schotte die verachteten Gassenhauer seines Landes ausrotten und seine eigenen Lieder unterm Volke heimisch machen konnte. Die Zeit lindert alles, und mit der Zeit wird diese wahre Flut von Sentimentalitäten

—

weniger bemerkbar werden. Die einzelnen Lieder werden vereinfacht, verbessert; viele werden auch vergessen. Andere Elemente sind ja schon jetzt wirksam; so die Tingeltangel-Lieder, die Berliner und Kölnischen Gassenhauer. Gegen diese werden überall von Freunden des Volksliedes große Klagen erhoben: durch sie gehe das echte Volkslied zu Grunde, durch sie werde Geschmack und Moral der Bauern heillos verdorben. Ich glaube im Gegenteil, diese schaden dem Volkslied weniger als die vorhin erwähnten Sentimentalitäten. Aus ihnen werden harmlose Lieder wie Nr. 261 geschmiedet, die wenn nicht poetisch wertvoll, immerhin in Inhalt viel weniger gemein, in Form viel einfacher und volksmäßiger sind als ihre Quellen. So habe ich auch Varianten von „Grunewald“ und „Komm Karline“ gehört. Der Bauer steckt so sehr in der krassen Wirklichkeit, daß ihm ein Stück Idealismus, sei es noch so unsinnig, recht wohlthuend vorkommt. Gemeinheit nach dem Leben gezeichnet ist ihm weniger anziehend. Deshalb die Gefahr von Seite der Sentimentalität.

Der Unvollkommenheit dieses Büchleins bin ich mir nur zu gut bewußt. Die Sammlung ist in den Mußestunden meiner letzten Jahre auf der Universität entstanden, im Zeitraum von eigentlich nur wenigen Monaten. Als Ausländerin fühlte ich mich für den Zweck so wenig berufen, daß ich ohne die freundliche Ermunterung der Herren Professoren Braune und Hoops kaum ernstlich daran gedacht hätte, die Arbeit durchzuführen und ihre Resultate zu veröffentlichen. Es harren gewiß noch viele Lieder des Sammlers. Auch für die Anmerkungen habe ich nicht alles ansehen können was wichtig wäre; hauptsächlich war ich auf die allerdings reiche Sammlung des britischen Museums und auf die eignen Bücher angewiesen. Nur in Berlin könnte man auf einen Grad der Vollkommenheit hoffen, und trotz der überaus freigebigen Hilfe des Herrn

Professor J. Meier habe ich den notwendigen Aufenthalt in England in diesem Punkte recht störend empfinden müssen.

Ich schließe die Arbeit, welche mir so viel Freude gemacht hat mit dem Gefühl aufrichtiger Dankbarkeit an alle diejenigen, und es sind ihrer so viele, die mir dabei geholfen haben.

London, Fastnacht 1900.

M. E. Marriage.

Seit ich dieses Vorwort geschrieben, ist viel Wasser den Neckar herunter geflossen, und ich bin mehr als je zu Danke verpflichtet: zunächst dem hohen Badischen Ministerium der Justiz, des Kultus und Unterrichts für seine auf Anregung des Herrn Professor Braune mir bereitwilligst gewährte materielle Beihilfe für die Drucklegung meiner Sammlung, ferner Herrn Professor John Meier in Basel für die unermüdende Sorgfalt, mit welcher er mich beim Lesen der Korrektur unterstützte. Vor allem aber bin ich meinem hochverehrten Lehrer, Herrn Professor Braune in Heidelberg, zu wärmstem Danke verpflichtet, ohne dessen freundliche Ermunterung und thatkräftige Unterstützung dies Buch vielleicht auf lange Jahre hinaus nicht veröffentlicht worden wäre, und dessen freundliche hilfsbereite Teilnahme die Entstehung und Drucklegung von Anfang bis zu Ende begleitet hat.

London, Oktober 1902.

I.

Balladen.

1. Die Jüdin.

Nicht zu schnell. A.

2. „Ach Mutter, liebste Mutter,
Mein Kopf thut mir so weh;
Geh du's mit mir spazieren
Hinaus ans Ufer der See.“

3. „Ach Tochter, liebste Tochter,
Ich kann nicht mit dir gehn;
Sag's deinem jüngsten Schwesterlein,
Das kann ja mit dir gehn.“

4. „Ach Mutter, liebste Mutter,
Meine Schwester ist noch ein Kind;
Sie pflückt die schönsten Blümelein,
Die an dem Ufer sind.“

5. „Ach Mutter, liebste Mutter,
Mein Kopf thut mir so weh;
Geh du's mit mir spazieren
Hinaus ans Ufer der See.“

6. „Ach Tochter, liebste Tochter,
Ich kann nicht mit dir gehn,
Sag's deinem jüngsten Brüderlein,
Das kann ja mit dir gehn."

7. „Ach Mutter, liebste Mutter,
Mein Bruder ist noch ein Kind;
Er fängt die schönen Fischelein,
Die an dem Ufer sind."

8. „Ach Mutter, liebste Mutter,
Mein Kopf thut mir so weh;
Geh du's mit mir spazieren
Hinaus ans Ufer der See."

9. „Ach Tochter, liebste Tochter,
Ich kann nicht mit dir gehn,
Geh du allein spazieren
Hinaus ans Ufer der See."

10. „Ach Fischer, liebster Fischer,
Was schaffest du dahier?"
„Ich fische deinen Geliebten,
Der ertrunken ist im Meer."

Rüstenbach.

Kirchardt: 1a eine einz'ge Tochter, zum Sterben war sie bereit. 2a ich möcht ein wenig spazieren gehn, hinab ans Ufer der See. 3b allein kannst du nicht gehn. 4b Mein Bruder ist nicht so klein; er schießet mir alle die Vögelein, die an dem Ufer sein. Statt 8—10:

Die Mutter legt sich schlafen,
Die Tochter eilt geschwind
Hinaus in die Ufer und sehen,
Wo alle Schiffer sind.

Sie zog von ihrem Halse
Ein goldnes Kettelein,
Sie gab es ihrem Schiffer,
Das soll ein Angedenk sein.

Sie zog von ihrem Finger
Ein goldnes Ringelein,
Sie gab es ihrem Schiffer,
Das soll ein Angedenk sein.

Dann sprang sie in das Ufer,
Der Schiffer eilt ihr nach,
Allein er war zu späte
Und sie war nimmer wach.

B.

Langsam.

2. „Ach Mutter, liebste Mutter,
Mein Kopf thut mir so weh;
Laß mich ein wenig spazieren gehn
Da draußen am Ufer der See.“

3. „Ach Tochter, liebste Tochter,
Ich kann nicht mit dir gehn,
Nimm deine jüngste Schwester,
Die kann ja mit dir gehn.“

4. „Ach Mutter, liebste Mutter,
Meine Schwester ist noch zu klein;
Sie pflückte mir die Blümelein,
Die auf den Feldern sein.“

5. „Ach Tochter, liebste Tochter,
Ich kann nicht mit dir gehn,
Nimm beinen jüngsten Bruder,
Der kann ja mit dir gehn.“

6. „Ach Mutter, liebste Mutter,
Mein Bruder ist noch zu klein;
Er jaget mir die Vögelein,
Die auf den Bäumen sein.“

7. Und sie ging allein spazieren
Da draußen am Ufer der See,
Und sie schwang sich über die Mauer,
Und sie schwang sich in die See.

8. :|: Ach Schiffer, liebster Schiffer,
Wir sehen uns nimmermehr. :|:

Handschuhsheim.

1*

Eine Kontamination der beiden alten Lieder von den Königskindern und von der Jüdin; letzteres läßt nur in den ersten Strophen Spuren erkennen.

1. Diese Kontamination auch aus **Oberhessen** Böckel Nr. 105 (aber hier ist die Jüdin Gräfin geworden); **Niederhessen** Lewalter IV, Nr. 9; **Mosel und Saar** *Köhler-Meier Nr. 6; **Elsaß** Mündel Nr. 17 (eine Königin, ein wunderschönes Weib), *Erk-Böhme I, 301; **Sachsen** Roesch S. 71, Weinholds Zs. V, 203, Müller S. 74; **Lausitz** Haupt und Schmaler II, 13.

2. Über das alte Lied von den Königskindern ist viel geschrieben worden. Schade (Wm. Jb. III, 269) nimmt einen ndd. Ursprung für das Lied an. Es wurde jedenfalls in anderen germ. Ländern früh bekannt: **Schweden** schon 1572, Zs. f. vgl. Litteraturgeschichte 1890, S. 290, wo Bolte das schwedische Lied für Bearbeitung einer älteren deutschen Fassung hält. **Flämisch** Willems Oude fl. Liederen, Nr. 55 (Schade, Wm. Jb. III, 269). **Belgien** Horae Belgicae II, 112, Coussemaker S. 187. Str. 6—7 bei Uhland Nr. 37 aus Hans Detleffs dithmars. hist. Relation hs. d. Univ.-Bibl. zu Kiel. Uhland Nr. 91 weist auch auf G. Forster III, **1540** hin. Ein Fragment im Liederbuch der Fenchlerin **1592** scheint auch hiermit im Zusammenhang zu stehen; vgl. Erk-Böhme I, 291. Wunderhorn 1806—8, II, 252. — **Schweiz** Tobler II, 177, Erk-Böhme I, 302, Kurz, Ältere Dichter 123; **Nassau** Wolfram Nr. 30; **Rhein** Altrh. Märlein 3, Erk, Ldh. 21, Erk-Böhme I, 295; **Thüringen** Weimar Jb. III, 269, Erk-Irmer III, 106; **Sachsen** Erk-Böhme I, 295; **Schlesien** Meinert 137; **Westfalen** Mones Anzeiger 1837, VI, § 164, Uhland Nr. 91 „mdl. a. d. Münsterlande durch Frl. Anna v. Droste-Hülshof." Dennoch sagte Dr. Hölscher (Birlinger-Crecelius I, 335) „ich habe das Lied nie in Westfalen singen gehört, obschon ich mich viel darnach erkundigt habe. Ich glaube, es ist eine Übersetzung von Antoinette Droste-Hülshoff, was mir auch einmal Hoffmann von Fallersleben bestätigt hat". **Ostfriesland** Böhme, Ab. Lb. Nr. 26, Erk, Ldh. 21; **Schleswig-Holstein** †Müllenhoff S. 609; **Brandenburg** Erk-Böhme I, 295; **Commersbuch** 434. Für weitere Litteratur vgl. Köhler-Meier Nr. 6, Wolfram Nr. 30, Erk-Böhme I, 292.

3. Das alte Lied von der Jüdin und dem Schreiber. Wunderhorn 1806, I, 252. **Schwaben** E. Meier 341, Erk, Ldh. Nr. 22; **Hessen** Böckel Nr. 64; **Wetzlar-Limburg** *Erk-Böhme I, 350; **Frankfurt** Erk, Ldh. 22, Erk-Irmer III, 8; **Rhein** Simrock Nr. 256; **Badisch** Erk, Ldh. 22; **Franken** Ditfurth Nr. 11; **Böhmen** Hruschka 136; **Schlesien** Hoffmann Nr. 25—26, Meinert 135, Erk, Ldh. 22; **Brandenburg, Uckermark** ibid.; **Pommern** Beckenstedt, Zs. II, 423.

4. Melodie A ist eine vereinfachte Fassung des Studentenlieds: „So pünktlich zur Sekunde". Komponist unbekannt, vor 1858 (vgl. Friedländers Commersbuch).

2. Der Todwunde.

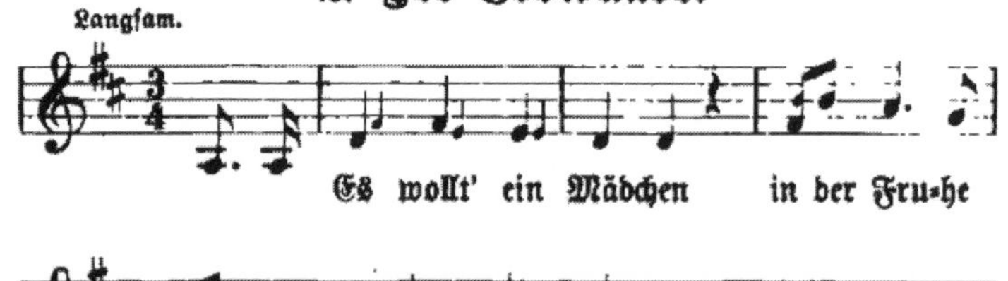

2. Und als nun das Mädchen
In den Wald hinein kam,
:|: Sieh, da traf sie einen an, :|:
Der verwundet war.

3. Verwundet war er,
Wie vom Blute so rot,
:|: Und als sie ihn verband :|:
War er schon tot.

4. „Ei, soll ich schon sterben?
Bin ja noch so jung,
Hab's noch keine zwanzig Jahr,
Soll schon kommen auf die Todesbahr,
Auf die Todesbahr.

5. Ei, soll ich dann sterben?
Bin ja noch so jung,
Hab' ja noch so jung frisch Blut,
Weiß schon wie das Lieben thut,
Wie das Lieben thut."

6. „Ei Schätzele, wie lange lang
Soll ich trauern für dich?"
:|: „Bis daß alle Wässerlein :|:
Beisammen sein."

7. „Alle Wässerlein, alle Wasser
Kommen niemals zusammen,
:|: Ei, so hat das Trauern :|:
Auch kein Ende mehr."

Handschuhsheim, Heidelberg, Wiesloch, Müstenbach, Kirchardt, Neckar-Gerach, Dürckheim.

Oder 3a und als sie ihn verband mit ihrer schneeweißen Hand. 4a Soll ich *denn* sterben. 4b bin noch so jung. 7b die *fließen ins Meer*, ei so *nimmt* denn das Trauern.

Geschichte. 1531 Bergreihen hsg. J. Meier S. 69; 1533 nach Uhland (oder 1537 nach J. Meier) Bergkreyen Weimarer Exemplar; Fl. Bl. Augsburg durch Mattheum Francken, Uhland Nr. 10; 1536 Bergkreyen Erk-Böhme I, 342; 1719 holländisch bei Willems ib.; 1730 ca. Bergliederbüchlein Nr. 114, vgl. Uhland; 1740 Bergliederbüchlein, vgl. Erk-Böhme; 1778 Herders Volkslieder I, 118; 1806 Wunderhorn I, 395.

Verbreitung. Schwaben, Odenwald, *Hessen, *Bergstraße, *Nassau, *Saar, *Mosel, *Rheinland, *Franken, Thüringen, Sachsen, Schlesien, Harz, Brandenburg, Uckermark, Mecklenburg, Ostpreußen. Vgl. Köhler-Meier Nr. 9. **Württemberg** Staatsanz.-Beilage 1896, S. 255 (J. Meier); **Baden** Siegelau bei Waldkirch, Alem. XXV, 17; Neue Heidelberger Jahrb. VI, Art. Frau v. Pattberg (verwandt). **Hessen** *Erk-Böhme I, 342 f.; **Nassau*** ib., die beiden letzten Strophen in einem Liebesliede, Wolfram Nr. 141; **Odenwald** †Volk 191; **Rhein** Altrh. Märl. 39, als „Neplied" vom Niederrhein (Niederkrüchten und Lobberich) sehr zersungen, Erk-Böhme I, 435; „Näplied" aus Süchtelen ebenfalls zersungen, Freudenberg S. 56, †Schmitz S. 162 (oder sollte das betreffende Lied das Brombeerlied, unsere Nr. 6 sein? Nur Anfangszeilen sind angeführt und lauten gleich bei beiden Liedern). **Lausitz** Haupt und Schmaler II, 46 ist mit unserem Liede verwandt. **Pommern** Max Kunze, „Beim Königsregiment" 1896, S. 160 (J. Meier).

Zuweilen ist es ein Jäger oder ein Knab', der früh aufsteht und eine schneeweiße Dam' im Walde findet. Das Ursprünglichere wird aber wohl die Fassung in den Bergreihen sein, wo, wie hier, das Mädchen den Verwundeten findet. Sie zaubert ihn zu verbinden. Nach dem allerdings dunklen Zwiegespräch zwischen den beiden zu schließen, zaudert sie bis er ihr versprochen hat, das Kind, das sie unter dem Herzen trägt, als seines anzuerkennen. Dann verbindet sie ihn, aber es ist schon zu spät und er stirbt. Unser Lied ist wohl eine verblaßte Fassung derselben Sage.

3. Graf und Nonne.

2. Der erste von den Grafen,
Der in dem Schifflein war,
Gab mir's einmal zu trinken
Kühlen Wein aus einem Glas.

3. „Warum giebst du mir's zu trinken
Kühlen Wein aus einem Glas?“
„Das thu' ich aus lauter Liebe,
Aus lauter Lieb' und Treu'.“

4. „Ich weiß von keiner Liebe,
Weiß auch von keiner Treu'.
In ein Kloster will ich ziehen,
Will's werden eine Nonn'.“

5. „Willst du ins Kloster ziehen,
Willst werden eine Nonn',
So muß ich die Welt durchreisen,
Bis daß ich zu dir komm'.“

6. Im Kloster angekommen,
Ganz leise klopft' ich an:
„Gebt heraus die jüngste Nonne,
Die zuletzt ins Kloster kam.“

7. „'s ist keine angekommen,
Wir geben's auch keine heraus."
„So muß ich das Kloster stürmen,
Das schöne Nonnenhaus."

8. Da kam sie hergeschritten,
Ganz weiß war sie gekleidt,
Ihre Haar' war'n kurz geschnitten,
Zur Nonn' war sie bereit.

Rüstenbach.

Handschuhsheim.

1. Ich stand auf hohem Berge
Und blickte in das Thal,
Da kam ein Schifflein geschwoben
Darinnen drei Reiter warn.

2d aus ein — aus einem Glas. 3a guten Wein. 6b klopft er an. 6d die zuletzt gekommen war. 7b es kommt auch keine heraus. Noch eine neunte Strophe:

Ich setzt sie auf mein Pferd hinauf
Und ritt mit ihr davon,
Und in Zeit von zwei, drei Tagen
Ward sie mein geliebtes Weib.

Kirchardt. 1 auf hohem Berge. 7 So muß ich das Kloster anzünden, da kommen sie gleich heraus.

9. Sie gab es ihm zu trinken
Aus ihrem Becherlein,
Nach vierundzwanzig Stunden
Sprang ihr das Herz entzwei.

Schriesheim. 2 der eine wohl unter den Grafen, der einst ein Ritter war, der bot mir's an zu trinken. 3 „Was botst du mirs zu trinken an und schenkest mirs nicht ein?" „Das thu ich aus lauter Liebe, weil du mein Schatz sollst sein." 4 „Ich weiß von keiner Liebe nichts, weiß auch von keinem Mann." * * Er sprach zu seinem Knechte „Spanne ein das schönste Pferd."

Weitere Melodien.

1. Handschuhsheim.

Nach dieser Melodie, welche im wesentlichen mit der allgemein verbreiteten Weise des W. Müllerschen Lieds „Im Krug zum grünen Kranze“ identisch ist, hörte meine Schwester unser Lied in Schiltach im badischen Schwarzwald singen.

2. Heidelberg.

(Folgendes hörte ich auf der Straße pfeifen.)

2. Der erste von den Grafen,
Der in dem Schifflein war,
Gab mir's einmal zu trinken
Kühlen Wein aus einem Glas.

3. Er zog aus seinem Finger
Ein goldnes Ringelein:
„Nimm's hin, du hübsch, du feine,
Das soll dein Denkmal sein."

4. „Was soll ich mit dem Ringelein,
Was soll ich damit thun?
Ich bin ein armes Mädchen,
Hab' weder Geld noch Gut."

5. „Wenn du's ein armes Mädchen bist,
Hast weder Geld noch Gut,
So denk' an unsre Liebe,
Die zwischen uns beide ruht."

6. „Ich denk' an keine Liebe,
Denk' auch an keinen Mann,
Ins Kloster will ich ziehen,
Will's werden eine Nonn'."

7. Und als dreiviertel Jahr um war,
Da fiel's dem Grafen schwer,
Daß seine Herzallerliebste
Ins Kloster gezogen wär'.

8. Er sprach zu seinem Knechte:
„Sattel mir und dir ein Pferd,
Laß uns reisen Tag und Nächte,
Dieses Mädchen ist alles wert."

9. Und als sie vor dem Kloster kamen,
Klopfte er ganz leise an.
„Wo ist die Allerschönste,
Die 's letzt ist kommen an?"

10. „'s ist gar keine kommen an,
Es kommt auch keine aus."
Da setzten sie sich nieder
Und ruhten ein wenig aus.

11. Da kam sie hergeschritten
Mit einem schneeweißen Kleid,
Die Haare, die waren's geschnitten,
Zur Nonn' war sie bereit.

12. Sie gab ihm auch zu trinken
Aus einem Becherlein,
In vierundzwanzig Stunden
Sprang ihm das Herz entzwei.

Bockschaft.

Vermutlich von den schwäbischen Schnittern herüber gebracht, der Text stimmt sehr mit E. Meiers überein und die Melodie mit seiner zweiten.

Geschichte. Älteste Fassungen sämtlich ndl.: Antwerpener Liederbuch 1544, Horae Belgicae XI, 131; Amsterdam. Liederbuch 1591 (Böhme, Ad. Lb. Nr. 36); verwandt ist auch das ndl. „het daghet uit dem oosten", Horae Belgicae II, 103; ib. II, 128 schickt die Nonne den Grafen wieder nach Hause mit der Erklärung: „mijn liefde is al vergaen". Unsicher ist es, ob die Melodie: „ic stont op hoghe bergen, ic scencten den coelen wijn" in einer Hs. des 15. Jh., früher im Besitz von Hoffmann v. F., mit diesem Liede zu thun hat (Horae Belgicae II, 85). Mndl. 1631, Erk-Böhme I, 313; von Goethe aufgezeichnet in Elsaß 1771; Herders Volkslieder I, 15, 1718; Elwert 1784; aus Schwäbisch-Hall Bragur I, 264, 1791; Wunderhorn 1806, I, 257 und I, 70.

Verbreitung. Schweiz, Elsaß, *Schwaben, Bayern, Steiermark, Odenwald, *Frankfurt a. M., Hessen, *Nassau, *Mosel, *Rheinland, Franken, Thüringen, Sachsen, Erzgebirge, Böhmen, Kuhland, Schlesien, Westfalen, Harz, Ostsee, Preußen, Schleswig-Holstein, vgl. Köhler-Meier Nr. 97. **Schweiz** Wyß S. 77; **Schwaben** Silcher, 12 Vld. II, 8 (Scherer, Jungbrunnen Nr. 1), Erk-Böhme I, 213; **Frankfurt a. M.** *Erk, Liederh. Nr. 18c; **Badische Pfalz** Anklang hat Neue Hbg. Jahrb. VI, 116; **Odenwald** †Volk 191; **Rheinland** Altrh. Märl. 1; **Lausitz** Haupt u. Schmaler II, 52 (verwandt ist I, 82); **Schlesien** Wünschelruthe v. Straube u. Hornthal 1818, S. 118 (*Hoffmann Nr. 15), Erk, Liederh. Nr. 18d; **Brandenburg** Erk-Böhme I, 313; **Preußen** Pr. Provbl. XXVII, 467 (Treichel Nr. 2); **Holland** s. oben u. Coussemaker S. 200; **Dänemark** Hoffmann Nr. 15 Anm., *Erk-Böhme I, 313; **Schweden** ib.; **Flandern** Coussemaker S. 200, Lootens Chants populaires flamands S. 89 (Wolfram).

Nach Böckel (S. LV) beruht Str. 3 unserer Fassung A auf der alten Sitte des Brauttrunks. Selbst in unseren Fassungen ist der Schluß dieses Lieds sehr unterschiedlich. Die Liebenden werden getrennt, oder sie heiraten einander, sie stirbt oder er stirbt. Der häufigste Schluß ist, daß die Nonne den Grafen tötet (gewöhnlich mit Gift oder auch mit einem Dolche) und begräbt. Im flämischen Liede erschießt er sich, und sie pflanzt Tulpen auf seinem Grabe. Zuweilen stirbt er auch „vor lauter Liebe". Bei Müllenhoff, Ditfurth, Hoffmann und Peter finden sich Fassungen mit glücklichem Ausgang, oder wenigstens mit einer Heirat zum Schluß.

4. Die Linde im Thal.

2. „Leb wohl mein Schatz, auf Wiedersehn!
Muß sieben Jahr' auf Wandrung gehn."
„Wenn du sieben Jahr' wirst auf Wandrung sein,
So werd' ich keines (sic) andren frei'n."

3. Und als die sieben Jahr um war,
Flocht sie sich Blümlein in ihr Haar:
„Mein Geliebter wird jetzt kommen bald,
Entgegen geh' ich ihm wohl in den Wald."

4. Und als sie kam ins grüne Holz,
Begegnet ihr ein Reiter stolz:
„Gott grüß' dich, liebes Mägdelein,
Was weinest du so ganz allein?"

5. „Ich weine, weil mein Geliebter mir wert
Seit sieben Jahr nicht wieder kehrt."
„Ich ritt schon längst durch eine Stadt,
Wo dein Geliebter wohl Hochzeit hat."

6. „Was wünschest du ihm denn dafür,
Daß er die Treu gebrochen dir?"
„Ich wünsche ihm so viel Wohlergehn
Als wie die Sternelein am Himmel stehn."

7. „Was wünschest du ihm noch dafür,
Daß er die Treu gebrochen dir?“
„Ich wünsch' ihm so viel gute Zeit
Als Sand im Meer, weit und breit.“

8. Was zog er aus (sic) dem Fingerlein?
Von Gold ein Treueringelein,
Das warf er ihr in ihren Schoß,
Sie weinte, daß das Ringelein floß.

9. „Trockne ab, trockne ab die Äugelein.
Schau her, ich bin der Geliebte dein.
Ich stellte dich nur in Versuch,
Ob du mir thätest einen Fluch.
Hättest du mir einen Fluch gethan,
Wär' ich geritten meine Bahn.“

Handschuhsheim.

Geschichte. Fl. Bl. der Agatha Geglerin, Augsburg 1535? brit. Mus. 11522 bf. 13. Liederbuch der Ottilie Fenchlerin von Straßburg, 1592 angefangen (Uhland Nr. 116, vgl. Alemannia I, 55). Fl. Bl. bei Mich. Manger, Augsburg 1580—1600 (Böhme, Ad. Lb. Nr. 40, Goedeke und Tittmann S. 96). Fl. Bl. 1677 (Uhland). 1690 ca. Tugendhaffter Jungfrauen und Jungengesellen Zeitvertreiber (Erk, Ldh. Nr. 1a). 1700 ca. Fl. Bl. in Arnims Sammlung, Birlinger Wdh. I, 60 f. 1760 ca. Fl. Bl. Erk, Ldh. 1806 Wunderhorn I, 61. 1807 Büsching und von der Hagen Nr. 76.

Den gleichen Anfang findet man 1575 in Fischarts Geschichtsklitterung Kap. 1; auch 1540 in den Souterliedekens (Erk-Böhme I, 237) und sogar bei einer gstl. Parodie aus der ersten Hälfte des 15. Jh. (abgedr. Uhland Nr. 336). Auch Jac. Ayrer (Opus theatricum Nürnberg 1618) hat einen „Reyhen im Thon es steht ein Linden in jenem Thal“ (Erk-Böhme I, 240). Aber wenigstens noch zwei Lieder aus dem 16. Jh., die wir vollständig überliefert besitzen, haben diesen Anfang (Uhland, Nr. 15 u. 27). Vielleicht handelt es sich bei diesen Stellen um eins von diesen beiden.

Verbreitung. Engadin, Schwaben, Ungarn, Gottschee, Hessen-Nassau, Siebenbürgen, Saar, Rhein, Franken, Thüringen, Sachsen, Böhmen, Kuhland, Ober- und Nieder-Lausitz, Schlesien, Westfalen, West- und Ostpreußen, vgl. Köhler-Meier 117.

Dazu **Odenwald** †Wolf 191; **Saarlouis** †Firmenich III, 530; **Merseburg** ib. II, 236; **Reuß** j. L. Brückner I, 181; **Schlesien** Rübezahl XI, 70; **Lausitz** Haupt und Schmaler II, 121; **Mähren** ib. I, 344, Weinholds Zs. I, 418; **Böhmen** ib., Adam Wolf Nr. 2; **Krain** Haupt und Schmaler I, 343; **Siebenbürgen** Haltrich S. 56; **Altmark** Erk-Böhme I, 243; **Pommern** Bl. f. P. Volkskunde I, 23; **Ditmarschen** Müllenhoff S. 608.

Holland Firmenich III, 768, Horae Belgicae II, 174. (**Serbien** Goetze 71, **Flandern** Lootens 92, vgl. Wolfram S. 50).

Die ältere Melodie, welche in den benachbarten Landschaften vorkommt (Nassau Wolfram Nr. 22, Rhein Becker Nr. 2, Saar Köhler=Meier 117) ist in Handschuhsheim wohl in Vergessenheit geraten, dafür das bekannte „Steh' ich in finstrer Mitternacht" eingesetzt. Nach Erk=Böhme II, 286 ist diese eine Volksweise des 18. Jh. „Ich hab' ein kleines Hüttchen nur" wurde auch zu dieser Melodie gesungen (Hoffmann vtl. Lied. Nr. 628).

2. :|: Und als ich in den Wald 'nein kam, :|:
Da begegnet mirs ein Mädchen,
War achtzehn Jahre alt.

3. :|: Und ich nahm das Mädchen bei der Hand :|:
Und führte sie von dannen,
Bis ich an ein Wirtshaus kam.

4. :|: „Guten Morgen, Frau Wirtin! :|:
Für mich und für die meine
Eine gute Flasche Wein!"

5. :|: „Ei Mädchen, warum weinest du? :|:
Weinst du's um deine Ehre?
Die bekommst du's nimmer mehr.

6. Oder weinst um deinen stolzen Mut?
Oder weinst um deines Vaters, Vaters Gut?
Weinst du's um deine Ehre?
Die bekommst du's nimmermehr."

Kirchardt.

Späte Nachkommenschaft des alten Liedes „Schürz' dich Gretlein“ zuerst in einem Fl. Bl. von 1528—1536 nachgewiesen; Erk-Böhme I, 412; 1535 Graslieblin Nr. 3 (Böhme, Ab. Lb. Nr. 53); 1539 zu Zürich gesungen Erk-Böhme; 1549 Forster III, Nr. 66 (Uhland Nr. 256); 1590 J. Eccard, Neue Lieder Nr. 22 und Fischart, Geschichtsklitterung Kap. 8 (Erk-Böhme) Eingang 17. Jh. Ndd. Lb. Nr. 64 (Uhland);[1]) 1622 in Fl. Bl. durch Mattheum Francken Augsburg (Erk-Böhme); 1740 Bergl. Büchlein (ibid.); 1784 Elwert 32; 1806 Wunderhorn I, 46.

Verbreitung. **Hessen** Mittler Nr. 220, Böckel Nr. 88, Erk-Irmer I, 5, 8; **Nassau** Wolfram Nr. 99; **Rhein** Simrock Nr. 56, Erk-Böhme I, 412 f.; **Böhmen** Hruschka 124; **Schlesien** Meinert 168; **Westfalen** Erk-Böhme; **Preußen** Frischbier Nr. 12, Treichel Nr. 9.

6. Brombeeren.

---

[1]) Im britischen Museum (11522 df 44) befindet sich ein Fl. Bl. „ein hüpsch new Lied Schürtz' dich Greblein, schürtz' dich“ u. s. w. M. Franck, Augsburg, wohl dasselbe wie jenes bei Erk-Böhme, wird aber im Katalog um 1560 datiert.

2. Und als nun das Mädchen in den Wald nei kam,
Da begegnet ihr des Jägers Knecht:
„Ei Mädchen, scher' dich aus dem Wald'!
Ju, ja aus dem Wald,
Ei Mädchen, scher' dich aus dem Wald'!
's ist meinem Herrn nit recht."

3. Und als nun das Mädchen ein Stück weiter kam,
Begegnet ihr des Jägers Sohn:
„Ei Mädchen, setz' dich nieder
Und zupf' dein Kerbche voll."

4. „Ein Kerbche voll, das brauch' ich nit,
Ein' Handvoll war ja genug.
In meines Vaters Garten
Giebt's Brombeer grad' genug."

5. Und als nun dreiviertel Jahr um war,
Und die Brombeer' waren reif,
Da bekam das arme Mädchen
Ein Kind auf ihren Schoß.

6. Sie schaut das Kind barmherzig an:
„Ach Gott, was ist denn das?
Sind das die reifen Beeren,
Die ich gegessen hab'?"

7. Und so ist's, wenn der Vater schene Mädche hat
Und er schickt sie in den Wald,
Und sie holen reife Beeren,
Die reifen alsobald.

Handschuhsheim, Neckarsteinach,
Wiesloch, Kirchardt.

Oder 2a Und als sie in den Wald nei kam. 4d da hat es Brombeer gnug. 5c trug das schwarzbraune Mädchen. 5d in ihrem Schoß. 6c die schwarzen (schwarzbraunen) Beeren. 7 fehlt in Kirchardt, dafür:

Und wenn das Kind e Bibel wär,
Wär gar e wackers Kind;
Es mißte lerne jage
Hirsche, Rehe, Hase,
Ju ja Hase,
Dem Jäger in seim Wald.

Und wenn das Kind ein Mädel wär.
Wär gar e wackers Kind;
Es mißte lerne nähe,
Seideknöpfche drehe,
Ju ja drehe,
Dem Jäger in sei Hemd.

Geschichte. Das Lied ist wohl nicht sehr alt. Die älteste mir bekannte Fassung ist jene im Wunderhorn **1806** II, 206. Aber die beiden letzten Strophen der kirchardter Fassung gehen auf ein Fragment in Fischarts Gargantua zurück 1575 S. 173 (Neudr. S. 137):

Ja ist es dann ein Knäbelein
Eyn kleyns Knäbelein
So muß es lehrnen schießen
Die kleyne Waldvögelein.

Ist es dann ein Meydelein
Ein kleins Meiblein
So muß es lehrnen nähen
Den Schlemmern jr Hemmetlein.

Vgl. Birlinger-Crecelius Wunderhorn I, 516. Die beiden Strophen auch in einem Fl. B. im britischen Museum (11 522 df 44) „ein hüpsch new Lied schürtz dich Greblein, schürtz dich“, Augsburg, M. Franck o. J; s. oben Nr. 5. Vgl. Uhland Nr. 256 **B**, Uhland und de Boucks Liederbücher Nr. 69.

Ähnlich in einem Fl. Bl. o. o. **1611** (brit. Museum 11 515 a 53 (15) „Vier Hüpsche weltliche Lieder das erste vom Fitz unnd Federle u. s. w.; im Liede „es fuhr / es fuhr / ein Baur ins Holz“.

„So nimb du einen Mülstein / alle / alle
Und wirff jn in den Rhein.
Vnd schwimmet er denn empor,
So muß ein Knäblein sein;
Der muß wol lernen schreiben
Seinem Bulen ein Briefflein.
Vnd sinckt er denn zu grunde,
So muß ein Mägdlein sein;
Die muß wol lernen nähen
Jrem Bulen ein Hämbdelein.“

Verbreitung. Elsaß, Oberrhein, Schwaben, Bayern, Österreich, Steiermark, Kärnten, Hessen, Nassau, Mosel, Rhein, Franken, Voigtland, Thüringen, Böhmen, Schlesien, Niederdeutschland, Harz, Brandenburg, Preußen, Vorpommern. Vgl. Köhler-Meier Nr. 140.

Dazu eine interessante Umgestaltung aus der **Lausitz** Haupt und Schmaler II, 46, XLIV (J. Meier); **Erzgebirge** Jahrbuch f. d. E. II, 115 (Hruschka Nr. 116); **Pilsen** Wiener Sitzungsberichte XXV, 249; **Bergisch** Erk-Irmer I, 2, 56; **Cleve** Erk, Liederhort S. 144; †**Eifel** Schmitz S. 162; aber letzteres könnte ebensogut der Todwunde, unsere Nr. 2 sein, beide Lieder haben gleichen Anfang und nur die Zeilen „es sollt' eine feine Magd früh aufstehn drei Stunden vor dem Tage“ werden angeführt. **Schleswig** Erk-Böhme I, 432.

Statt Brombeer finden wir auch Braunbeer, Braubeer, Brommelbeern, Erdbeer, Blumen u. s. w. Pröhle Nr. 52, Anm. hat zu Str. 2 „dies ist meinem Herren sein Recht“.

7. Das Schloß in Österreich.

Getragen.

Es stand ein Schloß in Österreich, schön war es aus = ge=

hauen, aus Mar = mor und aus E = del = stein war

es wohl aus = ge = hauen, aus Mar = mor und aus

E = del = stein war es wohl aus = ge = hauen.

2. Darinnen liegt ein stolzer Knab'
Von zweiundzwanzig Jahren,
Zehn Klafter tief, wohl unter der Erd'
Bei Kröten und bei Schlangen.

3. Die Mutter zu dem Hauptmann sprach:
„Schenkt meinem Sohn das Leben,
Zehntausend Thaler geb' ich Euch,
Schenkt meinem Sohn das Leben!"

4. „Zehntausend Thaler ist kein Geld;
Euer Sohn, der muß jetzt sterben,
Euer Sohn trägt eine goldne Kett',
Die bringt ihn ins Verderben."

5. „Und trägt mein Sohn eine goldne Kett',
So hat er sie nicht gestohlen,
Sein Liebchen hat sie ihm verehrt
Und dabei Treu' geschworen."

6. Und als er dann zum Richtplatz kam
Mit zugebundnen Augen,
Sprach er: „Bind' mir's die Augen auf,
Daß ich die Welt kann schauen".

7. Und als er dann zur Rechten sah,
Sah er sein' Vater stehen:
„Mein lieber Sohn, mein einz'ger Sohn,
Soll ich dich sterben sehen?"

8. Und als er da zur Linken sah,
Sah er sein Liebchen stehen,
Sie reicht ihm die schneeweiße Hand:
„Im Himmel sehn wir uns wieder".

Rüstenbach.

Handschuhsheim. a) mündlich: 1 ein herrliches Gebäude. 2 Sechs Klafter tief. 3 dem Richter; Sechstausend Thaler. 4 und 5 die goldne Kette die er trägt. 6 „Ach binde mir's meine Augen auf." 7 „Mein Sohn, mein Sohn, mein geliebter Sohn." 8 „Reich mir's deine schneeweiße Händelein, So will ich gerne sterben." Dazu eine neunte Strophe:

Und als er auf dem Friedhof lag,
Seine Mutter stand daneben:
„Mein Sohn, mein Sohn, mein geliebter Sohn,
So ruhe nun in Frieden."

b) aus einem geschriebenen Liederbuch: 1 In Östreich stand ein schönes Schloß 3 Die Mutter ging zum Richter hin Bat ihren Sohn das Leben. 4 Zehntausend Thaler ist kein Geld Und euer Sohn muß sterben, er hat getragen eine goldne Kett, die bringt ihn um sein Leben. 8 Reich mir's deine schneeweiße Händelein dann will ich ruhig sterben.

Kirchardt. 2 darinnen wohnt ein stolzer Graf. 3 Sechstausend Thaler geb ich Euch wenn Ihr ihm laßt sein Leben. 8 Er reichte ihr schneeweiß die Hand „In Himmel werden wir uns sehen".

Schriesheim. 2 darinnen wohnt ein stolzer Graf — sechs Klafter. 3 Richter — sechs tausend Thaler. 5 und ihm dabei geschworen. 6 „Ach bindet mirs die Augen auf.

8. Und als er dann zur linken sah
Sah er sein Liebchen sitzen,
„Mein Kind, mein Kind, mein geliebtes Kind,
Muß ich jetzt Abschied nehmen?"

9. „Mein Schatz, mein Schatz, gieb dich zufrieden,
Ich denk, im Himmel sehn wir uns wieder."

In Schriesheim ist das Lied erst 1897 bekannt geworden durch ein Mädchen, das es in Waldstadt kennen lernte.

Geschichte. Älteste Fassung Fl. Bl. v. 1606 Erk, Ldh. Nr. 6; Niederdeutsch Eingang des 17. Jh. Uhland, ndd. Lb. Nr. 72, Str. 1; Schwedisch um 1620 Zs. f. vgl. Littgesch. III, 288; Rostock 1635 Erk-Böhme I, 206; Fl. Bl. ca. 1630—40 ib. 207; Schwedisch 1642 Böckel Nr. 28; Fl. Bl. 1647 Uhland, Bl. Nr. 125 und Eschenburg, Denkm. S. 447; 1659 im Urbar der Burg Rosenburg am Kamp in Niederösterreich **wird das Lied erwähnt**: „ein uraltes Schloß von dem auch (wie man glaubwürdig berichtet) das bekannte Liedlein: Es liegt ein Schlössel in Österreich gesungen wird" (Schlossar S. 433); Geistliche Umdichtung 1692 Erk-Böhme I, 209; Dänisch 1697 Hoffmann und Richter Nr. 8; 1776 Deutsches Museum S. 400, vgl. Scherer, Jungbrunnen Nr. 17; Nieder-Lausitz 1791 Bragur VI, Abt. 1, S. 205; 18. Jh. Schwz. fl. Bl. bei Uhland IV, 144; 1806 Wdhorn I, 220 nach fl. Bl. Fl. Bl. um 1800 brit. Museum 1347 a 12 „vier sch. neue weltl. Lieder das erste ein n. Lied vom Zeisserl".

Vielleicht ist die Geschichte des Liedes noch weiter zurück zu führen. Als Titel zu Melodien kommt „es leit ein Schloß in Oesterreich" in einer berliner Hs. des 15. Jh. vor (Erk-Böhme I, 205) ebenso bei Forster II, Nr. 77 1540 (Böhme, Ab. Lb. Nr. 27). Aber das Lied vom verkleideten Pilgrim fängt ebenfalls so an, Venusgärtlein S. 156. Ein geistliches Lied (Fl. Bl. im brit. Museum 11515 a 53) o. O. 1611 scheint auch hierher zu gehören. Anfang lautet:

„Ich weiß ein ewiges Himmelreich
Das ist gantz schön gebawet,
Silber vnd Gold ist jhm nicht gleich
Es ist mit Gottes Wort gemawret.
Darinn die göttliche Mayestät
Jhre hoffhaltung führet" u. s. w.

Verbreitung. Steiermark, Hessen-Nassau, Siebenbürgen, Rheinland, Anhalt, Nieder-Lausitz, Kuhland, Schlesien, Brandenburg, Preußen. Vgl. Köhler-Meier Nr. 4, Erk-Böhme I, 211; **Schweiz** Fl. Bl. des 18. Jh. bei Uhland IV, 144, vgl. Erk-Böhme I, 207; **Elsaß** ib. 214; hier wird die Hinrichtung dadurch motiviert, daß ein alter Mann einem Schüler gestohlenes Geld zu tragen giebt, wodurch dieser in Verdacht kommt. **Nassau** ib. 213; **Elsenztal** Glock S. 29; **Rhein** Altrh. Märlein S. 58, Erk-Böhme I, 211; **Nieder-Lausitz** 1812 ib. 205; **Schleswig-Holstein** ib. 212, †Müllenhoff 609; **Pommern** Festgruß an Erk 7, Erk-Böhme I, 211; **Preußen** Pr. Provbl. 1842, Bd. 27 und Bld. d. pr. Samlandes 470, vgl. Treichel Nr. 1; **Holland** Hoffmann ndl. Bld. Nr. 25; **Flandern** (Halewyn en het kleyne kind) Coussemaker 149; **Schweden** Mohnicke 39, cf. Hoffmann Nr. 8; **England** Etwas Verwandtschaft scheint „the prickly bush" zu haben, County Songs 112.

8. Es wollt' ein Jägerlein jagen.

Munter.

Stün-de-lein vor dem Ta - ge, wohl in den grü - nen

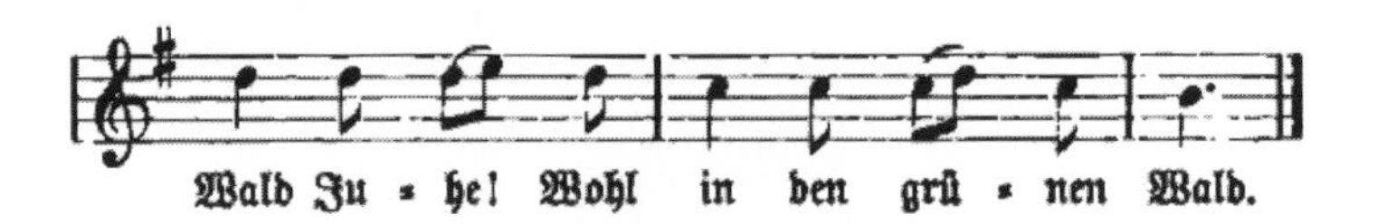

Wald Ju - he! Wohl in den grü - nen Wald.

2. Da sah er auf der Heide
Ein Mädchen schneeweiß gekleidet,
:|: Sie war schön angethan, ja than. :|:

3. Da thut er das Mädchen gleich fragen:
„Willst du es mir helfen jagen
:|: Wohl in den grünen Wald?“ :|:

4. „Ei jagen? das thu' ich nicht,
Eine andere Bitte versag' ich nicht,
:|: Mag heißen wie sie will.“ :|:

5. Das thut dem Jäger verdrießen,
Er wollte das Mädchen erschießen,
:|: Wohl wegen dem einzigen Wort. :|:

6. Doch thut er's gleich wieder bedenken,
Das Leben, das wollt' er ihr schenken
:|: Wohl auf ein anderes Mal. :|:

Nüstenbach, Bockschaft, Kirchardt.

Handschuhsheim. 3a Ein Hirschlein oder ein Reh. 4a Ach nein ach nein das thu ich nicht.

5. Der nahm sie bei der Mitte,
Trug sie in sein Schlafhütte
Bis auf den hellen Tag.

Bockschaft.

6. Da setzten sich beide nieder
Und sangen gar seltsame Lieder,
Bis daß der Tag anbrach.

7. Der Guguk schreit die ganze Nacht:
„Du hast mich um mei Schatz gebracht
Guguk, guguk, guguk trala
Guguk, guguk, guguk.“

Zweite Melodie.

Handschuhsheim.

Verwandte Lieder mit ähnlichem **Anfang:** a) Ambraser Lb. Nr. 112, Simrock Nr. 179, „die lose Decke“; b) enger verwandt Heidelberger Hs. um 1516 (Erk-Böhme III, 296); c) Gassenhawerlin 1535 (ibid.) „was begegnet ihm auf der Heiden? drei Fräulein hübsch und stolz“; d) der verschmähte Jäger Köhler-Meier Nr. 235, Mittler 251; e) Alem. XI, 55 von E. M. Arndt an Bouterwek gesandt, wo der Jäger sich schließlich als Vater des Mädchens kund giebt. **Geistliche Parodien** sind sehr häufig, lassen sich aber vielleicht auf die anderen Lieder zurückführen, nicht auf unsere Ballade. So Rotenbuchers Bergkreyen Nürnberg 1551 Uhland Nr. 338; Fl. Bl. im brit. Mus. o. J. 1636? Augspurg bey Marx. Anthony Hannas 11 522 df 61; Fl. Bl. bei J. P. Steubner, Augsburg um 1650 ib. 11 522 df 89 (5); Wdh. I, 139—40; Hruschka 19; Peter S. 343. So auch die Erwähnung 1569 im Theatr. diabol. Goedeke, Grdr.[2] II, 24. 1517 Eine ndl. Hs. ähnlichen Inhalts Erk-Böhme III, 302; 1540 Forster II (Goedeke[2] II, 85); Eingang 17. Jh. Uhland Nr. 104 ndd.; 1622 Melchior Frank (Hoffmann Nr. 176); 1777 Nicolai Alm. I, 30 Nr. 11; 1795 aus Brüssel Büsching und v. d. Hagen S. 311; 1800 ca. Fl. Bl. brit mus 1347 a 12; 1806 Wdh. I, 292; 1807 Büsching und v. d. Hagen Nr. 51; vor 1809 Schwaben Erk-Böhme III, 298.

Verbreitung. Schweiz, Schwaben, Steiermark, Gottschee, Hessen, Nassau, Pfalz, Mosel, Rheinland, Franken, Thüringen, Sachsen, Voigtland, Erzgebirge, Böhmen, Kuhland, Lausitz, Schlesien, Niederdeutschland, Brandenburg, West- und Ostpreußen, vgl. Köhler-Meier Nr. 236. Dazu *Schleswig Erk-Böhme III, 299; Petersberg im **Anhalt-Köthenschen** Firmenich II, 235; **Pommern** Bl. f. pomm. Volkskunde II, 77; **Rhein** Simrock Nr. 100 und 179 (nur verwandt); **Lothringen** Jb. f. lothr. Geschichte I, 1890, 355;

Liegnitz Veckenstedts Zs. IV, 309; **Harz** Pröhle Nr. 54 (verwandt); † **Reuß** j. L. I, 181; Marne im **Ditmarschen** Müllenhoff S. 609; **Magdeburg** Pr. Jb. 77, 214.

Unsere Fassungen sind leider sehr lückenhaft, scheinen aber sämtlich mit der landläufigen Version überein zu stimmen, wo das Mädchen den Jäger mit ihren Neckereien so zornig macht, daß er sie erschießen will (wohlverstanden nicht aus sittlicher Entrüstung, wie es nach der Rüstenbacher Fassung erscheinen möchte), sie aber doch laufen läßt „wohl auf ein anderes Mal“. Bei Peter (S. 285) hat es einen anderen Grund, weil sie ihn bereden wollte „die Vögel auf grünender Heide zu erschießen“. Bei Müller, S. 90, erschießt sie ihn.

9. Drei Gefangene.

2. „Wenn das mein Vater und Mutter wüßt',
Daß ich gefangen bin,
Ein Brieflein, das würden sie mir schreiben
Von Gold und von Edelgesteine,
Bis ich erlöset bin.

3. Wenn das mein' Herzallerliebste wüßt',
Daß ich gefangen bin,
Sie würd' jetzt kommen mit Thränen und mit Weinen
Von Frankfurt wohl über die Raine,
Bis vor des Hauptmanns Thür."

4. „Ach Hauptmann! liebster Hauptmann mein!
Eine Bitt' hätt' ich an Sie:
Diese Bitte, die wollen Sie's gewähren,
Meinen Herzallerliebsten los zu geben,
Den jüngsten dieser drei."

5. „Ach Mädchen! liebes Mädchen mein!
Das kann und darf nit sein.
Die Gefangenen, die müssen alle sterben,
Das Himmelreich, das müssen sie ererben,
Dazu die Seligkeit."

6. Da zog er aus der Tasche 'raus
Ein schneeweiß Tüchelein:
„Nimm es hin, du Hübsche und du Feine,
Du Herzallerlialiebste meine,
Dies soll dein Sterbkleid sein."

7. Da zog er aus dem Finger 'raus
Ein goldnes Ringelein:
„Nimm es hin, du Hübsche und du Feine,
Du Herzallerlialiebste meine,
Dies soll dein Eh'ring sein."

8. „Was soll ich mit dem Ringlein thun,
Wenn du's gestorben bist?"
„Schließ' ihn 'nein in Kisten und in Kasten,
Laß ihn ruhen, laß ihn liegen, laß ihn rasten,
Bis an den jüngsten Tag."

Bockschaft.

Bockschaft auch 4 die möchten Sies gewähren Die Gefangenen halli hallos zu geben. 8 Heb es auf in Kisten und in Kasten.

Nach Vilmar Handbüchlein[3] 127 stammt das Lied aus den letzten zehn Jahren des 16. Jh. Jedenfalls aus dem Anfang des 17. Jh. bezeugt; Uhland 199 zitiert es nach einem ndd. Liederbuch der Zeit; Hoffmann kannte es aus einem Fl. Bl. von 1620 (Scherer, Die schönsten d. Volksl. Nr. 20); Erk aus einem anderen von 1632 (Ldh. Nr. 12). 1784 Elwert S. 19. 1806 Wunderhorn I, 48. Str. 7—8 sind aber früher bezeugt, Uhland Nr. 76 A aus Valentin Holls Hs. 1524—26. — **Schweiz** Tobler I, 111; **Schwaben** E. Meier S. 374; **Frankfurt a. M.** *Erk, Nr. 12a; **Nassau** Wolfram Nr. 45; **Hessen** Mittler Nr. 242, Böckel Nr. 106; **Rhein** Becker Nr. 5, Altrh. Märlein 12; **Anhalt-Dessau** Fiedler 179; **Schlesien** Hoffmann Nr. 230; **Westfalen** Erk-Böhme I, 233; **Harz** *Pröhle Nr. 16; **Brandenburg** Erk-Irmer I, 3, 44; **Ostpreußen** Frischbier Nr. 15.

In früheren Fassungen ist das Mädchen dem Soldaten fremd (so z. B. bei Elwert „es war ein wackres Mägdelein dazu aus fremdem Lande"), will aber nach alter Rechtssitte den verurteilten Soldaten dadurch erlösen, daß sie ihn heiratet. Für weiteres über diese Sitte s. Böckel XLVII f., Horae Belg. II, 139, Grimm, Rechtsalt. S. 892.

10. Der Fähndrich.

Schnell. Marlbruck.

Ein Fähndrich zog zum Krie-ge vi - di-bumva - le-ra Juch-

hei - ras - sa. Ein Fähn-drich zog zum Krie - ge, wer

weiß, geht er zu - rück? Wer weiß, geht er zu - rück?

2. Er liebt ein junges Mädchen,
Die war so wunderschön.

3. Sie stieg auf hohem Berge
Dem Fähndrich nachzusehn.

4. „Ach Fähndrich, liebster Fähndrich,
Was bringst du neues mir?"

5. „Was ich dir neues bringe,
Macht dir's die Äugelein rot.

6. Der Fähndrich liegt erschossen,
Er sieht schon längst nit mehr.

7. Ich sah ihn selbst begraben
Von vielen Offizier'n.

8. Der erste trug sein' Degen,
Der zweite sein Pistol.

9. Der dritte trug sein' Küraß,
Der vierte seinen Helm.

10. Über sein Grab wurd' g'schossen
Mit Pulver und mit Blei."

Kirchardt.

Eine deutsche Fassung des frz. weltbekannten Volkslieds von Marlbruck. „Unmittelbar nach der Schlacht von Malplaquet (1709) gedichtet, in welcher sich das Gerücht verbreitet hatte, Marlborough sei gefallen" (Tappert, Wandernde Melodien S. 71 f.). Aber unzweifelhaft nach einer älteren Vorlage: Ch. Marelle sieht im Liede „la dernière transformation et la parodie d'une romance chevaleresque et mélancolique du temps des crusades" (Weinholds Zs. VI, 459), und Chateaubriand „hörte die Melodie des Marlboroughlieds im Orient, was ihn zu der Annahme veranlaßte, daß dieses Lied durch die Kreuzzüge nach Frankreich gekommen sei". Scheffler, Frz. Volksdichtung II, 109, vgl. Soltau S. 531. Eine andere Theorie (La Rousse, Grand Dictionnaire universel du 19e siècle, Paris 1873, Art. Marlbrough) ist, daß ein Lied von „Malbrough oder Mambrun", das bei den Mauren sehr beliebt ist, von ihnen nach Spanien gebracht wurde und so nach Frankreich kam. Génin kannte eine Romancero von Mambrou in Spanien, und aus Asturias ist eine Fassung veröffentlicht worden (vgl. Weinholds Zs. VI, 459). Dem sei wie ihm wolle, jedenfalls ist das Lied in Frankreich schon 1563 bekannt gewesen, denn aus diesem Jahre haben wir ein Lied auf den Herzog von Guise, das seine Verwandtschaft mit Marlbrough nicht verleugnen kann, vgl. La Rousse a. a. O. Erst durch die nordfranzösische Amme des ältesten Sohns von Louis XVI. wurde das Lied berühmt: sie sang es als Wiegenlied, es gefiel Marie-Antoinette und wurde Mode (Erk-Böhme II, 136). Erwähnt in Goethes Römischen Elegien II sowie in seinem Aufsatze: „Über Italien — Volksgesang", in welchem er berichtet, wie 1786 in Rom das Lied halb französisch, halb italienisch überall gesungen wurde. Beaumarchais brauchte es in seiner „Hochzeit des Figaro", und Napoleon I. sang es gerne (Tappert, Melodien 71 f.). In England wird die alte Melodie und ein Teil des Textes noch sehr häufig zu einem Trinkliedchen „We wont go home till morning" gesungen, die Melodie allein zum politischen Liedchen „For he's a jolly good fellow". In Deutschland jedenfalls seit 1784 bekannt durch den Frauenzimmeralmanach (Euphorion VI, 276 f.), 1785 durch „Mädchenfeier und Jünglingsweihe", und durch Fl. Bl. von 1786 an (Erk-Böhme II, 136). 1791 von Weihnachtssingern in Konstanz vorgetragen (Alem. XXII, 55). Vgl. Soltau, Hist. Vl. S. 531, Ditfurth, Die hist. Vl. 1648—1756 mdl. u. schr. **Baden** und **Elsaß** „allgemein gesungen" †Euphorion VI, 287; **Saar** Köhlers Ms. (J. Meier Vz.); **Ungarn** Urquell V, 230 (ibid.); **Magdeburg, Halle, Torgau** Weinholds Zs. III, 184, 337; **Heegermühle** bei Eberswalde, **Liegnitz**, Veckenstedts Zs. IV, 376; **Schlesien** Peter 307, Mitth. d. Schl. Ges. f. Volksk. IV, 39, V, 61 f., (Meier Vz.) Erk-Böhme II, 137, Nr. 325 (ib.); **Böhmen** Hruschka 98; **Mecklenburg** Zs. f. d. Unt. VII, 1893, 428 (Meier Vz.); **Köln** Weyden S. 239, Erk-Irmer II, I, 60, Soltau 537; **Vendée Asturias** Weinholds Zs. VI, 459. Vgl. noch den wichtigen Aufsatz von A. Kopp: „Der Gassenhauer auf Marlborough", Euphorion VI, 276, der eine Menge Fl. Bl. o. J. in der Kgl. Bibl. Berlin nachweist. Münchner Allg. Ztg., Beil., 1899, Nr. 70, S. 3 f.

Es zogen drei Re-gimen-ter wohl ü - ber den Rhein, ein

Re - gi - ment zu Fuß und ein Re - gi-ment zu Pferd und

auch ein Re - giment Dra - go - - ner.

2. Bei einer Frau Wirtin, da kehrten sie's ein,
:|: Da kehrten sie's ein :|:
Ein schwarzbraunes Mädchen schlief ganz allein.

3. Und als das schwarzbraune Mädchen
:|: Vom Schlafe erwacht :|:
Da fing sie's gleich an zu weinen.

4. „Ei schönste Madmamsell,
Warum weinen Sie so sehr?"
„Ein stolzer Offizier aus Eurer Kompagnie
Der hat mir's meine Ehre genommen."

5. „Ei schönste Madmamsell,
Kennen Sie den Herren nicht?"
„Da treit er in der Mitte,
Da treit er in der Fern,
Die Fahne dät er schwenken."

6. Der Hauptmann, der war ein gar zorniger Mann;
Er ließ die Trommel rühren,
Er ließ uns abmarschiern,
Den Generalmarsch ließ er schlagen.

Handschuhsheim.

Vor 1806 im Wunderhorn I, 358 ist mir das Lied unbekannt. Fl. Bl. 1804—15 ca. Hannover? im brit. Museum 11521 ee 28.

Verbreitung. Elsaß, *Hessen, *Nassau, Rhein, *Franken, *Schleslen, Harz, Elbgegend, Pommern, vgl. Köhler-Meier* Nr. 17 daselbst, Mosel und Saar. Dazu **Württemberg** Karl Weller, Wtmbg. Staatsanz. Beil. 1896, S. 251 (J. Meier); **Schlesien** Rübezahl XI, 70; **Schleswig-Holstein** †Müllenhoff S. 608.

Diese Melodie auch bei Erk-Böhme I, 453 aus Cleve. Die unsrige hat dadurch ihre Eigentümlichkeit gewonnen, daß der erste Satz abhanden gekommen. Erk-Böhme I, 453 möchte das Lied auf eine Begebenheit des Feldzugs in Holland 1688 bei dem sogenannten Königsregiment aus Hessen-Kassel beziehen. Bei den hessischen Truppen war das Lied zu singen verboten. Gewöhnlich schließt das Lied mit dem Henken des Fähnrichs und der Klage seiner Frau.

12. Graf und Magd.

2. „Ei Mädchen, warum weinest du?
Deine Ehr' will ich dir bezahlen,
Ich will dir geben den Reitersknecht
Dazu dreitausend Thaler."

3. „Den Reitersknecht, den will ich nicht,
Ich will den Herren selber."
„Den Herren selber kriegst du nicht,
Geh' heim zu deinere Mutter."

4. „Ach Mutter, liebes Mütterlein!
Gieb mir ein stilles Kämmerlein,
Worin ich singen und beten will
Und stillen meinen Jammer."

5. Der Graf zu seinem Diener sprach:
„Sattel' mir und dir's ein Pferdchen,
Damit wir's reiten durch den Wald
Bis an den hellen Morgen."

6. Und als sie eine Stunde weiter kamen,
Hörten sie's die Glocken läuten,
Der Graf zu seinem Diener sprach:
„Was soll denn das bedeuten?"

7. „Ein achtzehnjähriges Mägdelein
Mit rosenrotem Munde,
Hat früher bei einem Graf gedient,
Ist auch bei ihm geschlafen."

Kirchardt.

1771 Goethes Volkslieder S. 44. 1777 Nikolai, Almanach S. 16 nach Fl. Bl. 1790 Fl. Bl. Erk-Böhme. 1791 Bragur (Erk-Böhme). 1806 Wunderhorn I, 50, Arnims Nachlaß Alemannia II, 185.

Verbreitung. Schwaben Meier S. 316, Justinus Kerner, Reiseschatten 1811 (Erk-Böhme I, 395); **Österreich** ibid.; **Hessen** ibid., Erk, Ldh. Nr. 26, Lewalter II, Nr. 2, Böckel Nr. 6; **Nassau** Wolfram Nr. 61; **Rhein** Simrock Nr. 12; **Franken** Ditfurth Nr. 6—8; **Thüringen** Fiedler 161; **Sachsen** Erk-Böhme, Erk Ldh., Müller 98 (Wolfram); **Böhmen** Geschichte d. Deutschen in B. XX, 284, Hruschka 108, Erk-Böhme; **Schlesien** ibid., Erk Ldh., Hoffmann Nr. 4, Peter Nr. 10, Meinert S. 218; **Lausitz** Haupt und Schmaler I, 159; **Hannover** Erk-Böhme. **Schleswig-Holstein** †Müllenhoff S. 608; **Harz** Pröhle 19 (nach Böckel); **Altmark, Magdeburg** Parisius 10 (Wolfram) Erk-Böhme; **Brandenburg** Erk Ldh., Erk-Irmer I, IV, 62; **Ostpreußen** Frischbier Nr. 21; **Holland** Erk-Böhme; **Schweden** ib., Hoffmann.

Eng verwandt ist ein ndl. Lied mit glücklichem Ausgange Uhld. 97B nach dem Antwerpener Lb. von 1544. Verwandt sind die Motive der Lieder: „es ritt ein Jäger wohlgemut“ Wolfram Nr. 28, Lewalter IV, Nr. 9; „Nun ade, ich muß jetzt fort“, s. unten Nr. 13; „Das unverdiente Kränzlein“ Meinert 32. Englische Parallele hat das Lied in „Barbara Allen“ (zufällige Begegnung des Leichenzugs des Geliebten):

As she was walling o'er the fields
She heard the bell aknellin;
And every stroke did seem to say —
„Unworthy Barbara Allen“.
She turned her body round about
And spied the corpse a coming,
„Lay down, lay down the corpse“ she said
„That I may look upon him“.

(A bundle of Ballads, Henry Morley 1891, S. 161). Weiter „Lord Lovel“ (mündlich aus der Gegend von Belfast):

So he rode and he rode on his milkwhite steed
Till he came to London town,
And there he heard St. Pancras bells
And the people all mourning around.

„O what is the matter?“ Lord Lovel he said
And „What is the matter?“ said he,
And a woman replied „Her Ladyship's dead,
Some called her the Lady Nancy“.

Nancy ist Lord Lovels Gemahlin. Böckel zitiert hierzu noch eine englische Ballade „Sweet Willie and fair Annie“ (Jamieson I, 24). Georg Scherer (Jungbrunnen Nr. 34) macht auf die Ähnlichkeit mit dem Schlusse Clavigos aufmerksam. Wie wir gesehen haben, lernte Goethe das Lied wenigstens im Elsaß kennen, wenn nicht früher.

Der Held ist Graf, Ritter, Königssohn; die unglückliche Heldin nicht immer Magd, auch Maid, Dam', Grafentochter; ihre Wohnstadt Augsburg oder Lunden (London!), vgl. Müllenhoff 608. Zu Str. 6: gewöhnlich erkundigt sich der Graf bei dem Schäfer, der vor der Stadt weidet. Der Schluß geht unserem Liede ab; meistens begegnet der Graf dem Leichenzug und ersticht sich in allzuspäter Reue bei der Bahre. Über den Stoff vgl. weiter Uhld. Schr. IV, 99. Die Melodie, welche sonst zu diesem Liede nicht gesungen wird, ist aus: „O alte Burschenherrlichkeit" zusammen gesungen. Komponist dieses Lieds unbekannt.

13. Reue.

2. „Was ich dir geb' zum letztenmal?
Ein Kuß auf deinem Munde,
Daß du an mich gedenken sollst,
Ja, alle Tag' und Stunde."

3. Und als er in der Fremde war,
Hat er sie ganz vergessen,
Hat niemals ihr einen Brief geschrieben,
Ihr treues Herz muß brechen.

4. Und als er aus der Fremde kam,
Schwiegermutter ihm entgegen kam:
„Grüß' Gott, grüß' Gott, Schwiegermutter mein!
Wo habt Ihr Euere Tochter?"

5. „Und wo ich meine Tochter hab',
Das will ich dir gleich sagen,
Dort oben liegt sie auf frischem Stroh,
Morgen fruh wird sie's begraben."

6. Und als er in die Kammer trat,
Da brannten schon zwei Kerzen,
Zwei Jungfrauen, die schon sitzen da
Und bitterlich um sie weinen.

7. Da zog er aus ein schneeweiß Tuch
Und hielt es vor den Augen:
„Bist lange Zeit mein Schatz gewesen,
Hast niemals wollen glauben."

8. Da zog er aus ein spitzig's Schwert
Und stach sich durch das Herze:
„Hast du's gelitten den bittren Tod,
So leid' ich bittre Schmerze.

9. Macht mir ein Grab von Marmorstein
Und oben drauf zwei Saulen;
Legt mir mein Schatz in Arme 'nein,
Daß er mit mir verfaulet.

10. Wenn jemand kommt und nach mir fragt,
So sagt, ich sei gestorben,
Ich läg' schon längst im kühlen Grab
Und hab' mein Schatz im Arme."

Kirchardt.

Oder Schriesheim: 1c Was thust du mir. 2a Was ich dir thu zum allerletztenmal. 3c ein ganzes Jahr schrieb er's keinen Brief die Lieb die war vergessen. 6a und als der Bursch in die Kammer trat.

Elsaß Mündel Nr. 27. Rhein Becker Nr. 87. Zu Str. 7—9 vgl. „Ritter und Magd" bei Hoffmann Nr. 4, Str. 15—17 und Ditfurth Nr. 6—8; zu Str. 8 „der grausame Bruder" Wunderhorn I, 260.

Vielleicht ist Eifel †Schmitz 162 „Was giebst du mir zur guten Nacht, Jetzt reis' ich in die Fremde" auch eine Fassung dieses Lieds. Mosel Köhler-Meier Nr. 181; Ulm Aumer Nr. 188 (ibid.).

2. Der Geliebte muß unter die Soldaten,
Bis wann kehrt er wieder zurück?
Ein ander's Jahr im Sommer,
Wenn man Rosenblumen pflückt.

3. Und als der Geliebte nach Hause kam,
Seine Anna, die vergaß er nie,
„Wo ist denn meine, meine Anna?
Meine Anna, die vergeß' ich nicht."

4. „Meine Anna, die ist gestorben,
Heut' ist der dritte Tag,
Ihr Trauren, ihr Weinen
Hat sie so weit gebracht."

5. „Komm, laßt uns auf den Friedhof geh'n,
Wollen suchen Annas Grab,
Wollen suchen, wollen rufen,
Bis daß sie uns Antwort gab."

6. „Bist du mein Schatz, bleibst draußen,
Hier ruht ein Todesschein,
Für den kein Glöcklein mehr läutet,
Weder Mond noch Sonnenschein.

Kirchardt.

Schriesheim. 1 im verborgenen — Federbett. Sie schliefen ohne Sorgen. 2 der erste der muß — bis wann kehrt ers nach Haus. 2d Wenn mans Rosenblüten pflückt. 3 und als der Soldat wieder nach Hause kam, beim Liebchen kehrt ers ein. 4 deine Anna — ihr Trauren und ihr Weinen hat ihrs den Tod gebracht. 5 Komm, wir wollens mit einander auf den Friedhof gehn, wollen suchen Annas Grab u. s. w. 6 fehlt.

Zuerst im Wunderhorn 1806, II, 15.

Verbreitung. Schwarzwald, Ulm, Hessen, Nassau, *Mosel, Saar, vgl. Köhler=Meier Nr. 182. Dazu **Schwaben** Meier S. 230.

Verwandt ist Treichel Nr. 15. Str. 2: eine gern gebrauchte Formel für die Zeit der Heimkehr siehe unter Leutnant Leopold Nr. 26, ähnlich die Aargauer Lieben, Mittler 131. „Bis wann kehrt er wieder zurück?“ erinnert übrigens an die ganze Sippschaft der Marlbrucklieder, worauf mich J. Meier aufmerksam machte.

15. Die arme Seele.

2. Die erste, die starb wohl gegen die Nacht,
Und als das Glöckelein zehn Uhr schlug.

3. Die zweite, die starb um Mitternacht,
Und als das Glöckelein zwölf Uhr schlug.

4. Die dritte, die starb wohl gegen den Tag,
Und als das Glöckelein vier Uhr schlug.

5. Dann reisten sie mit einander immer weiter fort,
Bis daß sie gelangten an die himmlische Pfort'.

6. „Sankt Petri, Sankt Petri! mache auf deine Thür!
Denn es stehen drei arme Seelen dafür.“

7. „Die erste und die zweite sollen kommen herein,
Und die dritte soll bleiben da draußen allein.“

8. Dann reiste sie weiter, immer weiter fort,
Bis daß sie gelangte an die höllische Pfort'.

9. „Luziferie, Luziferie! mache auf deine Thür,
Denn es steht eine arme Seele dafür.“

Müstenbach.

Verbreitung. Schweiz Tobler I, 93 f., vier Fassungen, in dreien darf die sündige Seele nie in den Himmel, in der vierten sagen die Schwestern: „Soll die eint arme Seel de breit Weg go, so wend wir au nit ine cho“ und so wird sie durch Maria gerettet. **Siebenbürgen** Schuster S. 64; **Rhein** Simrock Nr. 68, Altrh. Märl. S. 70, †Schmitz S. 161; Erk-Böhme I, 643 f.; **Nassau** Wolfram Nr. 11; **Untertaunus** Erk-Böhme I, 643 f.; **Mittelfranken** ib.; **Nürnberg** Ditfurth 110 Volks- und Gesellsch.-Lieder des 16.—18. Jh. Nr. 26; **Böhmen** Hruschka 94; **Oberlausitz** Haupt und Schmaler I, 281; **Schleswig-Holstein** Müllenhoff S. 496; **Pommern** Bl. f. pomm. Volkskunde V, 170 (abweichend), Erk-Böhme, Birlinger-Crecelius Wunderhorn I, 362; **Insel Rügen** Erk-Böhme; **Flämisch** Coussemaker 171 „de twee Koningsdochterkens“. Verwandt ist ein Lied von E. M. Arndt an Bouterwek gesandt, Alem. XII, 61.

Die Mädchen sind auch Töchter einer Wittfrau oder eines Müllers an dem Rhein. Die dritte Tochter ist immer das ungezogene Kind, das vor dem Spiegel gestanden hat statt in die Kirche zu gehen und so in die Hölle kommt, falls sie nicht durch Maria Rettung findet. Dieses Motiv kommt auch in einer Ballade von Rudyard Kipling vor (Tomlinson), nur ist die arme Seele hier noch schlechter daran, sie hat weder gutes noch böses gethan, findet also selbst in der Hölle keinen Platz.

Die älteste mir bekannte Fassung ist die im Wunderhorn II, 218 und 210. In Arnims Sammlung fand sich ein Fl. Bl. um 1790 bis 1800 (Birlinger-Crecelius I, 559).

16. Das jüngste Schwesterlein.

A.

Töch-ter-lein, der hat-te drei schö-ne Töch-ter-lein.

3*

2. Die erste zog ins Niederland,
Die zweite zog ins Baierland.

3. Die dritte zog vor Schwesters Haus
Und fragt, ob sie keine Dienstmagd braucht.

4. „Ach nein, ach nein, ich brauch' dich nicht,
Du bist so fein von Angesicht."

5. „Ach ja, ach ja, ach nimm mich doch
Ein halbes oder ein ganzes Jahr."

6. Und als das Jahr vorüber war,
Da fing sie's an krank zu sein.

7. „Wer holt mir Zucker, wer holt mir Wein
Für mein allerliebstes Töchterlein?" (sic)

8. „Ich mag kein' Zucker, ich mag kein' Wein,
Ich mag ins kühle Grab hinein."

9. Mit weißem Kleid und Federstrauß,
So trug man sie zum Thor hinaus.

Handschuhsheim.

B.

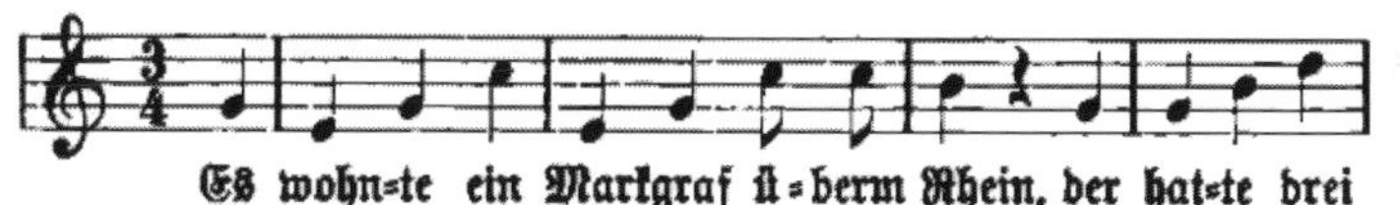

2. Die erste, die zog nach Schwabenland,
Die zweite, die zog nach Sachsenland.

3. Die dritte, die zog vor Schwesters Thür:
„Ach, brauchen Sie keine Dienstmagd hier?"

4. Sie dingte sich auf ein Vierteljahr,
Daraus entstanden sieben Jahr.

Rüstenbach.

Pforzheim (mündlich). 3 und fragt ob hier kein Dienstplatz wär. 4 fehlt. Statt 5:

Sie dingte sich auf ein halbes Jahr,
Daraus entstanden sieben Jahr.

6. Und als die sieben Jahr um war,
Da wurde sie nun traurig.

„Ei Mädchen, wenn du krank sein willst,
So sag', wer deine Eltern sind."

„Mein Vater ist Pfalzgraf über den Rhein,
Meine Mutter ist Königstöchterlein."

7. „Wer holt mir Weck'? wer holt mir Wein?
's ist ja mein liebes Schwesterlein."

8. „Ich will kein Weck', ich will kein Wein,
Ich will ins kühle Grab hinein."

9. fehlt.

Verbreitung. Elsaß, Schwaben, Hessen, Nassau, Rhein, Franken, Thüringen, Sachsen, Lausitz, Schlesien, Schleswig-Holstein, Magdeburg, Brandenburg, Preußen, vgl. Köhler-Meier Nr. 5. Mosel und Saar ib. Dazu **Rhein** Altrh. Märlein 31 u. 28 (hier kontaminiert mit der „armen Seele", oben Nr. 14); **Elsaß** Els. Volksbüchlein S. 88; **Sachsen** als Kinderspiel Dähnhardt II, 61; **Pommern** Bl. f. p. Volkskunde II, 39; **Holstein** Pröhle Nr. 1; nach Erk-Böhme I, 556 aus **Töplitz** bei Potsdam, **Gries** (Kr. Straßburg-Land) und **Halle. Westfalen** Reifferscheid S. 109 (Lewalter). Mir ist keine ältere Fassung bekannt, als diejenige im Wunderhorn 1806 I, 83. Der Vater erscheint auch als Ratsherr oder Goldschmied droben an dem Rhein, Graf vom Rhein, englischer König wohl überm Rhein; die Mutter als Kaiserstöchterlein. Der Grund, weshalb die dritte Schwester einen Dienst sucht, ist durchweg, daß sie mit einem Spielmann fortzog und von ihm verlassen wird. Die Schwester oder Mutter zögert, ein so schönes Mädchen in ihren Dienst zu nehmen, weil sie wegen ihres Mannes oder Sohnes eifersüchtig ist. Unsere Fassungen sind leider lückenhaft, so viel wird aber bei den meisten ausdrücklich gesagt. Bei Köhler-Meier zu derselben Melodie gesungen, wie unten Weißenburg Nr. 24.

17. Der treue Husar.

Nicht zu langsam.

2. Und als der Husar ins fremde Land kam,
Da ward sein Liebchen krank und schwach,
So krank, so schwach bis in den Tod,
Drei Tag', drei Nacht' sprach sie kein Wort.

3. Und als der Husar die Botschaft vernahm,
Daß sein Herzliebchen am Sterben lag,
Verließ er all sein Hab und Gut
Zu sehn, was sein Feinsliebchen thut.

4. Und als der Husar ins Kämmerlein kam,
Da fing er gleich zu weinen an:
„Ei Mutter, mach' geschwind ein Licht,
Mein Liebchen stirbt, man sieht es nicht."

5. „Nun gute Nacht, mein junger Husar,
Dich hab' ich geliebet ein ganzes Jahr,
Ein ganzes Jahr und noch viel mehr,
Die Lieb', die nahm's kein Ende mehr."

6. Jetzt hab' ich getragen ein rotes Kleid,
Jetzt muß ich tragen ein schwarzes Kleid,
Ein schwarzes Kleid, ein weiße' Hut,
Da kann man sehn, was Liebe thut.

Handschuhsheim (mündlich und schriftlich),
Schriesheimer Hof, Nüstenbach, Kirchardt.

Oder 2a ins fremde Land zog. 2b Ward sein Herzliebchen. 3c ja krank ja schwach. 3d und eilte seinem Liebchen zu oder und schaut was sein Feinsliebchen thut. 4a zur Thür 'rein kam. 4b da fing sie gleich. 5d da kann man sehn, was Liebe währt. 6a ein Cylinderhut. Auf dem Schriesheimer Hof wurden noch zwei Strophen gesungen, die ich aber nur zum teil hören konnte:

6. Jetzt kriegt mein Schatz ein Gräbelein.
7. ... einen Leichenstein beim Mondenschein, (?)
Dort schläft mein Schatz im Frieden ein.

Verbreitung. Schwaben, Kärnten, Odenwald, Hessen, Frankfurt, *Nassau, *Saar, *Rhein, Franken, Thüringen, Sachsen, Böhmen, Schlesien, Westfalen, Holstein, Harz, Brandenburg, vgl. Köhler=Meier *Nr. 263. Becker und Wolfram haben diese Melodie; das Lied wird vielfach auch zu „steh' ich in finstrer Mitternacht" oder „es ging einmal ein verliebtes Paar"; gesungen. Weitere Litt.: **Schweiz** Kt. Bern, Ms. im Besitze J. Meiers; **Eifel** †Schmitz S. 161; **Odenwald** †Volk 191; **Elsaß** Mündel Nr. 15; **Ditmarschen** Müllenhoff S. 609; **Pommern** Bl. f. pomm. Volksk. I, 96; **Ostpreußen** Frischbier Nr. 2, vgl. Nr. 9; **Prov. Sachsen, Meiningen** Erk, Ldh. Nr. 29; **Mosel** Schöneberger Nachtigal S. 11 (Birlinger=Crecelius); **Samland, Hannover, Tirol, Wien, Ungarn** Erk=Böhme I, 329 f.

Der Held erscheint meist als „ein feiner Knab'", auch junger Knab', braver Soldat, roter Husar.

18. Es liebten zwei im Stillen sich.

2. Der Jüngling wollt' auf Reisen gehn,
Sein Liebchen ließ er weinend stehn,
Die Mutter sprach: „Mein liebes Kind,
Du weinst ja deine Äuglein blind".

3: „Ei Mutter, das hat keine Not,
Ich wart' schon längst auf meinen Tod,
Wenn er's nicht kommt recht bald zurück,
So kommt er's um sein Ehr' und Glück."

4. Die Mutter nahm sogleich das Wort
Und schrieb dem Jüngling an den Ort:
„Wenn du nicht kommst recht bald zurück,
So kommst du's um dein Ehr' und Glück".

5. Des Sonntag Morgens in aller Früh
Stand er vor seines Liebchens Thür,
Und wie's ihm da zu Mute war,
Als er sein krankes Liebchen sah!

6. Ihre roten Wangen, sie waren weiß,
Ihre Händ' und Füße kalt wie Eis,
So unschuldsvoll, so engelrein
Schlief sie in seinen Armen ein.

Handschuhsheim.

Dazu in Nüstenbach:

7. Ein schwarzes Kleid, ein weißer Hut,
Da kann man sehn, was Liebe thut.

Oder 1c trennt sich wunderlich. 3d Erbenglück. 4c kehrst. 6c so sanft und mild so engelrein.

Das Lied ist jüngeren Ursprungs. Die älteste Fassung ist wohl die, welche Arndt an Bouterwek gesandt, Alem. XII, 65. Vermutlich eine Umformung des Lieds vom treuen Husar, von dem allerdings auch vor 1806 keine Spuren mir bekannt sind.

Verbreitung. Elsaß, Hessen, Nassau, Rhein, Böhmen, Schleswig-Holstein, West- und Ostpreußen vgl. Köhler-Meier Nr. 184. ***Mosel** ib., Erk-Böhme I, 334 f.; **Westfalen, Cleve, Bergisch, Dessau, Eifel, Kärnten** ib; **Pommern** zwei Fassungen, Pomm. Vbde II, 175; **Elsenztal** Glock S. 23.

Unsere Melodie auch bei Wolfram Nr. 26, Becker Nr. 9 und Lewalter IV, Nr. 23.

19. Zwei Liebchen.

Nicht zu langsam.

— 41 —

war'n einmal zwei Liebchen, und die hatten ein=ander so

lieb, lieb, lieb, und die hat=ten ein=an=der so lieb.

2. Und der Knab' ging's in die Fremde:
„Und bis wann kommst du's wieder nach Haus?"

3. „Und das kann ich dir gar nicht sagen,
Welchen Tag, welche Nacht, welche Stund'."

4. Und der Knab kam's von der Fremde,
Ging's hin vor der Schätzele Thür.

5. „Und jetzt brauchst du nicht mehr zu kommen,
Denn ich hab' ja schon längst einen Mann.

6. Und dazu einen hübschen so reichen,
Der mich's ernähren kann".

7. Und der Knab' ging's Gässelein unter
Mit dem greinenden, weinenden Aug'.

8. Da begegnete ihm seine Mutter:
„Ei Sohn, warum weinest du's?"

9. „Ei warum soll ich denn nit weinen?
Denn ich hab's ja kei Schätzele mehr."

10. „Wärest du's zu Hause geblieben,
So hättest du bei Schätzele noch."

Handschuhsheim.

Verbreitung. Schweiz Mündlich Kt. Bern, Erk-Böhme I, 170 (1818), Wyß Kühreihen 48 (1826), Firmenich II, 572, Kurz, Ältere Dichter 112, Tobler II, 180; **Elsaß** Mündel Nr. 2—3, Alsatia 1851, S. 57; **Schwaben** Meier Nr. 291; **Siebenbürgen** Deutsches Museum 1858 I, 215 (Frischbier); **Nassau** Erk-Böhme; **Hessen** *Lewalter V, Nr. 10; **Rhein** *Becker Nr. 14; **Erzgebirge, *Westfalen, *Ostfriesland** Erk-Böhme; **Ostpreußen** Frischbier Nr. 67; **Pommern** Bl. f. pomm. Volksk. II, 13.

Letzteres ist eine Kontamination dieses Liedes mit dem vom eifersüchtigen Knaben, was nahe an der Hand liegt, da die beiden engverwandte Motive haben. Eine ähnliche Kontamination von der Saar Köhler=Meier 18 B, wo die Litteratur vom anderen Liede zu finden ist.

20. Die falsche Braut.

Melodie: „Die Jüdin" (Rüstenbach), Nr. 1 A.

1. Ein Mädchen von achtzehn Jahren,
Zwei Burschen liebten sie,
Der eine war ein Schäfer,
Der andre des Amtmanns Sohn.

2. „Ach Mutter, liebste Mutter!
Gieb Sie mir guten Rat."
„Laß du den Schäfer fahren
Und nimm des Amtmanns Sohn."

3. „Der Böse wird dich holen
An deinem Hochzeitstag."
Und als sie saßen zu Tische,
Da kam ein großer Herr.

4. „Was wird man dem Herrn auftragen?
Ein gut' Glas Bier oder Wein?"
„Ich will ja nichts begehren
Als tanzen mit der Braut."

5. Und als sie dreimal um und um
Mit ihr zum Fenster 'naus,
Flog er als Ungeheuer
Mit ihr zum Fenster 'naus.

6. Dort unten ins Amtmanns Garten,
Da steht ein Lindenbaum,
Dort hat er sie zerrissen
Mit ihrem Feuerkleid.

Kirchardt.

Verbreitung. Wunderhorn III, 98. Vgl. Köhler=Meier Nr. 12: Elsaß, Schwaben, Frankfurt, Hessen, Nassau, Rhein, Saar, Franken, Sachsen, Schlesien, Niederdeutschland, Westfalen, Oldenburg, Harz, Ostpreußen. Dazu Saarlouis †Firmenich III, 534; Erk=Böhme I, 625: Heidelberg, Thüringen, Nordsee, Urach, Niederrhein, Schleswig.

Zu der Sage vgl. Pröhle Nr. 8, Alem. VIII, 60, Erk=Böhme. Der Wdh. Text „Der Schiffmann fährt zum Lande, wem läutet man so sehr?" mag wohl Rückert zu seinem Liede „Der Schiffer fährt zu Land, da hört er Glocken läuten" gedient haben. Zu Str. 6: „Feuerkleid" wohl für „Feuerklauen", das sonst vorkommt.

21. Müllers Töchterlein.

2. Meister Müllerin sprang in die Kammer,
Schlug die Hände überm Kopf zusammen:
„Haben wir das einzige Töchterlein,
Soll es heut' ertrunken sein?"

3. „Meister Müller, um Gotteswillen!
Laß den Herrn seinen Willen erfüllen,
Denn was Gott thut, das ist wohl gethan,
Tragen wir's keine Schuld daran."

4. „Liebe Eltern, laßt euch sagen,
Von sechs Knaben laßt mich 'naus tragen,
Traget mich auf den Friedhof zu,
Traget mich in die ewige Ruh'.

5. :|: Pflanzt mein Grab mit Rosmarin,
Dieweil ich Braut und Jungfrau bin.“ :|:

Rüstenbach, Handschuhsheim.

1 oder „du mußt nachsehen“.

Das Lied nach G. Scherer (Jungbrunnen Nr. 21) stammt aus den zwanziger Jahren dieses Jahrhunderts. Nach Vilmar, Handbüchlein[3] 133, verbreitete es sich von 1830—1840 schnell in sehr weiten Kreisen und wurde längere Zeit in Hessen das beliebteste aller Lieder.

Verbreitung. Steiermark Veckenstedts Zs. II, 271; **Baiern** Leoprechting 266; **Odenwald** Erk, Ldh. *Nr. 23, *Erk-Böhme I, 385, Zs. f. d. Myth. 1853, 93 f., *Erk-Irmer II, Heft 4—5, 44, †Volk 191; **Hessen** Mittler Nr. 228, *Lewalter I, Nr. 32, Böckel Nr. 23, Vilmar Handbüchlein S. 133; **Nassau** *Wolfram Nr. 12; **Rhein** Simrock Nr. 66, *Becker Nr. 11; **Franken** *Ditfurth Nr. 44, Halm 106, *Erk Ldh., *Erk-Böhme; **Thüringen** *ib., *Erk Ldh., Fiedler 191; **Sachsen** Erk-Irmer; **Erzgebirge** Müller 84; **Böhmen** Hruschka 94—96, Geschichte d. Deutschen in B. XX, 283; **Schlesien** Erk-Böhme, Erk Ldh., Erk-Irmer, *Hoffmann Nr. 33, *Peter Nr. 24.

Ditfurth, Volks- und Gesellschaftslieder, S. 15, hat ein älteres Lied „Der Tod und der Müller“ in diesem Versmaß, das anfängt „Meister Müller ich dich frage, ob ich bei dir mahlen kann“. Möglich, daß dieses neuere Lied der Melodie des älteren angepaßt ist, da aber letztere mir unbekannt ist, muß die Frage auf sich beruhen. Die Melodie ist die gleiche wie Nr. 19 oben.

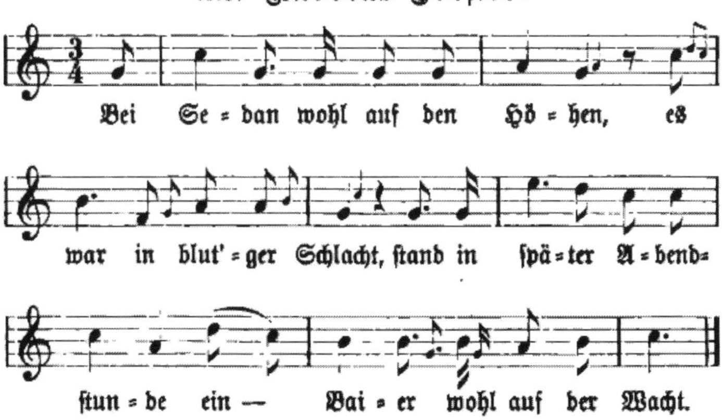

2. Der Baier ging auf und nieder,
Betrat die Todesbahn,
Die noch gestern früh am Morgen
Noch frisch und munter war.

3. Horch! was wimmert an jenem Busche
Und klagt so bittre Not?
Dort an jenem Weißdornbusche
Lag ein Reitersmann im Blut.

4. „Reicht mir Wasser, deutscher Kam'rad,
Denn die Kugel traf mich gut,
Dort an jenem Felsenrande
Floß zuerst mein junges Blut.

5. Eine Bitte, deutscher Kam'rad,
Sorget für mein Weib und Kind,
Denn ich heiß' Andreas Förster,
Gebürtigt aus Saargemünd."

6. Eines Abends sprach sein Söhnlein:
„Kommt mein Vater noch nicht bald?"
„Ja, dein Vater liegt's begraben,
Bei Sedan wohl auf den Höh'n."

7. Ein Kreuzlein von zwei Sträußlein
Trug der Sachse (sic) wohl auf sein Grab,
Er streute Wiesenblumen
Und senkte ihn hinab.

8. Ein Kreuzlein von zwei Sträußlein,
In denen weht der Wind,
„Hier ruht Andreas Förster,
Gebürtigt aus Saargemünd."

Nüstenbach, Kirchardt, Handschuhsheim.

1 d ein Badenser.

Nach Freytag (historische Volkslieder des sächsischen Heeres S. 130) ist das Lied zuerst 1870 erschienen in dem „Kameraden" (Pirna und Dresden) Nr. 46, S. 366, wo Curt Moser, Gefreiter im Schützenregiment Nr. 108 als Dichter bezeichnet wird.

Verbreitung. *Saar, *Niederhessen, *Nassau, *Rhein, Halle, Sachsen, Erzgebirge, Magdeburg vgl. Köhler-Meier Nr. 308. Dazu **St. Amarinthal** der Urquell N. F. I, 187; **Württemberg** Staatsanz. Beil. 1896, S. 252 (J. Meier); diese Melodie zu dem Texte „Der

Himmel ist so trüb" Lewalter III, Nr. 1, zu „Blaue Augen blonde Haare" Köhler-Meier Nr. 49. Zu zwei sinnlosen Stellen in unserem Liede 2b und 7a vgl. Köhler-Meier „beschaut die Leichenschaar" und „ein Kreuzlein von zwei Zweiglein".

Karl Voretzsch (Weinholds Zs. III, 181) bemerkt hierüber „1870 war Saargemünd noch französisch. Wenn man darauf besonderes Gewicht legen will, so wird die Tragik dadurch noch gesteigert: der Reitersmann Andreas Förster war dann ein Deutscher, der in französischen Diensten gefallen ist und nun seinem Feind — der zugleich sein Landsmann ist — die letzten Grüße an Weib und Kind aufträgt".

23. Sedan.

A.

2. Da lag im grünen Grase
Ein sterbender Soldat,
An seine Seite, da kniete
Sein treuster Kamerad.

3. „Zieh' mir's den Ring vom Finger,
Wenn ich gestorben bin,
Nimm's alle meine Briefe,
Die im Tornister sind.

4. Sag' dann, ich bin's geblieben
Bei Sedan in der Schlacht,
Hab's in den letzten Zügen
An ihre Treu' gedacht.

5. Und sollt' sie einmal treten
Vor Gottes Traualtar,
Dort soll sie für ihn beten,
Für ihren treuen Soldat."

6. Der Mond und auch die Sterne
Mit ihrem Silberlicht,
Sie leuchten dem toten Soldaten
Ins bleiche Angesicht.

Kirchardt.

B.

2. Und in der Reih' der Toten
Lag sterbend ein Soldat,
An seine Seite kniete
Sein treuster Kamerad.

3. Er neigt sein Haupt zur Erden,
Indem er sterbend spricht:
„Komm her, mein lieber Bruder,
Was mir am Herzen liegt.

4. Nimm diesen Ring vom Finger,
Wenn ich gestorben bin,
Und alle meine Briefe,
Die im Tornister sind.

5. Und reist du einst nach Jahren
Der teuren Heimat zu,
So bringe meinem Liebchen
Dies teuere Pfand zurück.

6. Dann sag', ich wär' geblieben
Bei Sedan in der Schlacht,
Hätt' in den letzten Zügen
An ihre Treu' gedacht.

7. Und reichst du einst nach Jahren
Dem Priester deine Hand,
So denke auch an Sedan
Und an den treuen Freund."

Rüstenbach.

Nach J. Meier Nr. 307 „ein Lied des Jahres 1866. Es wird Trautenau, Nachod und Tobo als Name der Schlacht genannt. Im Kriege 1870—71 ist das Lied auf Gravelotte übertragen, im bosnischen Feldzug auf Maglai."

Verbreitung (daselbst). *Saar, Elsaß, Tirol, Graz, *Nassau, Rheinland, Spessart, Sachsen, Böhmen, Altmark, Magdeburg. Dazu: **Niederhessen** *Lewalter IV, Nr. 12.

24.

In dem blut'=gen Schlachtge = tüm=mel kämpft ein

mu = ti = ger Sol = dat ne = ben sei = nem Ka = me=

ra = den, den die Ku = gel töt = lich traf.

2. Matt noch leuchten seine Augen,
Leise seine Lippe spricht:
„Kamerad, noch eine Bitte,
Eh' mein müdes Auge bricht.

3. Sieh' Kamerad, ich muß jetzt sterben,
Du kehrst einstmals zurück;
Siehst die teure Heimat wieder,
Kehrest in mein Dörflein ein.

4. In dem Dörflein in der Mitte
Wohnt ein Greis mit Silberhaar
Kamerad sieh', das ist mein Vater,
Geh' zu ihm und sag' es ihm.

5. Sage ihm, ich sei geblieben,
Sein Sohn, so stolz und kühn,
Und vergiß auch nicht zu sagen,
Er starb brav als Kolubin (sic!).

6. In dem Dörfchen, ganz am Ende,
Wirst ein schmuckes Häuschen sehn,
Umkränzt von Myrthen und von Reben,
Kamerad sieh', da wohnet meine Braut.

7. Nimm den Ring von meinem Finger,
Und von meiner Hand den Gruß,
Drück' auf ihre Lockenstirne
Ihr mein'n allerletzten Abschiedskuß.

Neckar Gerach.

25. Weißenburg.

A.

2. Die Kinder, die schrieen in einem fort,
Der Vater, der sprach es kein Wort;
Er griff nach dem G'wehr mit ängstlichem Zagen
Und eilte hinaus in das blutige Jagen.

3. Bei Weißenburg kam es zur ersten Schlacht,
Worin es der Vater im Feuer lag.
Da kam es plötzlich ein Kugel gekommen
Und hat es den Vater hinweg genommen.

4. Nun lag er da in seinem Blut,
Kein einz'ger Mensch erbarmte sich.
Er schrie nach dem Weib, er schrie nach den Kindern,
Aber rasch kam der Tod, seine Schmerzen zu lindern.

5. Und als der Vollmond zum dritten Mal
Seine Runde um die Erde nahm,
Da schrieen die Kinder: „Jetzt muß er bald kommen,
Es hat der Krieg sein Ende genommen".

Nüstenbach.

B.

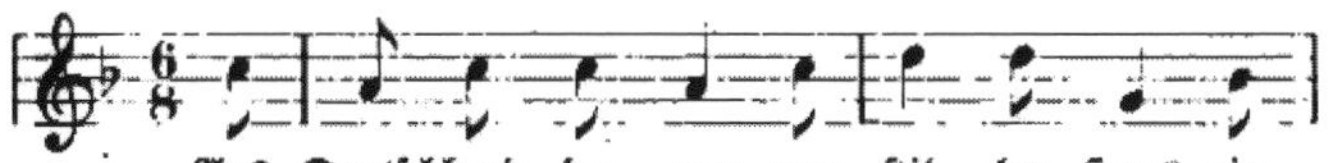

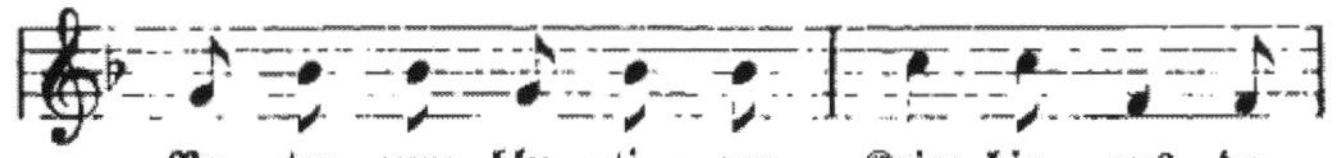

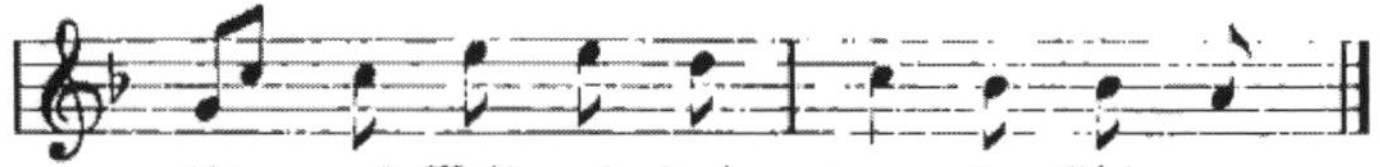

2. Der Vater, der sprach in Trennungsweh:
„Seid getrost, meine Lieben, ich komme bald wieder".
Die Kinder, die schrieen voll Angst und Trauern:
„Wie lang' wird Vater der Krieg noch dauern?"

3. Und diese Rührung den Vater ergriff,
Er schaute ganz traurig nach oben zurück,
Er blickte ganz traurig zur Erde nieder,
„Seid getrost meine Lieben, ich komme bald wieder".

4. In diesem schönen, herrlichen Saal,
Da scheinte der Vollmond zum elften Mal,
Die Kinder die schrieen: „Er wirds bald kommen,
Der Krieg hat schon ein Ende genommen".

5. Bei Sedan, da liegt der Vater in Blut,
Es hat ihn getroffen die krieg'rische Wut,
Er schrie nach dem Weib', er schrie nach den Kindern,
Aber bald kam der Tod, ihm die Schmerzen zu lindern.

Kirchardt.

Auch aus *Siegelau bezeugt Alemannia XXV, 18; hier heißt die Schlacht „Lombardis". Diese Melodie Köhler-Meier Nr. 5 zum „jüngsten Schwesterlein" oben Nr. 15.

26. Der tote Soldat.

Melodie: „Die Sonne sank im Westen", oben Nr. 23 B.

1. Auf fremder, ferner Aue,
Da liegt ein toter Soldat,
Ein ungezählter, vergess'ner,
Wie brav er gekämpfet auch hat.

2. Es reiten viel Generäle,
Mit Kreuzelein an ihm vorbei,
'S denkt keiner, daß der da lieget
Auch wert eines Kreuzeleins sei.

3. Es wird um manchen Gefall'nen
Geweint und nachgefragt,
Aber um den armen Soldaten,
Da ist kein Weinen noch Frag'.

4. Doch fern, wo er zu Hause,
Da sitzt beim Abendbrot
Ein Vater voll banger Ahnung
Und spricht: „Gewiß er ist tot".

5. Dort sitzet die weinende Mutter,
Die seufzet laut: „Gott helf!
Er hat sich angemeldet,
Die Uhr blieb stehen um Elf".

6. Dort stand ein bleiches Mädchen,
Sie weinet laut und spricht:
„Und ist er dahin auch gestorben,
Meinem Herzelein stirbet er nicht".

7. Drei Augenpaare schicken,
So heiß das Herz es kann,
Für den geliebten Toten
Die Thränen zum Himmel hinan.

8. Und der Himmel nimmt die Thränen
In schimmernden Wölkchen auf
Und führt es zu ferner Aue
Hinüber in raschem Lauf.

9. Der Himmel gießt die Thränen
Aufs Haupt des Toten als Tau,
Daß er nicht unbeweinet
Liegt dort auf ferner Au'.

Handschuhsheim.

In Handschuhsheim sah ich ein gedrucktes Singbüchlein mit einer Fassung, ungefähr, wenn nicht vollkommen, mit dieser übereinstimmend. Verf. Joh. Gabriel Seidl 1849 zuerst gedruckt (Unsere volkstümlichen Lieder, hrsg. Prahl 1900).

27. Leutnant Leopold.

Nicht zu langsam.

2. „Liebste Lina", sprach er tröstend,
„Lina, laß dein Weinen sein!
Eh' die Rosen wieder blühen
Werd' ich wied'rum bei dir sein."

3. „Bis die Rosen wieder blühen,
Ist mein Leben ausgehaucht,
Und dann find'st du anstatt meiner
Einst ein Denkmal aufgebaut."

4. Leutnant Leopold zog in Kriege
Fürs geliebte Vaterland,
Er dachte oft an seine Lina,
So oft der Mond am Himmel stand.

5. Und der Krieg, der nahm ein Ende,
Noch eh' der Rose Knospe brach,
Leutnant Leopold kam in die Laube,
Wo er einst mit Lina sprach.

6. Und er sieht hier in der Nähe,
Einen Denkmal aufgebaut,
In der Inschrift steht geschrieben:
„Lina ruht in Frieden hier".

7. Leutnant Leopold ging ins Kloster,
Legte Schwert und Panzer ab,
Neben Linas Grabeshügel
Grub man Leopold bald sein Grab.

Handschuhsheim.

Verbreitung. Allgäu, Lindau, Tirol, Bamberg, Spessart, Hessen, Nassau, Rhein, Thüringen, Bremen, Magdeburg, Mecklenburg, Westpreußen, vgl. *Köhler-Meier Nr. 183, Mosel und Saar daselbst.

Dazu (v. J. Meier mitgeteilt): **Braunschweig** Andree, Braunschw. Volkskunde 349, **Braunschw.** Magazin III, 66; **Hessen** Mittlers Ms.; **Vogtland** Dungers Ms., 2 Versionen; **Böhmen** A. John, Erzgeb. Ztg. XVII, (1896) 109; **Fichtelgebirge** Englerts Ms.; **Bregenz** ib. Nach *Erk-Böhme I, 409: Nieder-Lausitz, Altenburg, Taunus, *Elsaß. Sowohl Erk-Böhme wie J. Meier weisen auf Fl. Bl. vom Anfang dieses Jh.; viel älter wird das Lied auch nicht sein. Der Ritter heißt unterschiedlich Leopold, Ewald, Edwald, Eduard, Edmund; die Dame Lina, Minna, Emma. Verwandte Melodien auch bei Becker Nr. 104, Wolfram Nr. 32, Lewalter IV, Nr. 8.

28. Heimkehr.

2. Schaut mit sehnsuchtsvollem Blick
Nach des Liebchens Wohnhaus hin;
Schaut ihr stolz zum Fenster 'nein,
Wo die holde Braut mag sein.

3. Als er sie nicht drinnen sieht,
Wird's ihm schwer um das Gemüt;
Fragt die Blümlein in dem Wald
Nach des Liebchens Aufenthalt.

4. Fragt die Blümlein alle schön,
Ob sie mit ihm suchen geh'n;
Sucht auf Berg' und sucht auf Höh'n,
Doch kein Liebchen war zu seh'n.

5. Es war nachts beim Mondenschein,
Ging er in den Friedhof ein,
Und er sah bei Mondesglanz
Einen frischen Rosenkranz.

6. Unter Ros' und Rosmarin
Stand des Liebchens Name hin.
Und jetzt ward's dem Jüngling klar,
Wo die Braut geblieben war.

Handschuhsheim.

Verfasser. Anton Freiherr v. Klesheim in seinem „Schwarzblatl aus'n Weanerwald" Bd. 3², Wien 1864, 25 f. (1850) (Meier Bz.).

Verbreitung. **Salzburg** Liederbuch für die Deutschen in Österreich 329 (Hruschka); **Niederösterreich** Frommanns Zs. III, 388; **Kärnten** Pogatschnigg I, 334, Nr. 1457 (Köhler-Meier); **Saar** *Köhler-Meier Nr. 185; **Böhmen** Urban as da Haimat 80, Nr. 87 (Meier Bz.), Hruschka 91. Motiv verwandt mit Nr. 14 oben.

29. Die Gärtnersfrau.

Langsam.

Mü - de kehrt ein Wandersmann zu - rück, aus der

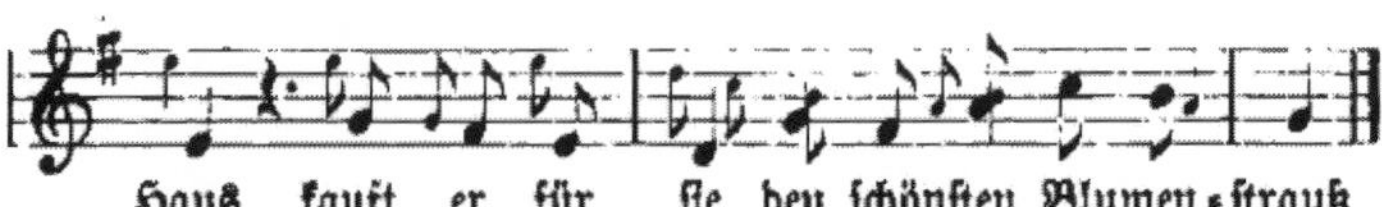

2. Die Gärtnersfrau, so hold, so bleich, so schön,
Betritt mit ihm sogleich das Blumenbeet,
Doch bei jeder Rose, die sie für ihn bricht,
Rollen ihr die Thränen von dem Angesicht.

3. „Warum weinst du, holde schöne Gärtnersfrau?
Weinst du's um der Veilchen Dunkelblau,
Oder weinst du's um die Rosen, die du brichst?“
„Nein, um dieses alles wein' ich nicht.“

4. „Ich wein' allein um den Geliebten mein,
Der zog in die weite, weite Welt hinein,
Der ewig Treue mir geschworen hat
Und mich als Gärtnerin geliebet hat.“

Neckarsteinach, Wiesloch, Nüstenbach.

Handschuhsheim und Kirchardt: 2 Die Gärtnersfrau so hold, so bleich, ging mit ihm in's Blumengärtchen gleich, doch bei jeder Rose, die sie für ihn bricht, rollt eine Thräne ihr vom Angesicht. 3a holde Gärtnersfrau. 3d Ach nein, ach nein, um beides wein ich nicht. 4 „Ich weine nur um den Geliebten mein, der da zog in's ferne Land hinein, dem ich ewig Treu geschworen hab', den ich als Gärtnersfrau gebrochen hab'. 5 Warum brachst du nun den Schwur der Zeit? den ich zu holen nun jetzt bin bereit; warum siehst du so auf meinen Ring? den ich aus Liebe einst von dir empfing“. 6 „Nein, Liebe hegst du nie für mich, nur Blumen pflegest du für mich, drum so reich mirs, holde Gärtnersfrau, einen Strauß von deiner Blumenau. 7 Mit dem Blumenstrauß von deiner Hand, will ich reisen durch das ganze Land, bis der Tod mein müdes Auge bricht, lebe* wohl! vergiß den Wandrer nicht“.

* Oder „Leb wohl, leb wohl, leb wohl vergiß mein nicht“.

Verfasser. Lebrecht Dreves 1836 in seinen Gedichten, Berlin 1847, S. 180 f. (Meier Vz.).

Verbreitung. Lindau, Graz, Hessen, Nassau, Rheinland, Mittelfranken, Altmark, Preußen vgl. Köhler-Meier Nr. 186; **Nassau** *Erk-Böhme II, 469; **Rhein** ib.; ***Mosel** Köhler-Meier l. c.; **Elsenzthal** Glock S. 29; **Braunschweig** Br. Magazin III, 90, Nr. 35; **Vogtland** Dungers Ms.; **Schlesien** Kleins Ms., J. Meier; **Hessen** Gelnhauser Abschr. d. Mittlerschen Ms. im Besitz J. Meiers. Verwandte Melodien auch bei Becker Nr. 112, Wolfram Nr. 81, Lewalter II, Nr. 9.

30. Der alte Ritter und sein Sohn.

Hört, was rauscht am Schloß em - - por?

Was vernimmt mein lauschend Ohr? Ist das nicht die Jagd im

2. Immer näher kommt zum Schloß,
Stürzt ein Reiter, hoch zu Roß,
An der Pforte hält er schon,
Großer Gott, es ist mein Sohn!

3. „Vater, bin ich nicht dein Kind,
Weil du fragst, wie ich gesinnt?
Frankreich hat sich nicht bekehrt,
Ich bin Deutschlands Ehre wert."

4. Komm, mein Sohn, umarme mich,
Weil du kämpfest ritterlich,
Nimm den Ring und dieses Schwert,
Ehre deines Vaters Herz.

Handschuhsheim.

Nur die Melodie und eine Zeile („so du kämpfest ritterlich") des Liedes vom Grafen F. L. Stolberg „der schwäbische Ritter an seinen Sohn" stimmt mit unserem Liede. Dennoch möchte ich es für eine Nachdichtung des Stolbergschen Liedes halten. Letzteres erschien zuerst im Wandsbecker Boten 1774, Nr. 77. Die Melodie ist vom Jahre 1795 (vgl. Böhme, Volkstümliche Lieder S. 67). Nach freundlicher Mitteilung J. Meiers, ist dieses Lied aus Schweinsberg in Hessen in Mittlers Ms. vorhanden.

31. Der fränkische Ritter.

A.

Mäßig.

stieg einst, um = gür = tet mit Pan = zer und Schwert, zu

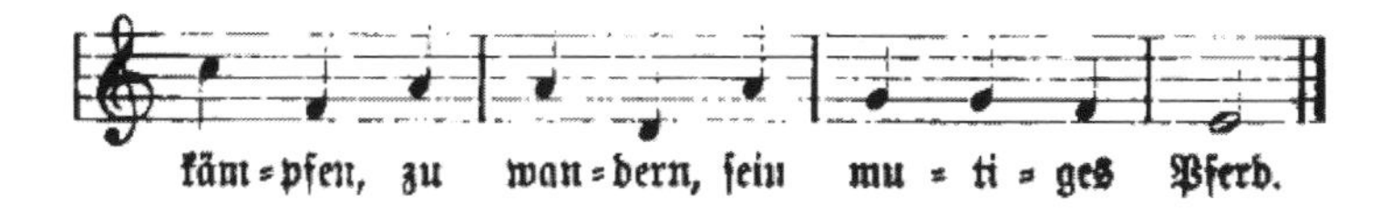

käm = pfen, zu wan = dern, sein mu = ti = ges Pferd.

2. Und als er im Felde manch' traurige Nacht
Im Dienste der Waffen getreulich durchwacht,
Kam einstens ins Lager ein Bote gerannt,
Zu grüßen Herr Ritter vom fränkischen Land.

3. „Gott grüß' Euch!“ So sprach er und neigte sich tief,
Schnell kam ihm der Ritter entgegen und rief:
„Sag' an mir, o Bote, was suchest du hier?
Im Waffengetümmel was bringest du mir?“

4. „Ach leider! ich bringe gar bösen Bericht;
Seid mannhaft, o Ritter, entsetzet euch nicht.
Denn siehe das Fräulein dahin auf dem Schloß
Hat heimlich getragen ein Kindlein im Schoß.“

5. Kaum hörte der Vater die schreckliche Post,
Da faßt ihn ein Schauer, aufschrie er erbost:
„Auf! sattelt das Pferd mir, ich brenne vor Wut,
Ich brenne zu rächen mein abliges Blut!“

6. Und als er nun abstieg am einsamen Schloß,
Da sprang er vor Wut auf sein Töchterlein los:
„Wo ist der Verführer, du Hurengezücht?
Wo ist er, der Bube, verlangen mir's nicht“.

7. „Ach Vater, glaubt nicht dem lügenden Ruf,
Mein Herz ist so rein noch, als Gott es erschuf.“
D'rauf sprach sie noch fördert manch' bittendes Wort.
Umsonst, er ergriff sie und schleppte sie fort.

8. Er schleppte sie fort in ein finsters Gemach,
„Komm“, sprach er, „du Reine, komm, folge mir nach“.
„Ach Vater, ach Vater, wo führt Ihr mich hin?
Ach Gott, sei mir gnädig! wo führt Ihr mich hin?“

9. „Du sollst wohl erfahren, du sollst wohl erseh'n",
So sprach er und hieb sie, trotz Bitten und Fleh'n
Mit Dornen und Geißeln gar bitterlich lang,
Bis stromweis das Blut aus den Adern rann.

10. Jetzt sank sie darnieder im finstern Gemach,
Ihr Auge ward dunkel, ihr Atem ward schwach.
„Laß ab, o mein Vater! erbarmet auf mein,
Der Himmel mag Euch es und mir es verzeih'n!

11. Bewahret mein Kindlein und pfleget es gut,
Denn ach, es ist höchlich von Tharomons Blut."
Da seufzte der Ritter: „Gott sei es geklagt!
Ach Töchterlein, hätt'st du es eher gesagt!"

12. Und als nun der stürmische Winter verfloß,
Kam Pfarmon selber vors einsame Schloß.
„Gott grüße dich, Ritter vom fränkischen Land,
In Schlachten und Waffen gar rühmlich bekannt.

13. Dein schönes und sittliches Töchterlein feyn,
Verließ ich mein Lager am stremenden Rhein.
Wohl, bist du's zufrieden, so führe mich hin,
So gieb ihr den Segen und lasse sie zieh'n."

14. „Wohl wär' ich's zufrieden, wohl ließ ich sie zieh'n,
Doch leider, o König, mein Kind ist dahin.
Dort siehst du den Grabstein und Hügel hinauf,
Auch wachsen schon gräbliche Blumen darauf."

15. Kaum endet der Ritter das Wort noch, so fährt
Aus Pfahromons Scheite das flammende Schwert,
Hoch fährt es herauf in des Königs Hand
Und streckte den Ritter dahin in den Sand.

16. „Fahr' hin", sprach der König, „du trotziger Mann,
So hast du es meiner Geliebten gethan."
D'rauf hub er das Kindlein zu sich auf das Roß
Und weinend verließ er das einsame Schloß.

Handschuhsheim.

(Text schriftlich, Weise mündlich.)

B.

Mäßig.

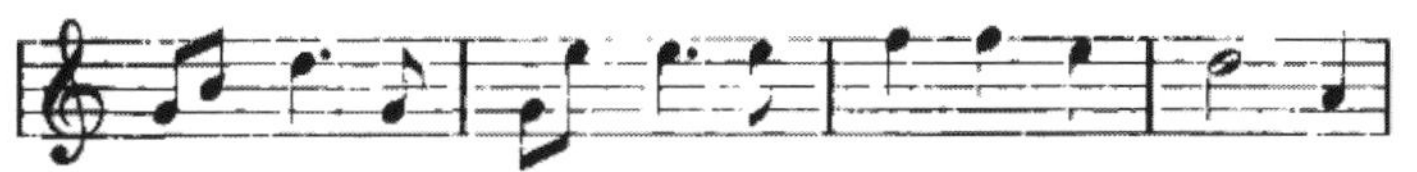

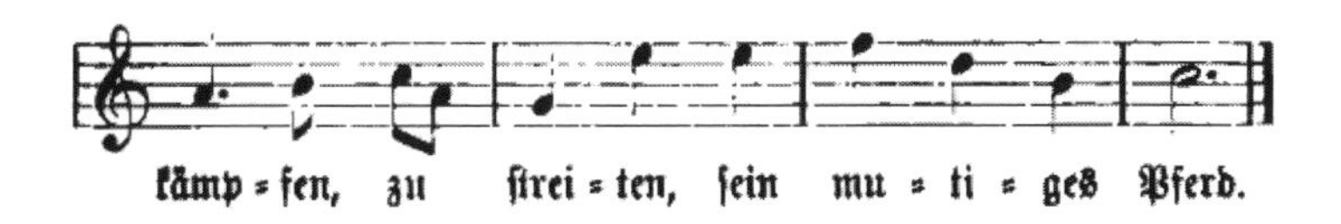

2. Da kam gleich ein Bote ins Lager zurück.
„Herr Ritter, Herr Ritter, erschrecken Sie nicht!
Daheim Ihre Töchterlein auf dem einsamen Schloß
Hat heimlich getragen ein Kindlein im Schoß."

3. „Auf! sattelt das Pferd mir, ich brenne vor Wut!
Ich will an ihr rächen mein adliges Blut."
Und als er herabstieg am einsamen Schloß,
Da ging er sogleich auf sein Töchterlein los.

4. „Wo hast du das Kindlein, du Hurengezücht?
Wer ist dein Verführer, verläugne mirs nicht!"
„Ach Vater, glaubt nur nicht dem lügenden Ruf!
Mein Herz ist so rein noch, als Gott es erschuf."

5. „Komm' Hübsche, komm Feine, komm' folge mir nach."
Er führte sie fort in ein finst'res Gemach,
Da schlug er sie mit Peitschen, mit Striemen so lang,
Bis stromweis das Blut aus den Adern ihr rann.

6. „Ach Vater, ach Vater, erbarmet euch mein!
Der Himmel mag dir es und mag mir es verzeih'n!
Bewahret mein Kindlein und pfleget es gut,
Denn es ist ja von Ferdinands adelig Blut."

7. „Ach Tochter, ach Tochter, hätt'st bälder gesagt,
In Sammet und Seide hätt' ich dich gekleid't."
„In Sammet und Seide hätt'st du mich gekleid't,
Jetzt aber hast du mich zu Tode geweiht."

8. Und als nun der stürmische Winter verfloß,
Kam Ferdinand selber vors einsame Schloß:
„Herr Ritter, Herr Ritter vom fränkischen Land,
Was habt Ihr denn meiner Herzliebsten gethan?"

9. „Da droben am Hügel, da blüht schon ihr Grab,
Da fallen schon weißgelbe Blüten herab."
Da nahm er das Kindlein aufs mutige Roß
Und weinend verließ er das einsame Schloß.

Rüstenbach.

5a „Da ließ er sie geißeln so jämmerlich lang."

Verfasser. Jos. Frz. Ratschky 1779, im Göttinger Musenalmanach **1781** erschienen, S. 17—21 (Hoffmann, Unsere volkstümlichen Lieder S. 41) Mildheimer Liederbuch **1799** Nr. 188 (Meier Bz.).

Verbreitung. Urach Erlach II, 285 (ib.); **Hessen** Lewalter V, Nr. 49; **Pfalz** Baader, Sagen der Pfalz, S. 251; **Rügen** Dönniges altschott. u. altengl. Volksballaden, S. 217 (Meier Bz.); **Ostpreußen** Frischbier Nr. 20. Das Lied ist eine Ballhornisierung des alten vom „grausamen Bruder". Goethes Volkslieder S. 31, Wunderhorn I, 259, II, 272, Birlingers Wbh. II, 244 f., Erk=Böhme I, 568, Erk Lbh. Nr. 45, Müllenhoff Nr. 492, Mittler Nr. 328—332, Haupt und Schmaler I, 87 u. s. w. Verwandt ist auch „der König von Mailand", Erk=Böhme I, 348 f., Wunderhorn, Reklam=Ausg. S. 490, Tobler II, 163, Kurz, ältere Dichter 91. Str. 1 „in spielender Waffe" eine Entstellung aus „im Spiele der Waffen".

32. Rinaldo Rinaldini.

1. In des Waldes tiefsten Gründen und in Klüften tief versteckt,
Schlief der Künstler aller Räuber, bis ihn seine Rose weckt.

2. „Rinaltino" rief sie schmeichelnd, Rinaltino, wachte auf,
„Alle Leute seind schon munter, längstens ging die Sonne auf."

3. Und er öffnet seine Augen, lächelt ihr den Morgengruß,
Sie sinkt sanft in seine Arme und erwiedert seinen Kuß.

4. Draußen bellen schon die Hunde, alles fliehet hin und her,
Jeder rüstet sich zum Streiten, ladet doppelt sein Gewehr.

5. Und der Hauptmann, schon gerüstet, tritt nun munter unter sie:
„Guten Morgen, Kameraden! sagt, was giebt es schon so früh?"

6. „Deine Feinde sind gekommen, rücken gegen uns heran."
„Nun wohlan! sie sollten sehen, daß Rinaltino fechten kann.

7. Laßt uns fallen oder siegen!" Alle rufen „Wohl es sei!"
Und es tönen Berg und Hügel, übervoll von Mordgeschrei.

8. Seht sie fechten, seht sie streiten, jetzt verdoppelt sich ihr' Wut,
Aber ach! sie müssen weichen, und vergebens strömt ihr Blut.

9. Rinaltino eingeschlossen, haut sich kämpfend mutig durch
Und erreicht in düsterm Walde eine alte Felsenburg.

10. Rinaltino! lieber Räuber, raubst dem Weibe Herz und Ruh',
Ach! wie schrecklich in dem Kampfe, wie verliebt im Schoß bist du!

11. In den moosbewachsenen Mauern lächelt ihm der Liebe Glück,
Sie erleichtert seine Seele sowie seinen Räuberblick.

Sinsheimer Liederheft.

Das Lied wird gesungen, indem man einen Kreis bildet um eine Schüssel voll Spiritus, die auf dem Boden steht. Der Spiritus wird angezündet, die Anwesenden werfen Papierfetzen hinein, welche sie dann dem Schein nach brennend verschlingen. Rinaldo führt seine Rolle dramatisch aus und markiert den Takt des Liedes mit seinem Säbel.

Handschuhsheim, Wilhelmsfeld.

Zuerst 1800 erschienen im 4. Bande des Romans „Rinaldo Rinaldini" von Chr. August Vulpius (Boehme, Volkst. L. Nr. 134), Nassau, Berg, Mosel und Saar, vgl. Köhler=Meier Nr. 336. Dazu **Berlin** Erk=Irmer I, 3, 66; **Spessart** Mitt. u. Umfragen z. bayr. Volksk. II, 1896, Nr. 2 (Meier Vz.) fl. Bl. im brit. Museum o. O. u. J. Hannover? 1804—1815? 11521 ee 28 (21); **Kanton Bern** Ms. im Besitze J. Meiers. **Hessen** Mittlers Ms.

33. Des Räubers Liebchen.

Nicht weit von hier in ei = nem Tha = le stand

2. „Mädchen, du dauerst mich in meine Seele,
Weil ich muß fort in eine Räuberhöhle.
Ich kann fürwahr nicht länger bei dir sein,
Ich muß jetzt fort in finstern Wald hinein.

3. Hier hast ein Ring, und sollt' dich jemand fragen,
So sag', ein Räubersmann hat ihn getragen,
Der dich geliebet hat bei Tag, so wie bei Nacht,
Hat auch so manches Mädchen umgebracht.

4. Und wenn ich einstmal sterben werde,
So sollst du sein mein allerletzter Erbe.
Ich setz' dich in mein Testament hinein,
Du sollst fürwahr mein letzter Erbe sein."

Handschuhsheim.

Rüstenbach. 1 in einem Wiesenthale — stand ein Räuber — da kam ein Mädchen — aufgezierten. 2 denn ich muß fort — ich kann bei dir ja gar nicht glücklich sein — in diesem Wald. 4. Und sollt' ich einstmal sterben müssen, so lasse keine Liebesträne fließen.

Verbreitung. Elsaß, *Hessen, Nassau, *Saar, Böhmen, Liegnitz, Prenzlau, Westpreußen, vgl. Köhler=Meier Nr. 337; dazu **Schlesien** Mitth. d. schles. Gesellschaft f. Volksk. IV, (1897), 41 (J. Meier); **Pommern** Bl. f. pomm. Volksk. I, 22.

34. Jägers Tod.

2. Herzliebchen hat ihn nun fern erblickt,
Sie hatte bereitet das Mahl,
Sie hatte das Bettchen mit Blumen geschmückt,
Mit Weine gefüllt den Pokal.

Da schloß sie aus Herz der Jägersmann,
Und schlief, wenn der Nachtigall Lied begann,
:|: An Liebchens treuer Brust. :|:

3. Und wenn sich die Lerche ins Feld erhob,
Ergriff er sein Jagdgeschoß,
Und wieder mit ihm nach dem Walde schnob
Hinaus sein treues Roß;
Da flog die Jagd durch Forst und Flur,
Er folgte kundig des Wildes Spur,
:|: Seine Beute wurde es bald :|:

4. Und als er einst nach Hause ritt,
Da war's ihm im Herz so schwer,
Es war ihm als treff' er sein Liebchen nicht,
Als seh' er sein Liebchen nicht mehr.
Wohl stimmt er an den Jagdgesang,
Den lauten, herrlichen Hörnerklang,
:|: Doch Liebchen hört ihn nicht. :|:

5. Und als er in das Hüttchen kam,
Da war kein Mahl bereit,
Da fand er keinen Becher Wein,
Kein Bett mit Blumen bestreut.
Ach! draußen im Garten, vom Thaue naß,
Da lag unter Blumen Feinsliebchen blaß,
O weh, o weh, o weh!
Feinsliebchen, sie war tot.

6. Da säumt er ab sein treues Roß
Und hieß es laufen frei,
Und nahm von der Wand sein Jagdgeschoß,
Und füllt es mit tötlichem Blei.
Da stimmt er an den Jagdgesang,
Den lauten, fröhlichen Hörnerklang,
Zum Liebchen ging er heim,
Zum Liebchen kehrt er heim.

Handschuhsheim.

Oder 1a zum grünen Wald.

Text von August Mahlmann zuerst in Beckers Taschenbuch zum geselligen Vergnügen 1803, Böhme, Vtl. Ld. Nr. 593. — Unsere Melodie sehr abweichend nach J. Fr. Reichardt ib. — **Hessen** Mittlers Ms. (J. Meier); **Nassau** †Wolfram 480.

35. Nachtquartier.

2. Ich stieg vom Pferd und klopft' ganz leis ans Fenster,
Ganz leise öffnet' sich die Thür,
Da trat zu mir ein schneeweiß' Hündchen
Und eine schöne Bäuerin.
„Was wollen Sie haben? was thun Sie hier?
Was thun Sie suchen so spät bei mir?"
Da dachte ich bei meiner Ehr', ja Ehr':
„Ich such' mir hier ein Nachtquartier."

3. „Zum Dienste hier steht meine Hütte,
Ich gebe, was ich geben kann,
Doch eines was ich von Euch bitte —
Wer ist der schöne, junge Mann?“
„Ich bin der Graf von jenem Lande,
Besitze hier mein Jagdrevier.“
Doch kam sie mir nicht aus dem Sinn, ja Sinn,
Die holde, schöne Bäuerin.

4. Ich schlief des Nachts ganz ohne Sorgen,
Des Morgens früh erwachte ich.
Sie wünschte mir ein' guten Morgen,
Als Graf von jenem Jagdrevier.
Ich reichte ihr eine gold'ne Börse,
Damit verschwand sie alsobald,
Doch kam sie mir nicht aus dem Sinn, ja Sinn,
Die holde, schöne Bäuerin.

Handschuhsheim.

Verbreitung. Mosel Köhler-Meier Nr. 226.

36. Der treulose Heinrich.

A.

5*

2. Zwölf Uhr schlug's, da ging durch die Gardine
Plötzlich eine weiße kalte Hand:
Was erblickt er? seine Wilhelmine!
Die im Sterbekleide vor ihm stand.

3. „Zitt're nicht!“ sprach sie mit leiser Stimme,
„Ehmals mein Geliebter, zitt're nicht!
Ich erscheine dir ja nicht im Grimme,
Deine neue Liebin fluch ich nicht.

4. Warum traut' ich deinen falschen Schwüren
Baute fest auf Redlichkeit und Treu'?
Doch der Himmel hat mir Kraft gegeben,
Daß ich nicht zur Hölle bin gestürzt.“

Handschuhsheim, Rüftenbach.

1 Schlangebiſſe dem falschen Ungetreuen. 2 plötzlich eine weiße Hand.
3 b Heißgeliebter zittre nicht. 3 d deine neue Liebe.

B.

1. Heinrich schlief bei seiner Neuvermählten,
Einer reichen Erbin an dem Rhein;
Schlangenbisse, die den Falschen quälten,
Lassen ihn nicht schlafen ruhig ein.

2. Zwölf Uhr schlug's, da drang durch die Gardine
Plötzlich eine weiche kalte Hand!
Was erblickt er? seine Wilhelmine,
Die im Sterbekleide vor ihm stand!

3. „Bebe nicht,“ sprach sie mit leiser Stimme,
„Du, ehemals mein Geliebter! bebe nicht!
Ich erscheine nicht vor dir im Grimme,
Deiner neuen Liebe fluch' ich nicht.

4. Zwar der Kummer hat mein junges Leben,
Liebster Heinrich, plötzlich abgekürzt,
Doch der Himmel hat mir Kraft gegeben,
Daß ich mich zur Hölle nicht gestürzt.

5. Warum traut' ich Schwache deinen Schwüren?
Baute fest auf deine Lieb' und Treue?
Warum ließ ich mich durch Worte rühren,
Die du gabst aus Schmeichelei?

6. Weine nicht, denn eine Welt wie diese
Ist die Thränen, die du weinst, nicht wert,
Lebe froh und ruhig mit Elise,
Die du jetzt zur Gattin hast begehrt.

7. Lebe wohl und glücklich hier auf Erden,
Bis du einst vor Gottes Thron wirst stehen,
Wo du strenge wirst gerichtet werden,
Für die Liebe ... kannst verschmähen!

8. Schätze hast du Heinrich ach! bediene
Sie zu dein und meiner Seelenruh',
Schaffe Ruhe deiner Wilhelmine,
Deren einzige Seligkeit warst du.

9. Gute Werke, heil'ger Männer Bitte
Lindern oftmals diesen schweren Bann.
Doch du weißt es, daß in jener Hütte
Meine Mutter nicht viel opfern kann."

10. „Opfern soll ich! nun so opfern Blut!"
Brüllte Heinrich noch in dieser Rache.
Sprang vom Lager und in der Minute
War, o Greul, der Selbstmord schon vollbracht.

11. Gnade fand sie, aber ihr Ungetreuer
War verloren ohne Wiederkehr;
Als ein Teufel, als ein Ungeheuer
Irrt sein Geist um Mitternacht umher.

Sinsheimer Liederheft.

Verfasser. Joh. Friedr. August Kazner 1779 in der „Schreibtafel" hsg. Maler Müller (Köhler-Meier Nr. 28).

Verbreitung. Nassau, Thüringen, *Hessen, Lothringen, *Saar und Mosel, Niederrhein, Schlesien, vgl. Köhler-Meier. Dazu **Hessen** Mittlers Ms. und **München** Englerts Ms. (J. Meier) Fl. Bl o. O. und J. [Hannover? 1804—15?], brit. Museum 11521 ee 28; **Kanton Bern** Ms. im Besitze J. Meiers, vgl. unten „Weint mit mir" Nr. 82.

37. Minna.

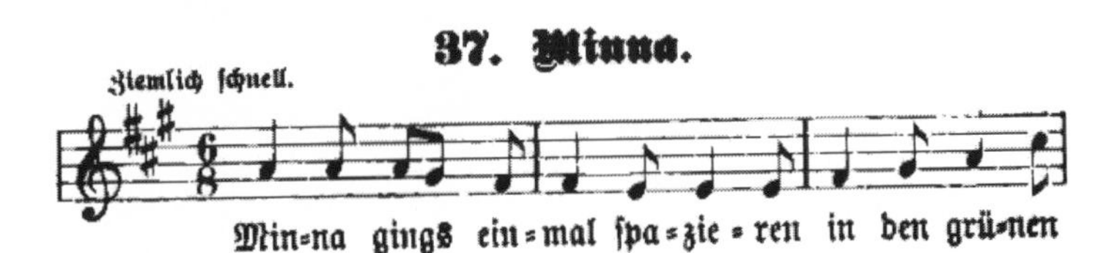

2. Schön und redlich wars der Jüngling
Und sein Wuchs war schlank;
Kühl und finster war's im Walde,
Und sie waren allein.

3. Als sie so beisammen waren,
Schwur er ihr die Treu;
Als sie wieder von einander geschieden,
War der Schwur vorbei.

4. Als dreiviertel Jahr um war'n,
Bekam sie's einen Sohn.
Und als der Jüngling der Vater sein sollte,
Da macht er sich auf und davon.

5. „Minna, deine Wangen blassen,"
Sagt' die Mutter bald.
„Es hat mir ein Jüngling die Treue geschworen,
Aber sein Schwur war falsch.

6. Wenn ich's 'mal gestorben bin,
Da schreibt auf meinen Stein:
Da drunten in jenem finsteren Walde
Traf Minna ihr Unglück ein."

7. Sechs von seinen Kameraden
Trugen den Leichnam hinaus.
Sechs hübsche, sechs stolze, sechs feine Soldaten,
Die trugens die Minna hinaus.

Kirchardt, Handschuhsheim.

Nach Hoffmann (Unsere volkst. Lieder S. 99) um 1800 aufgekommen.

Verbreitung. Elsaß, Ulm, *Nassau, *Rhein, Saar, Hinterpommern, vgl. Köhler-Meier Nr. 184. Dazu Erk-Böhme II, 514 aus Brandenburg, Schlesien, Uckermark, Thüringen, Wetzlar und vom Niederrhein. **Nassau** *Wolfram Nr. 62; **Württemberg** Staatsanzeiger Beilage 1896, S. 255 (J. Meier), nach Fl. Bl. o. O. u. J. Ditfurth 110 Volks- und Gesellsch.-Lieder des 16.—18. Jh., Nr. 45.

38. Mord der Geliebten.

A.

2. Er nahm sie bei der rechten Hand
Und führt sie ins Gesträuche:
„Komm' her, mein Schatz, Allerliebste mein,
Genieße deine Freude!"

3. „Was soll ich denn in diesem Wald
Für eine Freud' genießen?
Ich glaub', ich glaub', ich werde bald
Im Walde sterben müssen."

4. Das Messer zog er aus der Tasch',
Und stach ihr in das Herze;
Da rief sie aus: „Herr Jesu Christ,
Komm', lind're meine Schmerzen!"

5. Den zweiten Stich, den gab er ihr,
Ganz mutlos sank sie nieder;
Dazu da kam ein Hirtenknab',
Das Ding blieb nicht verschwiegen.

6. Ihr Mädchen, nimmt euch wohl in acht,
Wie's dieser hat getrieben.
Er führt' sie in den grünen Wald
Und bracht' sie um ihr Leben.

Handschuhsheim.

B.

2. Er legte sie ins grüne Gras:
„Genieße deine Freude,
Komm' her mein Schatz, Allerliebste mein,
Genieße deine Freude."

3. „Was soll ich denn in diesem Wald
Für eine Freud' genießen?
Mir scheint hier eine Todesgruft,
Worin ich sterben müsse."

4. Er zog sein Messer aus der Scheid',
Wollt' ihr das Herz durchstechen.
Da rief sie aus: „Herr Jesus Christ,
Komm', lind're meine Schmerzen."

5. „Hier hilft kein Nachruf und kein Flehn,
Du mußt getötet werden."
Er stach das Messer ihr ins Herz
Und lief davon in Eile.

Kirchardt.

Verbreitung. Elsaß, Schwaben, Steiermark, Kärnten, Hessen, Nassau, Rhein, Franken, Lausitz, Erzgebirge, Böhmen, Schlesien vgl. Köhler-Meier Nr. 21. Zs. f. vgl. Litt.-Gesch. I, 319 f. (Hruschka), Unser Vogtland I, 235—41 (J. Meier); **Kanton Bern** Ms. im Besitz J. Meiers; **Hessen** Abschr. d. Mittlerschen Ms. ib. Diese Melodie, eine Umstaltung des bekannten „O Tannenbaum" auch bei Ditfurth Nr. 45 a, Lewalter III, Nr. 32, Wolfram Nr. 37, Erk-Böhme I, 180, Becker Nr. 16. Die Mordthat wird öfters so motiviert, wie bei Peter S. 190: „im Grabe mußt du liegen, bevor die Schande größer wird und alles bleibt verschwiegen". So auch bei Pogatschnigg II, Nr. 597; trotzdem endet das Lied: „In wahrer Reu' und Gottesfurcht, sind sie zugleich gestorben, und beide haben auch zugleich, die Gnad' von Gott erworben"!! Str. 5 „Nachruf" aus „kein Achruf" entstanden.

39. Ich liebte einst ein Mädchen.

2. Ich ging zu ihr auf Urlaub
Wohl in ein Gastwirtshaus;
Sie aber stellt sich spröde
Und eilt zur Thür hinaus.

3. Das hat mich sehr verdrossen,
Ich faßte den Entschluß:
Ihr Leben muß sie lassen,
Das kostet nur ein' Schuß!

4. Wir trafen uns zusammen
Wohl auf dem Zeughausplatz.
Es schlug die zwölfte Stunde,
Und sie war's leichenblaß.

5. Da zog ich mein' Revolver
Und schoß ihr durch die Brust.
Ein Wörtlein wollt' sie sprechen,
Dazu hätt' ich keine Lust.

6. Ach Gott, wo ist mein Liebchen?
Mein Liebchen, das ist tot!
Ich habe sie erschossen,
Ihr Blut floß rosenrot!

7. Was trug sie auf dem Haupte?
Ein blondgelocktes Haar.
Sie ging an meiner Seite
Ein ganzes volles Jahr.

8. Ich wurde arretieret
Noch in derselben Nacht,
Nach Rastatt abgeführet
Und in Arrest gebracht.

9. Da wurde ich gebunden
An einen Eisenpfahl.
Da sollte ich bekennen
Die schauderhaft Gethat.

10. Es wurden kommandieret
Zwei Mann aus meinem Zug,
Und kaum in sechs Minuten
Da lag ich schon im Blut.

Rüstenbach, Handschuhsheim, Kirchardt.

Oder 1a dazu hatt ich's keine Lust. 2c stellt sich blöde und gieng zur Thür hinaus. 3c Ihr Leben soll es kosten durch einen Kugelschuß (ein Revolverschuß). 4b Kaiserplatz. 5 Ich kauft mir ein Revolver. 7a Ich schnitt von ihrem Haupte. 7c und trugs auf meinem Busen. 8a Darauf ward kommandieret. 9a Man legte mich in Ketten. 9c damit ich sollt erkennen, die schauderhafte Qual.

10. Und als ich sie gestanden,
Die schauderhafte That,
Hat man mich lebenslänglich,
Nach Wilhelmshöh' gebracht.

Verbreitung. Mosel und Saar *Köhler-Meier Nr. 265; **Magdeburg** Boretzsch, Zs. f. d. Phil. XXX, 257, Anm. 1 (J. Meier); **Westpreußen** sehr abweichend in Treichels Ms. (ib.). Als Anfangsstrophe:

Wir saßen beid' am Fenster,
Das Licht war ausgebrannt;
Ihr Herzchen hört ich schlagen,
Sie drückte mir die Hand.

Mir auch aus dem nördlichen Württemberg bekannt.

40. Der Zug von Hamburg.

A.

2. Vom Elternhaus ward sie verstoßen,
Das war für sie ein harter Graus.
In ihrem Herzen war's geschlossen,
Nie wieder zu kehren ins Elternhaus.

3 Sie ging von Hamburg bis nach Bremen,
Sie faßte sich den harten Plan,
Sie wollt' ihr Haupt auf's Schienen legen,
Grad' wo der Zug von Hamburg kam.

4. Die Schaffner hatten's längst gesehen,
Sie bremsten ein es mit Gewalt.
Allein der Zug, er blieb nicht stehen,
Ihr Haupt rollt blutend in den Sand.

5. Blaue Äuglein, blonde Haaren,
Die haben mich verrückt gemacht.
Und wer's nicht glaubt, der soll's erfahren,
Was falsche Liebe stiften kann.

Handschuhsheim.

Oder 2b ein harter Schluß. 2d nicht wieder. 4d blutig. 5c der wirds erfahren.

Str. 5 als Anfang eines Liebesliedes, Mosel Nr. 49 und als letzte Strophe eines Farbenlieds hs. Lb. des 18. Jh. aus Graubünden.

B.

1. Ein Mädchen von den besten Jahren,
Die solche That verübet hat,
Die kann und muß es jetzt erfahren,
Was falsche Lieb' für Folgen hat.

2. Ihr Herz war gänzlich hingerissen
Von eines Burschen Schmeichelei.
Im Stillen thut sie Thränen gießen,
Sie fühlte, daß sie Mutter sei.

3. Vom Mutterherzen ganz verstoßen,
Ging sie an Donnerstag Mittag aus,
In ihrem Herzen fest entschlossen,
Nie wieder zu kehren ins Elternhaus.

4. Sie ging gerad' nach der Stadt Gesen
Wo grad' der Zug von Hamburg kam.
Auf d' Schienen thut sie sich hinlegen,
Daß ihre Schand' ein Ende nahm.

5. Die Schaffner haben dies gesehen,
Sie bremsten mit Gewalt heran,
Allein der Zug, der blieb nicht stehen,
Ihr Haupt rollt blutend in den Sand.

6. Die Kinder kommen von der Schule.
Weil Niemand sie erkennet hat,
Begrub man sie ins Thal der Schönen.
Gott lohnte ihre edle That.

Kirchardt.

Zu dieser Morithat kenne ich keine Varianten. Str. 5 der ersten Fassung ist eine ziemlich häufige Wanderstrophe vgl. Köhler-Meier Nr. 49, Erk-Böhme II, 519. Die Melodie ist dem kleinrussischen Volkslied „Seht ihr drei Rossen vor dem Wagen“ entnommen, das nach Böhme seit 1840 in Deutschland bekannt ist. (Volkst. Lied. Nr. 723). Köhler-Meier Nr. 54 „Du warest einst mein Schatz gewesen“, nimmt den zweiten Satz der Musik aus derselben Quelle.

41. Die Rabenmutter.

DC.

1. Ach das Herze möchte bluten, wenn man hört von der Geschicht,
Wie zu Hamburg eine Mutter ihrem Kind das Urteil spricht.

2. Als sie nun ein Kind geboren, das war kaum acht Jahre alt,
Hat sie ihren Mann verloren und wird eine Wittwe bald.

3. Einer wollte sie heiraten, „Ach wenn nur das Kind nicht wär'!
Bald ließ sie ihm Antwort sagen, dieses Kind wär' bald nicht mehr.

4. Sie ließ es in Keller sperren und versiegelt Schloß und Band,
Ach das Kind muß Jammerweinen „Liebe Mutter gieb mir Brot!“
Doch des Kindes Jammerweinen ging nicht in des Mutters Herz.

Kirchardt.

Die Melodie ist der erste Satz von „Wie die Blümlein draußen zittern“, vgl. unten Nr. 80, Text eine Morithat, wie sie auf Kirchweihen zu Drehorgeln gesungen werden.

42. Kaufmannstochter.

2. Das war eine Kaufmannstochter,
Und sie freite um einen Doktor,
Und sie freite ein ganzes halbes Jahr,
Bis der Vater und die Mutter wurdens wahr.

3. Der Doktor, der ging zum Vater,
Ob er die Tochter könne haben.
Ja der Vater, der gab ihm zu verstehn,
Daß dieses ja könne nicht geschehn.

4. „Und kann dies auch nicht geschehen,
So will ich auch nimmer länger leben.
So will ich auch nimmer länger sein,
Ins tiefe Meer stürz' ich mich hinein."

5. Das Mädchen stand oben am Fenster
Und schaute über das Geländer:
Ja sie sah', wie ihr Geliebter 'nein sprang,
Und wie er im Wasser ertrank.

Handschuhsheim.

Verbreitung. ***Mosel** Köhler=Meier Nr. 24. Mir sonst unbekannt. Die erste Strophe ähnelt der elsässischen Fassung von H. W. von Stamfords „ein Mädchen holder Mienen" (Alsatia 1854—55, S. 175; vgl. Böhme, Volkst. Lied. Nr. 164), während die Melodie mit jener der hessischen Fassung desselben (Lewalter IV, Nr. 34) übereinstimmt. Unser Lied ist wohl auf diese Melodie gemacht und infolgedessen der Anfang mit deren Texte kontaminiert.

II.

Liebeslieder.

43. Was kommt von draußen drein?

Schnell bewegt.

Langsam.

2. Leut' die haben mir erzählt,
Was für ein Schatz hab' ich auserwählt;
Denk' ich mir in meinem Sinn:
„Mag es gut sein oder schlimm."

3. Wenn mein Schätzel Hochzeit macht,
Ist's für mich ein Trauertag;
Geh' dann in mein Kämmerlein,
Trag' den Schmerz für mich allein.

4. Und wenn ich 'mal gestorben bin,
Führt man mich zum Friedhof hin,
Setzt mir dort ein' Leichenstein,
Rosen und Vergißnichtmein.

Handschuhsheim.

1a steht was kommt.

Seither (1900) ist eine Travestie der Mittelstrophe an Stelle der 4. gekommen:

Wenn mei' Schätzel Hochzeit hat,
Ist's für mich ein Freudentag.
Geh' nach Haus' und denk': „Famos!
Hab' ich doch den Spitzbub' los!"

Das Lied ist von der Burschenschaft Franconia ins Dorf gebracht worden, findet sich auch im Kommersbuch „Vivat Akademia" Halle 1885[3], S. 83 Nr. 109 (J. Meier Zs. f. d. Ph. XXX, 16); wird auch von den Studenten in Jena gesungen.

Verbreitung. Str. 1 aus **Birkenfeld** *Böhme Vtl. Lb. Nr. 607; **Vogtland** Dunger Rundâs Nr. 52, Str. 3 Wdh. 1808, Anh. 124; **Badische Pfalz** Neue Hbg. Jb. VI, 122; **Vogtland** Rundâs Nr. 507: **Erzgebirge** Müller S. 135.

44.

2. Wo ich dich am liebsten hab',
Mußt du's werden ein Soldat,
Mußt auch reisen fremde Straßen
Und mußt mich, dein Mädchen, verlassen.

Nüstenbach.

Verbreitung. Str. 1 **Nassau** Wolfram Nr. 187 b.

45. Keine Freud'.

2. Jetzt gehen wir's zum Goldschmied 'nein,
Kauf meinem Schatz ein Ringelein,
Ein Ringlein an die rechte Hand,
Mein Schatz der reist nach Sachsenland.

3. Nach Sachsenland da mag ich nicht,
Die langen Kleider trag' ich nicht,
Die langen Kleider, die spitzen Schuh',
Die stehen's keiner Dienstmagd zu.

Nüstenbach.

Nicolais Alm. 1775 (Lewalter I, Nr. 5); Wunderhorn 1808, III, 84 und 88.

Verbreitung. Elsaß, Schwaben, Odenwald, Hessen, *Nassau, Mosel, *Rhein, *Franken, Thüringen, Böhmen, *Schlesien, Westfalen, Harz, Brandenburg, vgl. Köhler-Meier Nr. 32. Dazu **Hessen** Böckel Nr. 52; **Nassau** Wolfram Nr. 453; **Taunus** Erk-Böhme II, 395; **Eifel** Schmitz 143; **Sachsen** Rundâs Nr. 562 u. 582, parodiert Nr. 1142; **Schlesien** Peter I, 264 (Lewalter); **Hannover, Helgoland** Erk-Böhme II, 395. Str. 1 als Anfang unserer Nr. 61; **Thüringen** Weimar Jb. III, 307; **Itzgrund** Wolff 197, Kommersbuch 401, Melodie in Str. 3, parodiert ib. 607.

46. Am Brünndele.

2. Da laß ich meine Äugelein um und um geh'n,
Und da seh' ich mein herztausender Schatz bei em anderen steh'n.

3. Bei em andre stehe sehe, ach! das thut weh —
Gute Nacht, mein herztausender Schatz, meine Wege sein weit.

Handschuhsheim.

(Wird nur noch von älteren Leuten gesungen).

Verbreitung. „Mündlich am Neckar“, Wunderhorn 1806, I, 190. Baden, Elsaß, *Schwaben, Ungarn, *Hessen, *Nassau, Rhein, *Saar, Franken, Böhmen, Schlesien, vgl. Köhler-Meier Nr. 86; **Schwaben** Birlinger-Crecelius I, 156, Jungbrunnen Nr. 101, Mone Quellen 165; **Hessen, Franken** ib., vgl. auch Alemannia X, 148 f., Nr. 8, Wunderhorn III, 21, Kommersbuch S. 451. Gewöhnlich folgt auf unsere Str. 3 die Episode von den drei Röselein, vgl. Uhland Nr. 150.

47.

1. Ein heit'rer Sinn, ein froher Mut,
Desch isch all' mei Hab und Gut,
Desch geb' ich nit, so arm ich bin,
Nit für das Allerschönste hin.

2. Hochzeitstag, wann kommst du dann?
Daß ich auch 'mal sagen kann,
„Du bist mein Weibchen, mein Zeitvertreib,
Du bist mein allerschönstes Weib."

3. Bist du mir's, mein Mädchen, getreu,
Ei, so leb' ich sorgenfrei,
Ei, so leb' ich ohne Sorgen,
Von dem Abend bis zum Morgen.

Rüstenbach.

48. Bei der Linde.

A.

2. Als ich an die Linde kam,
Stand mein Schatz daneben:
„Grüß' dich Gott, mein herztausender Schatz!
Wo bist du gewesen?"

3. „Wo ich gewesen bin,
Darf ich dir wohl sagen,
Bin gewesen in dem fremden Land,
Hab' was Neues erfahren.

4. Was ich erfahren hab',
Darf ich dir schon sagen:
Hab' erfahren, daß zwei junge, junge Leut'
Bei einander schlafen."

5. „Bei einander schlafen, das darf man schon,
Aber nur in Ehren,
Grüß' dich Gott, mein herztausender Schatz,
Aber nur in Ehren."

Nüstenbach, Heidelberg.

Kirchardt: 1o Gieng ich's Stäfele auf und ab.

B.

Kirchardt.

Erster Abdruck wohl 1806 im Wunderhorn I, 300, vgl. Alemannia X, 148 f., Nr. 21. Die Geschichte, wie am Ende der Welt die Bretter paßten, ist wohl von Clemens Brentano erfunden. Dennoch wiederholt es sich bei Weckerlin II, 220, was sehr gegen die Echtheit seines Textes spricht.

Verbreitung. **Schweiz** Wyß, Kühreihen, S. 86; **Elsaß** Mündel Nr. 123, Weckerlin II, 220; **Schwaben** Meier S. 100; **Hessen** Böckel, Nr. 78, Erk-Böhme II, 332, *Erk-Irmer II, 6, 48, †Wolf S. 191, Zopf Nr. 6; **Nassau** Wolfram Nr. 108; **Rhein** Altrh. Märlein 127; **Thüringen** Erk-Böhme II, 332, Weimar Jb. III, 299; **Anhalt-Dessau** Fiedler 186; †**Reuß** j. L. I, 181; **Sachsen** Rösch 34, Köhler Volksgebrauch im Voigtland 304 (Wolfram); **Böhmen** Hruschka 177; **Schlesien** Hoffmann Nr. 133; **Westfalen** Reifferscheid 54 (Wolfram); Erk-Böhme II, 332; **Brandenburg** Beckenstedt Zs. IV, 133; **Ostpreußen** Frischbier Nr. 49. Sehr häufig kommt am Schlusse des Lieds ein Anhängsel: „Zwischen Berg und tiefem, tiefem Thal, saßen einst zwei Hasen".

49. Petersil.

2. Des Sonntag Morgens in aller Fruh',
Da kam mir eine traurige Botschaft zu.
Dieweil ich vom Liebchen hab' Abschied genommen,
Er bat, ich möcht' noch einmal zu ihm kommen.

3. Als ich zum Herzallerliebsten kam,
Da fing es gleich so bitterlich zu weinen an:
Ich soll es nicht verlassen in aller seiner Not,
Ich soll es treulich lieben bis in den Tod.

4. „Schau' her, schau' her, mein bleiches Gesicht,
Schau' her, wie hat die Liebe mich zugericht!
Ich wollte fürwahr, ich läg' im kühlen Grab,
Da hören alle meine Sorgen und Trauern auf."

5. In Trauren muß ich schlafen geh'n,
In Trauren muß ich wiederum wohl aufsteh'n,
In Trauren, da muß ich vollbringen meine Zeit,
Dieweil ich nicht kann haben, was mein Herz erfreut.

Handschuhsheim.

Zweite Hälfte des 18. Jh. Fl. Bl., Erk-Ldh. 158. 1794 von Klamer Schmidt umgedichtet, Hofmann Vtl. Ld. S. 80. **1806 bis 1808** Wunderhorn II, 201, Birlinger-Crecelius II, 218.

Verbreitung. Deutsch-Pilsen Firmenich III, 634; **Hessen** *Erk-Irmer II, 4—5, 54, Erk-Böhme II, 381, *Erk Ldh. Nr. 158; **Badische Pfalz** Neue Hbg. Jb. VI, 113; **Rhein** *Becker Nr. 70, Altrh. Märl. 95, †Schmidt S. 162; **Franken** *Ditfurth Nr. 84; **Thüringen** Erk Ldh., Erk-Böhme, Weimar Jb. III, 305; **Schlesien** Hoffmann Nr. 152, Erk-Irmer II, 4—5, 54, Erk Ldh., Erk-Böhme; **Brandenburg** ib. — Zu Str. 1 vgl. Wunderhorn, Anhang 110, Grafschaft Ruppin, Mark, Uckermark, *Odenwald, Erk-Böhme II, 400; **Odenwald** Erk-Irmer II, 2, 25; **Uckermark** ib. 26; **Vormark** und **Korkwitz** Erk-Böhme I, 614; **Anhalt-Dessau** Fiedler 118. — Zu Str. 5 Wunderhorn I, 85; **Ißgrund** Wolff 162—163; **Baden, Hessen, Thüringen, Schlesien, Brandenburg** Erk-Böhme II, 417; **Brandenburg** Erk-Irmer II, 6, 46. — Str. 2 ist das „Liebchen" männlich aufgefaßt, was allerdings wenig Sinn giebt, es kommt aber natürlich daher, daß diese Fassung nach Vorsingen der Mädchen aufgeschrieben wurde.

50.

2. „Daß ich mich von dir trenne, das sind meine Eltern schuld,
ja, ja, ja,
Ich soll mir einen nehmen, der reicher wär' als du."

3. „Was frag' ich nach dem Reichtum, was frag' ich nach dem Geld?
Ich such' mirs meinesgleichen, ein Schatz der mirs gefällt."

4. „So fahre hin du Bösewicht und reich mirs deine Hand,
Zum letztenmal die Hände, zum letztenmal die Hand."

Kirchardt.

Verbreitung. *Hessen, *Nassau, *Mosel, *Rhein, Thüringen, Lausitz, Schlesien, Harz, Westpreußen, Ostpreußen vgl. Köhler-Meier Nr. 55. Zu Str. 1 s. unten Nr. 51. Wie in der vorigen Nummer ist auch hier der Sinn verdorben durch Geschlechtsvertauschung.

51. Warum so traurig?

1. „Ei Schatz, warum so traurig,
Und red'st kein Wort mit mir?
Und ich seh' dir's an die Äuglein an,
Daß du geweinet hast.
Wohl auf die Alp ein Jahr,
Schatz du weißt es ja,
Und ich seh' dir's an die Äuglein an,
Daß du geweinet hast."

2. „Warum sollt' ich nicht weinen,
Sollt' auch nicht traurig sein?
Und ich trag' unter meinem Herzen
Ein kleines Kindelein" u. s. w.

3. „Brauchst gar nicht zu weinen,
Brauchst auch nicht traurig zu sein;
Und ich will's dein Kind ernähren,
Will auch der Vater sein."

4. „Was batt mich all' dein Reden,
Wenn ich's keine Ehr mehr hab'?
Und ich wollt' ich wär's gestorben
Und läg's im kühlen Grab."

Schriesheim.

Verbreitung. Schweiz Tobler I, 134; **Kanton Bern** Ms. im Besitz J. Meiers; **Elsaß** Mündel Nr. 31; **Schwaben** Meier S. 86, Wtmbg. Staatsanz. Beil. 1896, S. 255 (J. Meier); **Hessen** Jugenheim, Alem. VIII, 58, Lewalter II, Nr. 21; **Süddeutsch** Neues Vlb. Reutlingen, S. 67; **Sachsen** Rösch S. 41; **Braunschweig** Andree, B. Volkskde. S. 170 „in der Spinnstube als eine Art Gericht eines gefallenen Mädchens vorgesungen" (J. Meier). — Zu **Str. 1**: Ambraser Lb. Nr. 62; **Str. 3**: Wunderhorn I, 210—211; Birlinger-Crecelius II, 116 f; Alem. XV, 43; Hoffmann Nr. 78; Böckel Nr. 97 E; Fl. Bl. Hannover? 1804—1815? brit. Museum 11521 ee 28 (60).

52.

1. Es saßen einst zwei Turtelturteltauben
Auf einem rappeldürren Ast;
Die eine fing so traurig an zu grugsen,
Weil sie ihr Schatz verlassen hat.

2. Jetzt hat er sie verlassen,
Und jetzt hat sie ihn verschmerzt,
Und jetzt liebt sie wieder einen Anderen,
Der hat auch ein liebevolles Herz.

3. Ich schlaf' auch in meiner Mutter Kammer,
Schlaf' auch in meiner Schwester Bett,
Und da dacht ich oft in meinem Herzen:
„Wenn ich nur mei' Schätzel bei mir hätt'!"

4. Du brauchst mei' Schätzel net zu werbe,
Brauchst auch mei' Schätzel net zu sein,
Denn es gibt ja noch so viele Andere,
Die all' mein Schätzel wolle sein.

Schriesheim.

Mir aus keiner sonstigen Sammlung bekannt.

53. Tanne und Hasel.

2. 's wird wohl eine Nachtigall sein juchhe!
's wird wohl eine Nachtigall sein,
's ist keine Nachtigall, sie sitzt im Tannenwald,
Sitzt auf einer Haselestaud'.

3. „Mädel, was sagen denn deine Leut',
Daß du das Lieben so treibst?"
„Meine Leut' sagen allezeit:
Lieben sei weit und breit,
Lieben sei wirklich im Schwung, juchhe!
Lieben sei wirklich im Schwung."

4. „Mädel was fangest denn du jetzt an?
Hast ja ein Kind und kein' Mann."
„Was ich soll fangen an?
Ich fang' zu singen an:
Heije bubeije mei' lieber Bu,
's giebt mir kein Mensch was dazu!"

Handschuhsheim.

Aus Nüstenbach weiter (zum ersten Teil der Melodie):

5. Wenn mi mei alter Schatz nimmer mag
Hab i glei wieder zwei, drei;
Setz i mei altbairisch Hütel auf,
Tanz i glei widder aufs neu.

6. Wenn mi mei alter Schatz nimmer mag
Hab i glei wieder drei, vier ...

Verbreitung. Schwaben Str. 3 Birlinger, Schwäb. Bl. 106; **Österreich** Erk-Böhme III, 405; **Kärnten** Str. 2 Pogatschnigg I, 8; **Tirol** Str. 1—2 Greinz und Kapferer 13; **Hessen** Erk-Böhme III, 405; **Nassau** Str. 1—2 ib. II, 440, Wolfram Nr. 168; **Franken** Ditfurth 137, und Str. 1—2 im „Lauterbacher" ib. 138—9, Str. 3 ib. Nr. 187 und Nr. 47; **Sachsen** Müller 161, Pröhle Nr. 19, Erk-Böhme III, 405, Dähnhardt II, 50; **Böhmen** Hruschka Nr. 709; **Hamburg** Erk-Böhme III, 405; **Brandenburg** ib. — Der älteste Druck ist wohl der oben zitierte aus Hamburg im Fl. Bl. von 1810. Zu Str. 5 **Böhmen** Cejke Narodnj Nr. 9, Hruschka 186.

54. O Schönster, Aller-Schönster.

2. Ein Kuß, ja einen Kuß,
Das schadet mir ja nichts:
Ein Küsselein in Ehren
Ist jedermann erlaubt,
Drum keiner ist auf Erden,
Der mir das Küsselein raubt.

3. Der Großherzog von Baden
Hat selber schon gesagt,
Daß alle junge Burschen
Müssen werden ein Soldat.
„Die hübschen und galanten
Die suchen wirs heraus;
Die Krüppel und die Kleinen
Die schicken wirs nach Haus'."

4. O hätt' mich meine Mutter,
Beim ersten Trank ertränkt,
Ein Stein am Hals gebunden
Ins tiefe Meer versenkt!

So wäre ich gestorben
Als wie ein Unschuldblut,
Und hätte nicht erfahren,
Wie falsche Liebe thut.

5. Ihr Mädchen nimmt Euch wohl in acht,
So lang' Ihr jung noch seid!
Betrogen könnt Ihr werden,
Obgleich Ihr kluge seid.
Und wenn sie Euch betrogen,
So müssen sie weit fort,
Und lassen Euch das — tralleralleral
Zu Eurem Lohne dort.

Handschuhsheim, Heidelberg (Soldaten).

Oder 4b „am ersten Tag ertränkt", 4g nie erfahren.

Verbreitung. **Elsaß** Mündel Nr. 142; **Hessen** Böckel Nr. 31; **Rhein** Simrock Nr. 210; **Franken** *Ditfurth Nr. 134. — Zu Str. 1 vgl. „Schwarzbraunes Mägdelein, wo wendest du dich hin" aus **Hessen-Darmstadt**, **Oderbruch**, **Schlesien** Erk-Irmer II, 6, 39; Erk-Böhme II, 442; *„Schwarzbraunes Äugelein" u. s. w. aus der **badischen Pfalz** Neue Heidelb. Jb. VI, 122, vgl. auch Elwert 1784 S. 39. — Zu Str. 2 vgl. **Rhein** *Becker Nr. 162; **Hessen-Darmstadt** Erk-Böhme II, 442. — Zu Str. 3 **Hessen** Mittler Nr. 1455, Lewalter I, S. 42—43; **Rhein** Becker Nr. 41; **Saar** Köhler-Meier Nr. 244; **Halle** 36 Inf. Reg. Weinholds Zs. III, 178; **Schlesien** Rübezahl XI, 71. — Zu Str. 4 **Hessen** Mittler Nr. 766, Böckel Nr. 51B, Lewalter III, Nr. 1 und 12, Erk-Böhme II, 516; **Nassau** ib. 517; **Rhein** *Becker Nr. 162; **Saar** und **Mosel** Köhler-Meier Nr. 141. In den Varianten zu Str. 3 treffen wir statt des badischen Landesfürsten auch den Kurfürsten von Hessen und den König von Preußen, meistens letzteren.

55. Köln am Rhein.

2. Schönſter Schatz, du thuſt mich kränken
Viel tauſendmal in einer Stund':
Willſt du mir die Freiheit ſchenken
Bei dir zu ſein eine halbe Stund'?

3. „Dieſe Freiheit ſollſt du haben
Bei mir zu ſein eine halbe Stund',
Wenn du mir verſprichſt getreu zu bleiben
Bis auf die allerletzte Stund'."

4. Stehn zwei Sternlein am hellen Himmel,
Die leuchten heller als der Mond;
Der eine leucht' in mein Schlafzimmer,
Der andre leucht' meinem Schatz nach Haus.

5. Pulver und Blei, das muß man haben,
Wenn man Franzoſen ſchießen will.
Schöne, junge Mädchen muß man lieben,
Wenn man ſie einſt heiraten will.

Handſchuhsheim, Heidelberg (Soldatenlied),
Kirchardt.

1d meinen herzallerlialiebſten ſchönſten Schatz. 3c treu zu bleiben.
5c ſchöne junge Burſchen.

Verbreitung. 1750 in einem Fl. Bl. mit Nürnberg als Stadtname; Schade, Handwerkslieder S. 156; 1806 Wunderhorn I, 289; 1807 Fl. Bl. „O Berlin" u. ſ. w., Schade, Handwerkslieder S. 156; *Baden, *Heſſen, Naſſau, Rhein, *Moſel, †Saar, Sachſen, Erzgebirge, Böhmen, *Schleſien, Weſtfalen, Brandenburg, Berlin, Hinterpommern; vgl. Köhler=Meier Nr. 555. Dazu **Kanton Bern** Mſ. im Beſitz J. Meiers; **Graubünden** hſ. Lb. zweite Hälfte des 18. Jhs.; **Schwaben** Wtmbg. Staatsanzeiger Beil. 1896, S. 255 (J. Meier), Erk=Irmer I, V. 47, Schade Handwerkslieder S. 156; **Siebengebirge** *Erk=Irmer III, 421; **Heſſen** Mittler Nr. 942—43; Lewalter I, Nr. 17; **Badiſche Pfalz** Glock. 31; **Siegelau** Alem. XXV, 20; **Oderbruch** Erk=Irmer II, VI, 24; **Oſtpreußen** Friſchbier Nr. 68 (zu Str. 2). Zu Str. 4: **Heſſen** Lewalter V, Nr. 31; **Naſſau** Wolfram Nr. 201; **Erzgebirge** Müller S. 134; **Schleſien** Hoffmann Nr. 83; **Bergiſch** Erk=Irmer II, VI, 23; Wdh. III, 74. Zu Str. 5:

Schwaben Meier Nr. 168, S. 31; **Rhein** Becker Nr. 67. Str. 4—5 sind nur als Schnörkel zum eigentlichen Liede zu betrachten, beide sind häufige Wanderstrophen, besonders 4.

Der Stadtname ist beinahe in jeder Fassung verschieden; am häufigsten finden wir Berlin oder Köln, aber auch Straßburg, Elberfeld, Elterlein, Cassel, Kannstadt, Krummau, Hombressen, Allerbach kommen vor.

56. Mein Augentrost.

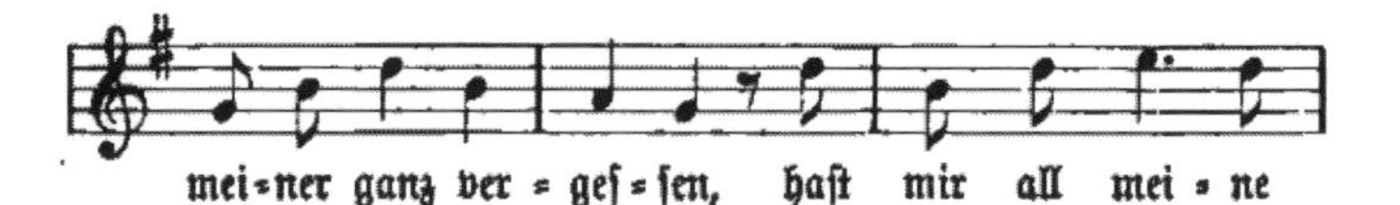

2. Des Morgens, wenn die Sonn' aufgeht,
Die Sonn' geht auf in Strahlen,
Da stand mein Schatz schneeweiß gekleid't,
Da lacht mein Herz vor lauter Freud',
Vor lauter Lieb' und Freude.

3. Die Leut' sein schlimm, die redens viel,
Wenn zwei einander lieben,
Und wenn ein Herz das eine liebt,
Das andre nur keine Falschheit übt,
Dann thut's die Leut' verdrießen.

4. Des Abends, wenn ich schlafen geh',
Denk' ich an meine Liebe,
Und denk' mir, tief ins Herz hinein:
„Wo wird mein Schatz, mein Engel sein?
Den ich so treu geliebet."

5. Ich hab' ein Ringelein, das ist von Gold,
Darinnen steht mein Name.
Und wenn's von Gott verordnet ist,
Und wenn bei der Lieb' keine Falschheit ist,
Dann kommen wir's zusammen.

Nüstenbach, Kirchardt.

Verbreitung. Kärnten, *Odenwald, ***Hessen**, *Frankfurt, ***Nassau**, ***Rhein**, *Saar, *Franken, Böhmen, vgl. Köhler-Meier Nr. 48. Dazu **Westfalen** Reifferscheid Nr. 37, Erk-Böhme II, 386; **Böhmen** Gesch. d. Deutschen in B. XXI, 90. — Zu Str. 1 Erk-Böhme II, 490; Niederwald, Lahnthal. **Graubünden** hs. Lb. zweite Hälfte des 18. Jhs. — Zu Str. 2 Erk-Böhme II, 628. — Zu Str. 3 und 5 ib. II, 468; **Hessen** Lewalter III, Nr. 6, Mittler Nr. 939; **Rhein** Becker Nr. 54; **Schlesien** Hoffmann Nr. 65, Peter S. 358. — Zu Str. 5 **Kärnten** Pogatschnigg 1, Nr. 1413.

57.

2. „Ich steh' nicht auf, laß dich nicht ein,
Laß dich nicht bei mir schlafen;
Du bist gestern Abend bei ein' anderen gewest,
Das hat mich sehr verdrossen."

3. „Ich hab's ein Kranz Vergißnichtmein,
Das bring' ich dir zum Zeichen.
Und wenn es von lauter Vergißnichtmein ist,
So mußt du stille schweigen.

4. Ich hab' ein Ringelein vom allerfeinsten Gold,
Darin da steht dein Namen.
Und wenn es von Gott verordnet ist,
So kommen wirs zusammen."

Handschuhsheim.

Verbreitung. Elsaß, Hessen, Nassau, Frankfurt, Rhein, Saar, Schlesien, vgl. Köhler-Meier Nr. 130. Rhein, Westfalen, Erk-Böhme II, 387. **Hannover** 1829, Alem. XII, 184. Vgl. auch unten Nr. 58 und Nr. 56 Str. 5.

58.

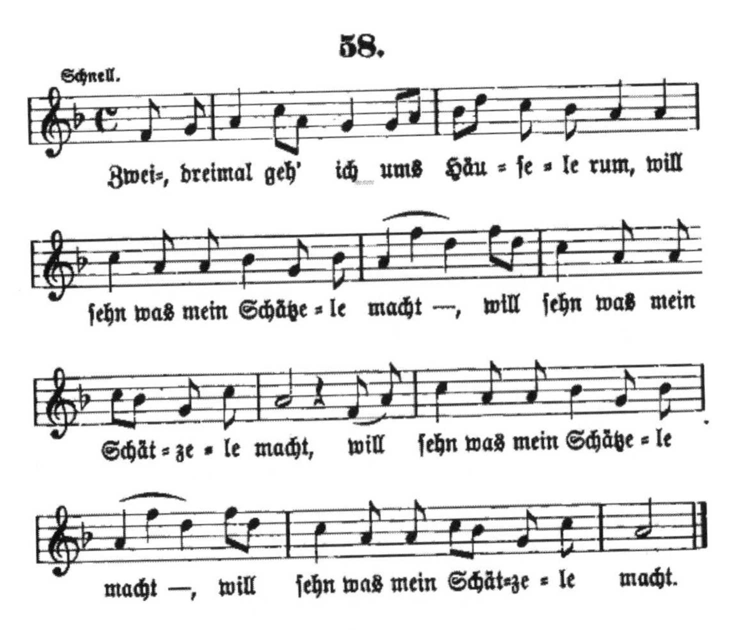

2. Ob er schläft oder wacht,
Oder sich Gedanken macht;
Und er liegt so sanft im Schlaf,
Und er liegt so sanft in der Ruh'.

3. Und da stell' ichs wohl an
Eine Leiter, Leiter an
:|: Zwei drei Sprossen die sprangen entzwei. :|:

4. „Ei, bist du es mein Schatz?
Steig' du nur zu mir herein,
Bei einander wollen wir schlafen,
Bei einander wollen wir sein."

5. „Aber morgen fruh, wenn der Hahn krähen thut,
Aber dann erweckst du mich,
Dann zieh ich wohl an meine Stiefel, Stiefel an,
Und ich ging so still nach Haus."

Handschuhsheim.

Verbreitung. **Franken** *Ditfurth Nr. 153. Zu Str. 2 vgl. unten „Wenn ich doch nur wüßte."

59.

Melodie: „Es wohnte ein Markgraf überm Rhein" (Rüstenbach), Nr. 16 B.

1. Einst stand ich am Ufer des Rheins,
Da wohnte mein Liebchen allein:
„Ach Liebchen, bist du es allein?
Komm 'rein in mein Schlafkämmerlein."

2. Und als es die Mitternacht kam,
Da klopfte die Mutter ja schon.
„Ach Mutter, was klopfest du mir?
Ich habe ja keinen bei mir."

3. „Und hast du auch keinen bei dir,
So öffne mir leise die Thür."
Und als nun die Thüre ging auf,
Zum Fenster da sprang er heraus.

4. „Schön Schätzel," rief sie ihm gleich nach,
„Komm wieder die künftige Nacht!"
„Ich komm' ja nicht wieder zu dir,
Ich such' mir's ein anders Quartier."

5. Da unten im Thale, da steht
Eine Rose, die niemals verblüht,
Geh' unten und pflücke sie ab,
Und pflanze sie mir auf mein Grab.

Kirchardt.

Verbreitung. Nassau, Mosel, Saar, Sonneberg, Böhmen, *Pommern, West- und Ostpreußen, vgl. Köhler-Meier Nr. 121. Güntersthal bei Freiburg i. B.

60. Der Kuckuck auf dem Birnbaum.

2. „Ich schau awer nit raus, un i laß di nit rei,
Du mègst ja der rechte Guguk nit sei.
Der Guguk, der Guguk, der Guguk nit sei."

3. „Der rechte Guguk bin ich schon,
Ich bin ja 'em Vatta sei einziger Sohn.
Dem Guguk, dem Guguk sei einziger Sohn."

Handschuhsheim.

Verbreitung. Fl. Bl. d. **18. Jhs.** Uhld. Nr. 259; **1806** Wdh. nach Fl. Bl. I, 241, Birlinger-Crecelius I, 381 nach Fl. Bl. des 18. Jhs.; aus Arnims Nachlaß Alem. XII, 70. **Hessen** *Erk, Ldh. Nr 173, *Erk-Böhme II, 416; **Bergisch** ib., Erk Ldh., Erk-Irmer I, 3, 48; **Franken** *Ditfurth Nr. 159; **Schlesien** Hoffmann Nr. 142 „der Kuckuck auf dem Zaune saß" hat diese Melodie, ist aber ein weit älteres Lied, vgl. Forster II, 29 1540.

7*

61.

A.

2. „Wer steht denn draus und klopfet an,
Der mich so la = le = leis aufwecken kann?"
„So steh' nun auf und laß mich 'nein,
Es wird der rechte Bursche sein."

3. „Nein, aufmachen das darf ich nicht,
Denn meine Leut' die schlafen nicht.
Unsere Bettstatt die hats kei Wänd',
Und unsere Liebschaft hats ein End'."

Nüstenbach.

B.

Nüstenbach.

Verbreitung. 1740 Bergliederbüchlein Nr. 44. 1777 Nachdruck zu Nikolais Alm. Ausg. Ellinger. 1806—1808 Wunderhorn III, 81 und Anhang 112. **Schwaben** E. Meier 81 und 255; **Österreich** Erk-Böhme II, 622; **Steiermark** Schlossar Nr. 153; **Kärnten** Pogatschnigg II, Nr. 601, vgl. I, Nr. 1212; **Hessen** Lewalter IV, Nr. 27, III, 33, Böckel Nr. 9, Nr. 51 B, †Volk S. 191, Mittler Nr. 167, Erk, Ldh. Nr. 126, Erk-Böhme II, 622; **Nassau** Wolfram Nr. 115 A; **Mosel und Saar** Köhler-Meier Nr. 131; **Rhein** Altrh. Märl. 106, Becker Nr. 147, Simrock Nr. 181—182, Erk-Böhme; **Franken** Ditfurth Nr. 133, Wolff 198, Erk, Ldh. Nr. 126; **Thüringen** ib., Weimar Jb. III, 307; **Sachsen** Voigtland Köhler 301 (Wolfram); **Schlesien** Hoffmann Nr. 76, Meinert S. 46 und 74; **Böhmen** Hruschka S. 174; **Westfalen** Reifferscheid 42 (Wolfram); **Hannover** Erk-Böhme II, 622; **Anhalt-Cöthen, Halle** Erk, Ldh. Nr. 126, Erk-Irmer II, 3, 22; **Brandenburg** Erk, Ldh.; **Pommern** Beckenstedt Zs. III, 108; **Preußen** Frischbier Nr. 40; **Saterland** Firmenich I, 234.

62. Frühjahr.

2. Es blühen Blümlein auf dem Feld,
Sie blühen weiß, rot, grün und gelb,
So wie es meinem Schatz gefällt.

3. Und wenn sich alles lustig macht,
Und ich auch gar nicht schlafen mag,
Geh' ich zum Schätzel auf die Nacht.

4. Und zwischen Berg und tiefem Thal
Da hört' ich eine Nachtigall,
An ein'm so schönen Wasserfall.

5. Und als ich vor das Schlafenfenster ging,
Da hört' ich einen andren drin,
Da sagt' ich, daß ich nicht mehr käm'.

6. „Ich hab' dich also treu geliebt
Und dir dein Herz niemals betrübt,
Und du führst so eine falsche Lieb'."

7. Und als ich über die Au' geh',
Da singt das Lerchlein in der Höh':
„Ade du falscher Schatz, ade."

Handschuhsheim.

Oder 4a Jetzt geh' ich über Berg und Thal.

Das Lied wird auch auf nachstehende Weise gesungen: An Str. 1 und 2 reiht sich 4 und dann folgendes Stück aus der „schönen Amsel" (vgl. unten Nr. 72).

Soviel Bäum' und Heck' und Büsch',
Sovielmal hat mich mein Schatz geküßt.
Ich kann frei gestehn,
's hat kein Mensch gesehn
Als mein Mädchen, Mädchen nur allein.
Du allein sollst mein Vergnügen sein.

Handschuhsheim.

Verbreitung. Schweiz, Elsaß, Schwaben, *Bayern, Steiermark, Odenwald, Hessen, Frankfurt, *Nassau, Rhein, *Mosel, Nürnberg, Franken, vgl. Köhler=Meier Nr. 67. **Österreich** Seibl, Almer. I, 56, Zs. f. öst. Volksk. III, 3; **Schwaben** Beil. z. Wtmbg. Staatsanz. 1896, S. 255 (J. Meier); **Lausitz** Haupt und Schmaler II, 121, Nr. CLXVIII kontaminiert mit unserer Nr. 4 Liebesprobe (ib.); **Elsenztal** Glock 26; **Rhein** Becker Nr. *50 zu Str. 1; *Hessen, Hannover, Elsaß, Erk=Böhme II, 485.

63. Was hab' ich gethan?

A.

2. Es schlägt seine Äugelein wohl unter sich
Und hat einen Anderen viel lieber als wie mich.

3. Das machet ihr stolzer, hochmütiger Sinn,
Daß ich ihr nicht schön und nicht reich g'nug bin.

4. Und bin ich denn nicht reich, so bin ich doch noch jung,
Herzallerliebstes Schätzele, was kummer ich mich denn drum?

5. Die hohen, hohen Berge, das tiefe, tiefe Thal;
Heut' seh' ich mein schön's Schätzel zum allerletztenmal.

6. Die tiefen, tiefen Wasser, sie haben keinen Grund;
Laß ab, laß von der Liebe, 's ist alles umsonst.

Kirchardt, Neckargerach.

B.

2. Das machet wohl sein stolzer, hochmütiger Sinn,
Daß ich ihm nit schön und nit reich g'nug bin,
Und bin ich denn nit reich, so bin ich doch so jung,
Herzallerliebstes Schätzel, was kummer ich mich denn drum?

3. Die stillen, stillen Wasser, sie haben keinen Grund;
Laß ab denn von der Liebe, sie ist dir nicht gesund;
Die hohen, hohen Berge, das tiefe, tiefe Thal;
Heut' seh' ich meinen Schätzel zum allerletztenmal.

4. Fahr' nur hin, fahr' nur hin, denn ich halte dich nicht,
Ich habe meinen Sinn wo anders hin gericht,
Ich habe meine Gedanken nun dir stets abgewandt,
's wär' besser, ich hätte dich niemals gekannt.

Handschuhsheim.

Verbreitung. Wunderhorn 1808 Anhang 107 und 110 aus Mosbach. Schwaben, Kärnten, Bergstraße, Odenwald, Hessen, *Nassau, *Saar, Rhein, Franken, Schlesien, vgl. Köhler-Meier Nr. 38. Dazu **Hessen** *Erk, Ldh. Nr. 88; †Volk 191; **Untertaunus** Erk-Böhme II, 409; **Rhein** Altrh. Märlein 125; **Schlesien** Peter I, 253, 256 (Wolfram Nr. 231); **Kommersbuch** 483.

Str. 4 finden wir zuweilen in diesem Liede wie Erk, Ldh. Nr. 23; häufig in anderen so Weimar Jb. III, 300, Rösch 39, Erk-Böhme II, 412, Müller 56.

64. 's ist alles dunkel.

A.

2. Was nutzet mich ein schöner Garten?
Wenn andre drin spazieren gehn,
:|: Und pflücken mir die Röslein ab, :|:
Woran ich meine, so ganz alleine,
Woran ich meine, meine Freude hab'.

3. Was nutzet mich ein schönes Mädchen?
Wenn andre sie spazieren führ'n
:|: Und küssen ihr die Schönheit ab, :|:
Woran ich meine, so ganz alleine,
Woran ich meine, meine Freude hab'.

4. Was nutzen mich die schwarzen Männer?
Sie tragen mich zum Thor hinaus,
:|: Sie tragen mich ins kühle Grab, :|:
Worin ich meine, so ganz alleine,
Worin ich meine, meine Ruhe hab'.

Sinsheim, Heidelberg, Wiesloch,
Handschuhsheim, Rüstenbach, Kirchardt.

B.

Kirchardt.

Verbreitung. Elſaß, Schwaben, Ungarn, Odenwald, *Heſſen, *Naſſau, *Rhein, *Saar, Franken, Koburg, Erzgebirge, Schleſien, *Harz, Weſtpreußen, Oſtpreußen, vgl. Köhler-Meier Nr. 53. Dazu Erk-Böhme II, 496: *Frankfurt, *Wetterau, Marburg, Hannover, *Hohen Saale bei Oberberg. **Schleſien** Hoffmann S. 107; **Heſſen** Künzel 566 (Wolfram Nr. 234), †Vogt S. 191. Zu Str. 2 **Schwaben** Meier 102; **Koburg** Erk-Böhme II, 496; **Lindenfels** im Odenwald ib. 370. Verwandt iſt folgendes aus Heſſen-Darmſtadt Erk-Böhme II, 369: „Du ſagſt du liebeſt mich, aber du haſſeſt mich alles ſcheint finſter und trüb, weil du vergiſſeſt die Lieb'."

65.

A.

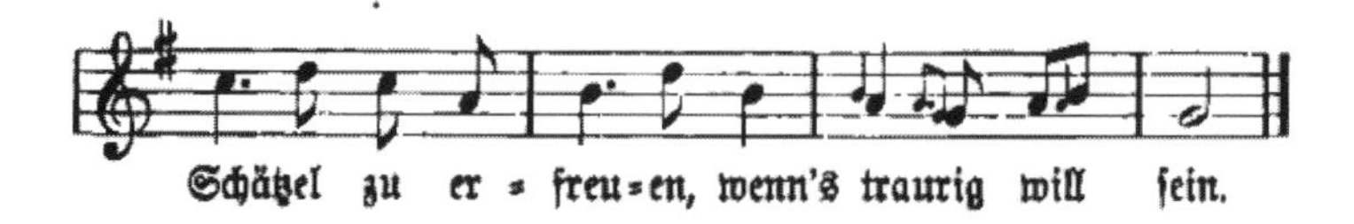

2. Wo iſt denn mein Schätzel, das ich ſo lieb hab?
Sie iſt draußen im Garten, ſchneid't Röſelein ab.

3. „Komm, ſteig in den Garten, ſteig zu mir herein,
Und erzähl' mir's deine Jammer und klag' mir's deine Pein."

4. „Was ſoll ich dir klagen, herztauſender Schatz?
Wir beide, wir ſcheiden und finden kein' Platz."

5. „Ach ſcheide, ach ſcheide, ach ſcheide nur nicht!
Ich will dich heiraten, aber heute noch nicht."

6. „Was batt mich heiraten, wenn's heute nicht ist?
Was batt mich mei Schätzel, wenn's bei mir nicht ist?"

7. Bald gras' i am Neckar, bald gras' i am Rhein,
Bald hab' i schöns Schätzel, bald hab' i a keins.

8. Was hilft mir das Grasen, wenn's Sichel nicht schneid't?
Was batt mich mei Schätzel, wenn's bei mir nit bleibt?

9. Was batt mich schöner Apfel, wenn er auf dem Baum hängt,
Was batt mich mei Schätzel, wenn's an mi nit denkt.

Nüstenbach, Handschuhsheim.

Oder 2b sie ist draußen im Garten und sticht ein Salat. 5a Ach Scheiden, ach Scheiden, ach Scheiden thut weh.

B.

2. Wo ist denn das Mädchen, das mich so lieb hat?
Es ist draußen im Garten, bricht's Röselein ab.

3. „Was thust du denn da draußen? Komm zu mir herein
Und erzähl' mir's deinen Jammer und klag' mir's deine Pein."

4. „Was soll ich dir denn klagen, herztausiger Schatz?
Daß wir beide müssen scheiden und finden kein' Platz."

5. Du staubiger Müller, du rußiger Beck,
Hat denn keiner Kourage, weckt's Mädele auf?

6. Jetzt faß' ichs Kourage, weck's Mädele auf,
Wie's andere Burschen machen, so mach' ich's heut' auch.

Kirchardt, Schriesheim.

Wunderhorn 1808, III, 21.

Verbreitung. Elsaß, *Schwaben, *Odenwald, Hessen, *Nassau, Rhein, *Saar, Franken, Ostpreußen, vgl. **Köhler-Meier** Nr. 96. **Heidelberg** Erk-Böhme II, 355; **Elsaß-Lothringen** Jb. f. G. XIV, 1898, 83 (J. Meier); **Schweiz** zu Str. 3 Rochholz, Kinderlied S. 306. Zu B Str. 5—6: **Vogtland** Dunger 62, Nr. 326; **Thüringen** Wm. Jb. III, 326. Zu Str. 1 Mittler Nr. 1473 nach einem Fl. Bl. Zu „Bald gras' ich am Neckar" s. unten Nr. 66.

66. Bald gras' ich am Neckar.

2. Was batt' mi mei Grase,
Wenn' Sichele nit schneid't?
Was batt mi e schêns Schätzel,
Wenn's bei mir nit bleibt?

3. Was batt mi e schêner Apfel,
Wenn er auf dem Baum hängt?
Was batt mi e schêns Schätzel,
Wenn's an mi nit denkt.

4. Was soll i denn grase
Am Neckar, am Rhein?
So werf' i mei goldenes
Ringlein hinein.

Nüstenbach, Handschuhsheim, Kirchardt
(Str. 4 nur in Kirchardt belegt).

Verbreitung. Im Wunderhorn II, 14 steht die bekannte Ballade, deren beide erste Strophen mit unserem Liede stimmen. Wie der „Baum im Odenwald" (s. unten Nr. 67) wurde auch dieses Lied den Herausgebern von Frau von Pattberg mitgeteilt (Neue Heidelberger Jb. VI, 108), und wie jenes Lied ist auch dieses von zweifelhafter Echtheit (vgl. Jungbrunnen Nr. 8 Anm.; Scherer, Die schönsten d. Vl. Nr. 44). Die Ballade lebt allerdings heute im Volksmund (**Schwaben** Meier S. 112; **Mosel** Köhler-Meier Nr. 72; **Nassau** Wolfram Nr. 160); die Fassungen folgen aber so getreu dem Wunderhorntext, daß man meines Erachtens deutlich spürt, wie die Sänger einmal diesen Text gedruckt vor sich liegen hatten. Zwei Schnadahüpfl sind in Süddeutschland sehr verbreitet: „Bald gras' ich (bezw. „fähr i," „senn se") am **Acker**, bald gras' i am **Rain** u. s. w. (oder Wiesen, Ufer und Rain) und „**Was hilft mir mein Grasen** wenn d' Sichel nit schneidt?" Mir scheint es, daß Frau von Pattberg, die ja keine schlechte Dichterin war, die beiden als Rohstoff genommen und die hübsche Ballade darauf gedichtet hat. Nirgends in der badischen Pfalz, die ja die Gegend ist, aus welcher Frau von Pattberg das Lied zu haben angab, habe ich Spuren von der Ballade entdecken können, außer in Handschuhsheim, wo es hieß: das wäre ein „Buchlied" und die Weise unbekannt. Daß in unserer Fassung, wie bei vielen anderen, **Neckar und Rhein** steht, möchte ich dem Einfluß des gedruckten Textes zuschreiben, wie auch unsere Str. 4.

1. Zu Str. 1—2 vgl. Vogl 56; **Brandenburg** Beckenstedts Zs. IV, 171; **Pfalz und Kraichgau** Mone, QF. S. 163—164; **Odenwald** Erk-Böhme II, 788.

2. Zu Str. 1: **Aargau** Alemannia IV, 8; **Bayern** Böhme, Tanz II, 137; **Salzburg** Süß, Schn. Nr. 799; **Bonn** Alemannia XV, 44; **Köln** Weyden 228; **Darmstadt, Regensburg** Erk, Ldh. 87; **Voigtland** Rundâs 491—492; **Böhmen** Hruschka 290 Nr. 155; **Anhalt-Dessau** Fiedler 202.

3. Zu Str. 2: **Schweiz** Tobler I, 217; **Tirol** Firmenich III, 395; **Salzburg** Süß, Schn. Nr. 208; **Kärnten** Pogatschnigg Nr. 1534; **Österreich** Ziska S. 140; **Thüringen** Weimar Jb. III, 325; **Reuß** j. L. I, 181; **Sachsen** Rösch S. 121 und 129; Rundâs 437, 481; **Böhmen** Gesch. d. D. in B. XX, 278.

4. Zu Str. 3: **Schwaben** Meier Nr. 8 S. 4; **Kärnten** Pogatschnigg I, 580; **Nassau** Wolfram S. 363; **Sachsen** Rösch S. 129, 124, Rundâs Nr. 478, Müller S. 130; **Böhmen** Hruschka 290, Nr. 156—158.

67. Der Baum im Odenwald.

1. Es steht ein Baum im Odenwald,
Der hat viel grüne Äst',
Da bin ich schon viel tausendmal
Bei meinem Schatz gewest.

2. Da sitzt ein schöner Vogel drauf,
Der pfeift gar wunderschön;
Ich und mein Schätzlein lauern auf,
Wenn wir mitnander gehn.

3. Der Vogel sitzt in seiner Ruh'
Wohl auf dem höchsten Zweig;
Und schauen wir dem Vogel zu,
So pfeift er allsogleich.

4. Der Vogel sitzt in seinem Nest
Wohl auf dem grünen Baum;
„Ach Schätzlein! bin ich bei dir g'wen?
Oder ist es nur ein Traum?"

5. Und als ich wieder kam zu dir,
Gehauen war der Baum.
Ein andrer Liebster steht bei ihr,
Wollt' Gott, es wär' ein Traum!

6. Der Baum, der steht im Odenwald,
Und ich bin in der Schweiz.
Da liegt der Schnee und ist so kalt,
Mein Herz es mir zerreißt.

Handschuhsheim (Liederbuch).

Frau von Pattbergs Mſ. ist in folgenden Stellen verschieden: 4c Ach Schätzel bin ich bei dir g'west. 5d O du verfluchter Baum.

Verbreitung. Sehr viele Zweifel haben sich über die Echtheit dieses Liedes erhoben. Erk hat keine Spuren davon im Odenwald finden können (Erk-Böhme II, 500). Ebenso hat Herr Carl Christ vielfach im Odenwald erfolglos darnach gefragt. Auch mir wurde in der badischen Pfalz von diesem Liede und dem bekannten „Bald graſ' ich am Neckar" gesagt „Die stehe im gedruckte Liedabüchel, awwer mr kenne se nit singe". Dennoch gelang es mir später dieses Lied wenigstens in geschriebenen Büchern zu finden. Daß weder Erk noch ich das Lied in der Gegend singen gehört, sagt höchstens, daß es seit zwei Menschenaltern wenig beliebt ist. Verdächtiger ist die schöne abgerundete Form, die doch auch kein direkter Beweis der Unechtheit des Liedes ist. Georg Scherer (die schönsten deutschen Vl. Nr. 60) nennt es „mehr ein geschickt nachgeahmtes als ein wirkliches Volkslied" und schreibt es gar (Jungbrunnen Nr. 128) den Herausgebern des Wunderhorns zu. So auch Schade, Weimar Jb. III, 248. Aber mit Unrecht; denn so viel ist gewiß, daß sie das Lied von Frau Auguste Pattberg aus Neckarelz erhielten (Neue Heidelb. Jb. VI, 97, 108) mit anderen zum Teil auch verdächtigen Liedern, z. B. das Lenorenlied. So erschien das Lied im Wunderhorn, Anhang S. 116. Möglich ist, daß es seine jetzige Verbreitung diesem Umstande verdankt, und daß Frau Pattberg, die selbst dichtete, seine

Verfasserin ist. Dagegen scheint eine Stelle in Baaders Sagen des Neckarthals zu sprechen. Er citiert aus A. L. Grimm, Vorzeit und Gegenwart S. 321, eine Beschreibung des sogenannten Siegfriedsbrunnens im Walddistrikt Spessart bei Groß-Ellenbach im Odenwald (heutzutage Grasellenbach), fügt hinzu, daß er Herbst (1841?) den Brunnen besuchte und sich bei einigen jungen Odenwälderinnen nach der Bedeutung des nahestehenden Kreuzes erkundigt. Statt jeder anderen Antwort sangen sie ihm ein Lied, das er ganz abdruckt, dessen erste Hälfte eine Variante des unsrigen ist; die zweite aber fängt an

„Es steht ein Baum im Odenwald,
Ging mir nicht aus dem Sinn;
Gott grüß' dich, schönes Jungfräulein!
Wo bind' ich mein Rößlein hin?"

und schließt mit dem Liede vom eifersüchtigen Knaben. Baader kann aber die poetische Episode zur Verzierung seines durchaus nicht wissenschaftlichen Buches erdichtet haben, oder wenn nicht, hätten die Odenwälderinnen um 1840 Zeit gehabt das Wunderhorn-Lied auf eine oder die andere Weise kennen zu lernen. Für sowohl wie gegen die Echtheit des Liedes scheinen mir die Beweise bis jetzt ungenügend. Schwaben, Odenwald, Nassau, Franken, Saar, Harz, vgl. Köhler-Meier Nr. 37. Kommersbuch 431.

68. Verlorenes Glück.

2. Böse Menschen, falsche Zungen
Haben unser Glück verstört.
Liebst du's a bei einer Andren,
Bei mir hat's Lieben aufgehört.

3. Stehst du's gleich bei einer Andren,
Die du liebst und die du küßt,
Sage niemand meine Thränen,
Sage nur: du kennst mich nicht.

4. Bist schon oft zu mir gekommen,
Habe deine Liebe gern;
Hast mich oftmals mitgenommen,
Jetzt bin ich deiner nicht mehr wert.

5. Fahre fort, du falsche Seele,
Wandle stets dem Frieden zu;
Liebst du's diese oder jene,
Ich wünsche dir viel Glück dazu.

Nüstenbach.

Eine von den Sängerinnen bemerkte selbst die Ähnlichkeit dieser Melodie mit „Fern im Süd im schönen Spanien". Text nach einer Arie in Mozarts Oper „Entführung aus dem Serail", Libretto von Bretzner 1781.

Ach ich liebte, war so glücklich,
Kannte nicht der Liebe Schmerz,
Schwur ihm Treue, dem Geliebten,
Gab dahin mein ganzes Herz.
Doch im Hui schwand meine Freude,
Trennung war mein banges Los,
Und nun schwimmt mein Aug' in Thränen,
Kummer ruht in meinem Schoß.

(Nach Wustmann „Als der Großvater die Großmutter nahm").

69. Einst und Jetzt.

A.

2. Da wohnte mein Liebchen,
Da blühte mein Glück,
Euer selige Stunden!
Wann kehrt Ihr zurück?

3. Im Spätjahr, im Herbste
Wenn der Sensenmann ruft,
Da steigen wir beide
Mit einander in die Gruft.

4. Je höher der Kirchturm
Je schöner das G'läut,
Je weiter zum Schätzele
Desto größer die Freud'.

5. Der Wein auf dem Lande,
Der hat Geist und hat Kraft,
Dagegen im Städtele
Mit Wasser verschafft.

6. Jetzt geh' ich aufs Land aus
Um fröhlich zu sein,
Weil schöner die Mädchen,
Weil besser der Wein.

Handschuhsheim.

B.

2. Und wenn uns am Abend
Der Sensemann ruft,
Dann sinken wir beide
Mit einander in die Gruft.

Bruchsal.

Verbreitung. Saar, *Nassau, *Rhein, Altmark, vgl. Köhler-Meier Nr. 39. Hessen, Elsaß, Hannover, vgl. Erk-Böhme II, 538. **Siegelau** Alem. XXV, 23; **Hessen** Mittlers Ms. (John Meier).

Zu Str. 5—6 s. unten Nr. 70.

Zu Str. 4: **Salzburg** Süß, Schn. Nr. 350; **Kärnten** Pogatschnigg I, Nr. 443 und 789; Frommanns Zs. V, 251; **Steiermark** Hist. Ver. f. S. IX, 79; **Oberdeutsch** Vogl 41; Schn. Oberl. Liadln 7 und 107; **Österreich** Ziska 113; **Süddeutsch** Neues Vlb. Reutlingen 12; **Nassau** Wolfram S. 383; **Anhalt-Dessau** Fiedler 202; **Sachsen** Dunger Rundâs Nr. 567—568, Rösch S. 120 und 123. Von Wilhelm Müller gebraucht in seinem Gedichte: „Liebesgedanken", Ausgabe Brockhaus 1868, I, S. 76.

70. Auf dem Lande.

8*

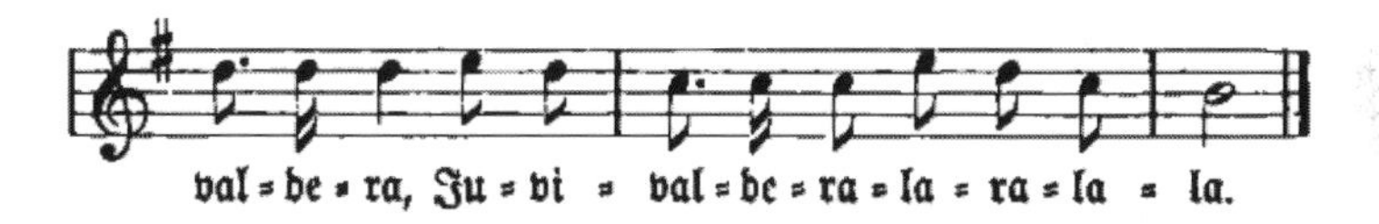

2. Der Wein auf dem Lande hat Geist und hat Kraft,
Dagegen im Städtchen mit Wasser verschafft,
Drum bleib' ich auf dem Lande u. s. w.

3. Mei Schatz isch mr lieber als tausend Kar'lin,
Und tausend Kar'line das isch e schên Geld!
Mei Schatz isch mr lieber als alles, alles auf der Welt.

Kirchardt.

Verbreitung. Nach einem Liede von Joh. Wilh. Ludw. Gleim zuerst im Vossischen Musenalmanach 1796 (Hoffmann. Vtl. Lb. 36). **Elsaß** Mündel Nr. 243, Erk=Böhme III, 392; **Schwaben** Beil. d. Württemb. Staatsanz. 1896, S. 255 (J. Meier Vz.), Böhme, Vtl. Lb. Nr. 378; **Rhein** Becker Nr. 38; **Halle, Magdeburg** Böhme, Vtl. Lb. Nr. 378; **Pommern** Beckenstedt, Zs. II, 427; **Westpreußen** Treichels Ms. (J. Meier).

Zu Str. 3: **Schwaben** Birlinger, Schw. Vl. S. 69; **Salzburg** Süß Nr. 485; Mittler Nr. 953; **Sachsen** Rundâs Nr. 37, Rösch S. 124.

71.

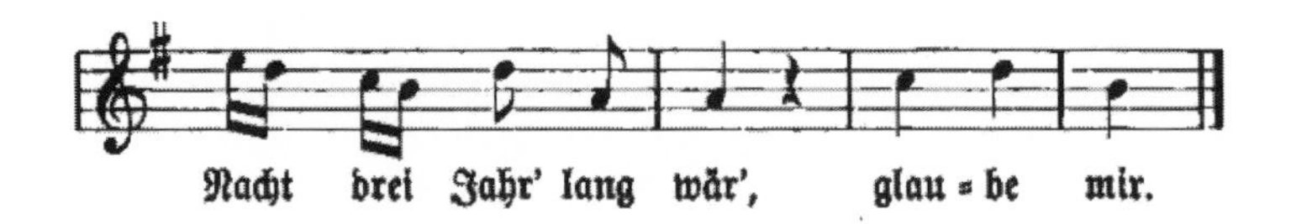

Auch zu dieser Melodie:

Mädchen mit dem blauen Auge,
Komm mit mir!
Laß uns Gottes Wonne schauen,
Wandeln wir!
Engel sollen dich begleiten,
Wie ein Flor auf meiner Seite,
Wandeln wir!

Nüstenbach.

Verbreitung. Fl. Bl. um 1810 Böhme, Vtl. Ld. Nr. *427a. 1814 ein Soldatenlied zur Melodie „Mädchen hast du Lust zu trutzen, trutze nur“. Ditfurth, Die hist. Vl. d. Freiheitskriege S. 84. 1820 *Berlin Erk=Böhme II, 451. Elsaß, *Nassau, Mosel, Saar, Rhein, vgl. Köhler=Meier Nr. 110. *Odenwald und Bergstraße, Lahn, Erk=Böhme II, 451. Vgl. auch unten Nr. 95. Hoffmann, Vtl. L.[4] S. 176.

72. Die schöne Amsel.

1. Gestern Abend in stiller Ruh',
Sah ich im Walde einer Amsel zu,
Doch als ich saß und aß und meiner ganz vergaß,
Kam die Amsel, schmeichelt sich und mich und küßte mich.

2. „O du Amsel, allerschönste! wer hat denn deine Einsamkeit
Dort in dem grünen Wald, [erdacht?
Dort ist dein Aufenthalt,
Wo ich gestern Abend spät in meinem Sinn gewesen bin.“

3. So viel Laub als an der Linde ist,
So viel tausendmal hat mich mein Schatz geküßt;
Ja ich muß gestehn, es hat's kein Mensch gesehn,
Nur die Amsel soll mein Zeuge sein, ich war allein.

Schriesheim.

Verbreitung. Nach J. Meier Vz.: „Verf. J. Chr. Rost (?) 1743. Die Verfasserschaft Rosts wird zweifelhaft, wenn wir in „Herrn von Hoffmannswaldau und andrer Deutscher auserlesener und bisher ungedruckter Gedichte Erstem Theile" (1697 S. 26; zuerst erschienen 1695) im Gedicht von C. E. „An die Phyllis" lesen:

Als gestern Abend ich bey meinen büchern saß,
Und beym studieren auch fast meiner selbst vergaß,
Sah ich gantz unverhofft die liebe zu mir kommen u. s. w.

Elsaß, Schwaben, Bayr. Pfalz, Odenwald, Hessen, Nassau, Saar, Rhein, Franken, Böhmen, Schlesien, Norddeutschland, Harz, vgl. Köhler-Meier Nr. 92. Dazu **Ries** Bragur 1792, II, 221; **Hessen** Mittlers Ms. (J. Meier), †Volk 191; **Vogtland** Dungers Ms. (ib.); **Dessau** Fl. Bl. o. J. Pröhle, Anm. zu Nr. 28; †**Reuß** j. L. I, 181, Thüringen, Hildburghausen, Küstrin, Egerland, Erk-Böhme III, 343. Pröhle weist auf verschiedene politische Parodien des Liedes hin. Vgl. auch oben Nr. 62.

73. Treue Liebe.

Ach! wär' es mochlich, daß ich dich lassen kann;
Hab' dich von Herzen lieb, daß glaube mir.
Blau blüht ein Blümelein, es heißt Vergißnichtmein,
Dies Blümlein leg' ans Herz und denk' an mich.
Wär' ich ein Vögelein, bald wollt' ich bei dir sein,
Scheut Falk daß hab' ich nicht, flög schnell zu dir.
Schoß mich der Jäger tot, flög ich in deine Schooß,
Seh'st du mich traurig an, gern stirb' ich dann.

Heidelberger Liederheft.

Verbreitung. Nach einem älteren Liede (Fl. Bl. 1750—1780 Erk-Böhme II, 372, geschr. Liederbuch aus Baden, 1769 Böhme, Vtl. Ld. Nr. 356) gedichtet von Helmina von Chézy, Hoffmann, Vtl. Ld. 159. Ulm, Nassau, Rhein, Mosel, Saar, Franken, Thüringen, vgl. Köhler-Meier Nr. 116. **Westpreußen** Treichels Ms. (J. Meier), Kommersbuch 397. **Kanton Bern** Ms. im Besitz J. Meiers. In einem Fl. Bl. o. O. u. J., Anfang d. Jh.? im brit. Museum 1347 a 12 fand ich folgendes Lied:

1. Ist es unmöglich nur,
Daß ich dich lassen kan,
Dem ich von Herzen lieb und estemir.
Brich Herz, brich Herz entzwey
Niemahls kein falsche Treu,
Niemahls kein falsche Treu von mir gespürt.

2. Nun nihm dasselbe auf
Und schreib den Nahmen darauf
Und lebe ganz content bis in das End.
Du liebst mich oder nicht,
Sag du mir nur ins Gesicht;
Wo ich nur auf den Schein geliebt soll seyn,
Hernach kommt die Eifersucht,
Dieses ist gar verflucht,
Bringet ein in Angst und Noth
Und gar in Tod.

3. Herzliebstes Schatzerl mein,
Ich bitt, vergiß nicht mein,
Denk sie ihr Schlaf=Cämmerlein,
Wo ich nun möcht seyn.
Denk sie nur die Seufzer all,
Die ihr viel tausendmal
Gehen in Schlaf=Cämmerlein,
Wo ich nur möcht seyn.

4. Deine schwarzbraune Augelein
Haben mich genommen ein.
Fliehe hin Wald=Vögelein
Bringe mir ein Briefelein
In meiner Traurigkeit,
Daß ich mich erfreu.
Kein Gewalt kein Herzen Leid
Keine Widerwärtigkeit
Nicht zu zertrennen mich
Ihrer treuen Pflicht.

74.

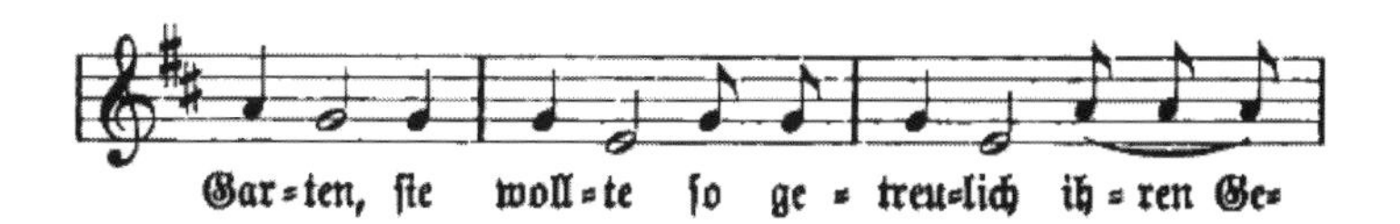

2. Ich habe nun Kaiser und König gesehen,
Diese tragens goldne Kronen, auch das wird vergehen.
Nicht der Reichtum, der macht glücklich, Zufriedenheit macht reich;
Ja, wir alle seins Brüder, ja, wir alle seins gleich.

3. Der König schläft herrlich in seinem Palaste,
Dagegen der Bettler auf Stroh und Moraste;
O wär' ich ein König! o wär' ich so beglückt!
Denn der Bettler weiß sicher, wo ihm sein Schuh drückt.

Handschuhsheim.

Verbreitung. **Saar** Köhler=Meier Nr. *327. **Nassau** *Wolfram Nr. 378. Nach J. Meier: „Umgedichtet von S. Fr. Sauter in seinen Volksliedern und anderen Reimen. Heidelberg 1811, S. 13 f. **Schwaben** Beil. z. Wtmbg. Staatsanz. 1896, Nr. 15—16, S. 255; **Baden** verwandt ist die letzte Strophe von „O Ruhe du wohnst auf dem Lande“. H. Hansjakob, Im Paradiese, Heidelberg 1897, S. 250. **Schlesien** Hoffmann 239, Nr. 203, Auswahl deutscher Lieder, 7. Aufl., 466 f.

75. Veilchenblaue Heide.

2. Sah ich von fern ein Mädchen stehn,
Sie war so unbegreiflich schön.

3. Und als das Mädchen mich erblickt,
Nahm sie die Flucht und eilt zurück.

4. Ich aber eilt schnell auf sie zu
Und sprach: „Mein Kind, was fliehest du?“

5. „Denn meine Mutter sagt' es mir:
Ein Mannsbild sei ein wildes Tier."

6. „Ei, Mädchen glaub's deiner Mutter nicht
Und fürcht' kein Mannsbildsangesicht.

7. Deine Mutter ist ein altes Weib,
Drum hasset sie uns junge Leut'."

Handschuhsheim.

Verbreitung. Kanton Bern Ms. im Besitze J. Meiers; **Schwaben** Meier 237; **Hessen** Lewalter I, 21; **Nassau** Wolfram Nr. 97; **Odenwald** Zopf Nr. 27 (J. Meier), †Volk 191; **Rhein** Erk-Irmer I, 2, 62; **Franken** ib. II, 4—5, 56; **Thüringen** Erk-Böhme II, 337; **Sachsen** ib., Dunger Ms. (J. Meier), Müller 108, Rösch 22; **Böhmen** Wiener Sitzungsber. XXVII, 198, A. John, Erzgebirgs-Ztg. XVII, 108 (J. Meier); **Schlesien** Hoffmann Nr. 131, Peter Nr. 59; **Braunschweiger** Magazin III, 68, Nr. 10 (J. Meier); **Brandenburg** Erk-Irmer I, 2, 62; **Preußen** Treichel Nr. 8, Frischbier Nr. 43. Vgl. J. G. Schochs „Amanda darf man dich wohl küssen" in seinem Neuerbauten Lust- und Blumengarten, Leipzig 1660, S. 116 f. (J. Meier). — Melodie und Refrain aus Webers „Wir winden dir den Jungfernkranz" im Freischütz, Text von Fr. Kind 1817, Musik von Weber den 21. März 1820. (Hoffmann, Vtl. Ld. 152) „Weber hörte auf der Kirmes im erfurtischen Dorfe Alach einen von L. Böhmer komponierten Tanz spielen, hielt ihn für eine uralte Volksmelodie und wand den „Jungfernkranz' für Agathe daraus" (Tappert, Wandernde Melodien S. 42). Vgl. unten „Es wohnt ein Müller an jenem Teich."

76. Der Jungfernkranz.

Zur selben Melodie wie Nr. 75.

1. Ich winde dir den Jungfernkranz
Aus veilchenblauer Seide,
Und führe dich zum Spiel und Tanz
In Liebeslust und Freude.

2. Sie hat gesponnen sieben Jahr
Den goldnen Flachs am Rocken,
Der Schleier ist wie Spinnweb' klar,
Und grün der Kranz der Locken.

3. Lavendel, Myrth' und Thymian,
Das wächst in meinem Garten:
Wie lang' bleibt noch der Freiersmann?
Ich kann ihn kaum erwarten.

4. Und als der schmucke Freier kam,
Waren sieben Jahr zerronnen.
Und als sie der Herzliebste nahm,
Hat sie den Kranz gewonnen.

5. Da kann man sehn, wie die Weibsleut' sein
In veilchenblauer Seide.
Sie geben sich geduldig drein
In Liebeslust und Freude.

Handschuhsheim.

Verbreitung. Vgl. Erk-Böhme II, 666. Gedichtet von Fr. Kind 1817 nach einem Volkslied, wovon folgendes ein Überbleibsel ist:

„Rosmari und Thymian
Wächst in unsen Gahren
Wer mien Dortchen fryen will
Mutt noch lange wahren."

Firmenich I, 162.

Aus Kreis Kalbe a. S. Vgl. übrigens Anm. oben zu Nr. 75.

77. In einem kühlen Grunde.

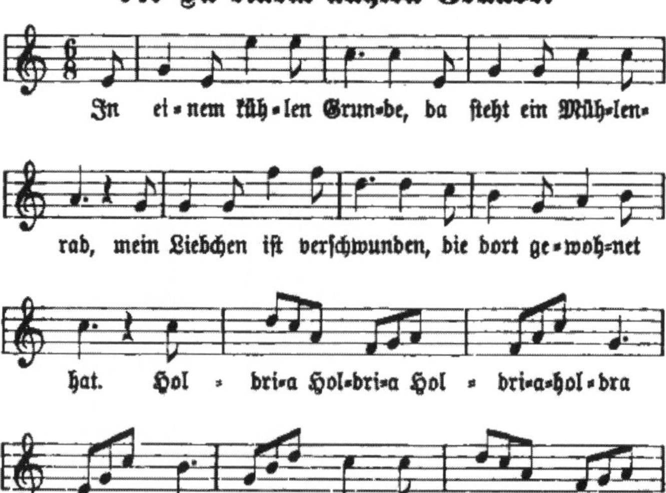

2. Hätt' ich dich nicht gesehen,
Wie glücklich könnt' ich sein!
Aber nein — es ist geschehen,
Mein Herz ist nicht mehr dein.

3. Ich möcht' als Spielmann reisen
Weit in die Welt hinaus,
Zu singen meine Weisen
Und gehn von Haus zu Haus.

Schönmattenwaag.

Verfasser. J. von Eichendorff 1809 (Hoffmann, Vtl. Ld. 90). Kommersbuch S. 450. **Nassau** †Wolfram 481; **Saar, Schwaben** Köhler=Meier Nr. 46; **Baden, Taubergrund** Mitth. u. Umfragen z. bayr. Volksk. II, Nr. 4, S. 3 (Meier Bz.); **Kanton Bern** Ms. im Besitze J. Meiers.

78. In der Kaserne.

2. Hört Liebchen die hallenden Glocken,
Sie laden in Kirche uns ein.
Sie tönen vom Berge hernieder,
Als wärn sie vom Himmel so rein.

Handschuhsheim.

Verbreitung. Diese Melodie ist nach G. Stiegele (Stigelli) 1858 (Boehme, Vt. Lb. Nr. 402); **Mosel, Saar** Köhler-Meier Nr. 261; **Nassau** †Wolfram S. 481.

Zur selben Melodie werden in Handschuhsheim gesungen: „Einst hat mir mein Leibarzt geboten" und Nr. 79.

79.

Zur selben Melodie wie Nr. 78.

1. Du hast Diamanten und Perlen,
Hast alles, was Menschenbegehr.
Du hast ja ein Herz voller Liebe.
Mein Liebchen, was willst du noch mehr?

2. Auf deine schönen blauen Augen
Hab' ich ein ganzes Heer
Von ewigen Liedern gedichtet.
Mein Liebchen, was willst du noch mehr?

3. Ich suchte nicht Reichtum und Perlen.
Ich suchte nicht Glanz und nicht Schein.
Ich suchte ein Herz voller Liebe,
Das fand ich bei dir allein.

Handschuhsheim, Wiesloch, Heidelberg.

Oder 1 a du hast die schönsten Augen.

Dazu in Wimpfen:

4. Ich hab' dir's geschaut in die Augen,
Hab' in dein Herz dir geblickt.
Ich habe geprüft deine Seele,
Als mich deine Nähe beglückt.

5. Ich habe zwei Küh und zwei Schweine,
Gänſ' eine ganze Herd'.
Ich habe die ſchönſten Augen,
Mein Liebchen — was willſt du noch mehr.

Wimpfen.

Oder Was ſinkſt du nach Leer.

Verbreitung. Nach Heinrich Heine, Herbſt 1823. — **Saar** *Nr. 347 Köhler-Meier; **Naſſau** †Wolfram S. 480; **Schleſien** Dr. Kleins Sammlung (J. Meier).

80. Adje.

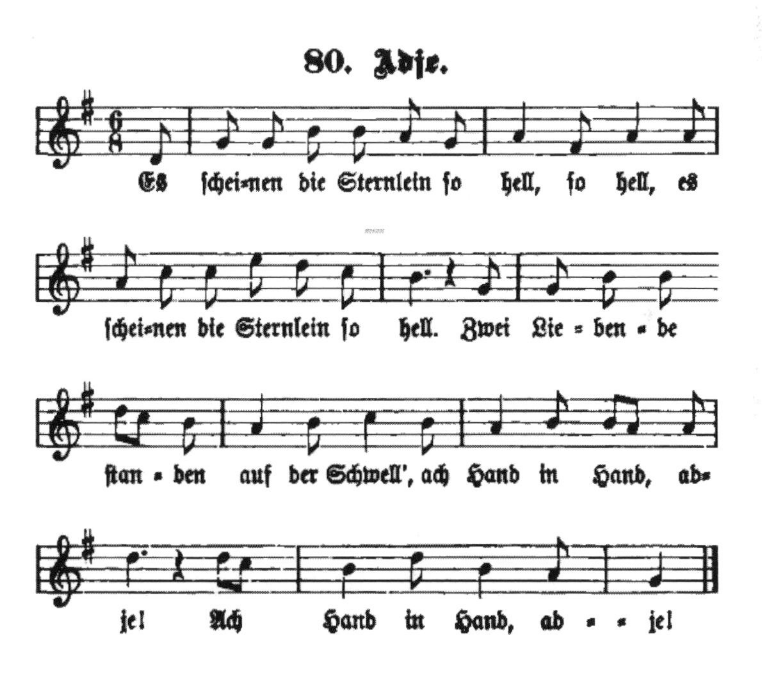

2. Die Winde durchwehen die Waldesruh'
Im Thale und auf der Höh'.
Da wehn weiße Tücher einander zu:
Adje, mein Lieb', adje!

Kirchardt.

Verfasser. S. Kapper in seinen Slavischen Melodien, Leipzig 1844, S. 98 (J. Meier, Bz.); Böhme, Vtl. Ld. Nr. *502; Rhein *Becker Nr. 154.

81. Geh' nicht fort.

A.

A = bend=lüf = te wehn,
willst schon wie=der gehn. Ach, bleib' bei mir und geh' nicht

2. Hab's geliebet dich ohn' Ende,
Hab' dir nie was Leid's gethan,
Und du reichst mir schon die Hände,
Und du fingst zu weinen an.
O, weine nicht und geh' nicht fort!
In meinem Herz ist ja dein Heimatsort.

3. Ja, da draußen in der Ferne
Sein's die Menschen nicht so gut;
Und ich geb's für dich so gerne
All mein Leben, all mein Blut.
Ach, scheide nicht und geh' nicht fort!
In meinem Herz ist ja dein Heimatsort.

Kirchardt.

B.

1. Sieh', die Blümlein draußen zittern
In den Abendlüfte Wehen!
Und du willst mein Herz verbittern,
Und du willst schon wieder ziehn;
Bleib' bei mir und geh' nicht fort!
An meinem Herzen ist der beste Ort.

2. Hab' geliebt dich ohne Ende,
Hab' dir nichts zu Leid' gethan,
Und du reichst mir Stund' die Hände,
Und du fängst zu weinen an.
Weine nicht und geh' nicht fort!
An meinem Herzen ist der beste Ort.

3. O, da draußen in der Ferne
Sind die Menschen nicht so gut;
Und ich geb' für dich so gerne
Ja mein Leben und mein Blut.
Bleib' bei mir und geh' nicht fort!
An meinem Herzen ist der beste Ort.

4. Wie ich dich so innig liebe,
Dies sagt dir mein treuer Blick,
Und ich fand in deiner Liebe
Ja doch nur mein einzig Glück.
Bleib' bei mir und geh' nicht fort!
An meinem Herzen ist der beste Ort.

Heidelberger Liederheft.

Verfasser. Otto Inkermann unter Pseudonym W. Sternau, Gedichte, Berlin 1851, S. 33 (**Böhme, Vtl. Lb.** Nr. 12). — Elsaß, Ulm, *Saar, Nassau, Sachsen, **Köhler-Meier** Nr. 167, *Schwaben, *Elsaß, Erk-Böhme II, 580. **Elsenztal** Glock 17. **Kommersbuch** 493. Der Freundlichkeit J. Meiers verdanke ich folgendes: Reisert, D. Kommersbuch 1896, S. 262. **Kinzigtal** H. Hansjakob „Im Paradiese", 1897, S. 255; **Vogtland** Dungers Ms.; **Tirol** Englerts Ms.; **Pommern** Brun und Haas Ms. **Kanton Bern** Ms.

82. Mariechen.

2. Der Geier flog über die Berge
Hin über das weite Meer,
Und Wolken flogen zusammen,
In Tropfen sie fallen so schwer
Wie von Mariechens Wangen
Die heiße Thräne rinnt,
Und schluchzend in ihre Arme
Nahm sie ihr schlummerndes Kind.

3. „Dein Vater lebt herrlich in Freuden,
Gott läßt es ihm wohl ergehn,
Er kennt nicht unsre Leiden,
Mag mich und dich nicht sehn;
So stürzen wir uns beide
Hinab in tiefen See.
Vorbei ist alles Leiden,
Vorbei ist alles Weh."

4. Da öffnet das Kindlein die Augen
Schaut freundlich auf und lacht,
Sie nahm's in ihre Arme,
Drückt's an ihr Herz und sagt:
„Nein, nein, wir wollen leben,
Wir beide, du und ich.
Dem Vater sei's vergeben,
Wie glücklich machst du mich!“

Handschuhsheim, Nüstenbach,
Heidelberger Garnison.

Oder 1e Sie sah so still. 1g und Wolken flogen. 3e er mag uns alle beide. 3e dann stürzen. 4d an ihre Brust mit Macht. 4h macht Gott mich.

In der Pfalz außerordentlich beliebt.

Verfasser. J. Ch. Freiherr v. Zedlitz Gedichte 1832, S. 56 f. (J. Meier, Bz.).

Verbreitung. Nassau, Rhein, Schlesien, Preußen, *Mosel und Saar, vgl. Köhler-Meier Nr. 25. **Pommern** Haas und Brunck Ms. (J. Meier), Pomm. Volkskunde I, 24; **Elsenztal** Glock S. 22.

Diese Melodie, im Grunde dieselbe wie im Lahrer Kommersbuch S. 548 „Warum sollt' im Leben ich nach Bier nicht streben“ (1849 aufgekommen), findet sich auch bei Böhme, Vtl. L. Nr. 486 aus Nassau und Köhler-Meier. Statt Mariechen treffen wir auch Luischen. Treichel Nr. 39 hat die merkwürdige Lesart „mit ihren schwarzblonden Locken spielt leise der Abendwind“!

83.

1. Weint mit mir ihr nächtenstillen Haine!
Zurück nicht ihr morschen Totesbeine,
:|: Wenn ich euch in eurer Ruhe stör'! :|:

2. Denn es wohnt allhier in eurer Mitte,
Still und sanft, ein Mädchen voller Güte;
Ach, getrennt von ihr zu sein ist schwer!

3. Horch! was rauscht dort auf der Kirchhofsmauer?
Still und sanft, ein Mädchen voller Trauer.
Ach, wenn's nur die Wilhelmine wär'!

4. Doch sie schwur des Nachts mir zu erscheinen,
Sich auf ewig mit mir zu vereinen,
Wenn die bange Geisterstunde schlägt.

5. „Ja, ich bin's," sprach sie mit leiser Stimme,
„Vielgeliebter, deine Wilhelmine.
Flieh' von hier, bis dich der Tod einst ruft!"

6. „Ach, soll ich dich schon verlassen?
Darf ich nicht mehr länger hier umfassen?
So steig' hinab in deine Todesgruft.

7. Steig' hinab in deine Todeskammer,
Mach' mir Platz, denn mich verzehrt der Jammer.
Denn bis morgen bin ich auch bei dir."

Wiesloch (Handschrift).

Verfasser. Joh. Franz von Ratschky nach Böhme, Vtl. Lb Nr. 139. Dagegen (J. Meier, Vz.) „die Angabe erscheint fraglich, wenn wir sehen, daß das Lied weder in seinen Gedichten, Wien 1785 und 1791, noch in seinen Neueren Gedichten enthalten ist."

Verbreitung. Elsaß, Odenwald, Oberhessen, Nassau, Mosel, Saar, Rhein, Thüringen, Schlesien, Ostpreußen, vgl. Köhler-Meier Nr. 26. **Pommern** Bl. f. pomm. Volksk. V, 62; nach Mitteilung J. Meiers: **Spessart** Mitt. u. Umfragen z. bayr. Volksk. II, Nr. 2, S. 2; **Hessen** Mittlers Ms.; **Vogtland** Dungers Ms.; **Schlesien** Kleins Ms.; **Böhmen** A. John, Erzgebirgszeitung XVII, 108. Zu Str. 5 vgl. oben Nr. 36 „Der treulose Heinrich".

84. Die Thräne.

9*

2. Man wächst empor dann zwischen Freud' und Schmerz,
Dann zieht die Liebe ein ins junge Herz,
Und offenbart das Herz der Jungfrau sich,
Spricht eine Thräne: Ja, ich liebe dich.

3. Wie schön ist doch die Thräne einer Braut,
Wenn dein Geliebter sie ins Auge schaut!
Man schlingt das Band, sie werden Weib und Mann,
Dann fängt der Kampf mit Not und Sorgen an.

4. Doch wenn der Mann die Hoffnung schon verlor,
Blickt noch das Weib vertrauungsvoll empor
Zur Sternenwelt, zum heitern Himmelslicht
Und eine Thräne spricht: verzage nicht.

5. Der Mann wird Greis, die Scheidestunde schlägt,
Da stehn in ihm die Sinne tief bewegt.
Und aller Augen sieht man thränenvoll,
Sie bringen sie als letztes Lebewohl.

6. Doch still umher blickt noch verklärt der Greis,
In seiner Kinder, seiner Enkel Kreis.
Im letzten Kampf, ja selbst noch im Vergehn
Ruft eine Thräne noch: Auf Wiedersehn.

Text nach hs. Lb. Heidelberg.
Melodie aus Rüstenbach.

Rüstenbach: 1c in Freud und Thränen bringt zum ersten Gruß dem Kind die Mutter nun den ersten Kuß. 2a wohl zwischen. 3b in das junge.

Verbreitung. Vf. Konrad Hafner 1846 (Hoffmann, Vtl. Lb.[4] Nr. 829. Westerwald, Dillkreis, Hochwald, Mosel, Nassau, Elsaß, vgl. Köhler-Meier Nr. 192. **Pommern** Haas und Brunks Ms. (J. Meier).

85. Rose und Ring.

Nicht zu langsam.

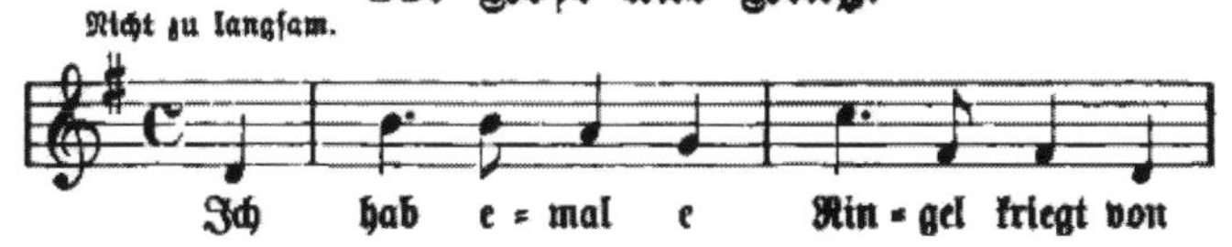

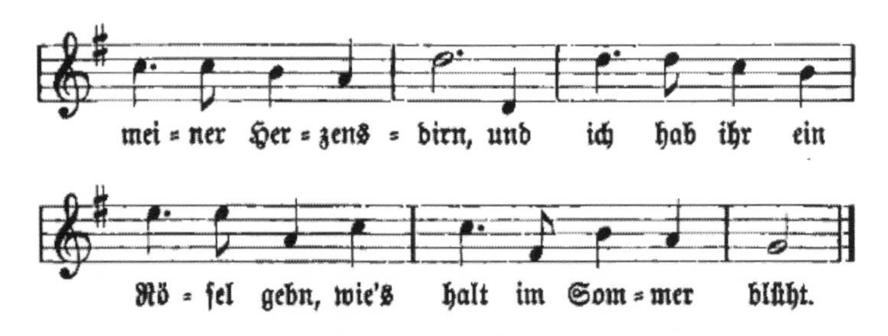

2. Drauf haben wir uns gar herzlich küßt
Und das Versprechen geben:
Daß wir einand ja lieben wollen
Durchs ganze Erdenleben.

3. Und 's war kein halbes Jahr vorbei,
War's Rösel nimmer rot.
Und 's Dirndel, is mei alles gwest,
Is droben beim lieben Gott.

4. Und eh's gestorben ist, hats gesagt:
„Reiß dir die Hor nit raus!
Wir werden einand ja wieder sehn
Drobn in des Vaters Haus.

5. Und kommst du nach ins Himmelreich,
Am Ring erkenn ich dich,
Und mit dem Rösel an mein Herz
An dem erkennst du mich."

Handschuhsheim.

Verfasser. Nach J. Meier: Verfasser Anton Freiherr v. Klesheim in seinem Schwarzblätl aus'n Weanerwald[4] 1 (Wien 1858), 106 f.
Verbreitung. Tirol Greinz und Kapferer I, 45, Englerts Ms. **Bodensee** ib. Dazu **Süddeutsch** Oberländ. Liadln 91. Die Melodie wie unten Nr. 86. Noch ein Zeichen, daß beide Lieder desselben Vfs. auch für das Volk in Zusammenhang stehen, ist, daß in **Hessen** (Müllers Ms.) Kontamination der beiden stattgefunden hat.

86.

2. Der Jager zu dem Dirndel sagt:
„Herzliebstes Dirndel schau!
Da wo ich die Vegelin awe schieß,
Da isch der Himmel blau."

3. Das Dirndel zu dem Jager sprach:
„Meine Astern kannst du schaun,
Aber mach daß i nit weine muß,
Sonst wird der Himmel blau."

Kirchardt.

Verfasser. Anton Freiherr von Klesheim in seinem Schwarzblatl aus'n Weanerwald 1843 (Böhme, Vtl. Lb. S. 598, Nr. 6).

Verbreitung. Elsaß Erk-Böhme I, 262; **Steiermark** Schlossar Nr. 304; **München** Englerts Mſ. (J. Meier); **Hessen** Mittlers Mſ. (ib.); **Oberpfalz, Franken** Englerts Mſ. (ib.); **Böhmen** Hruschka 118; **Süddeutschland** Oberländer Liadln S. 109. **Melodie** eine vereinfachte Form von „Wie berührt mich wundersam", komponiert von Franz Bendel. Vgl. oben Nr. 85.

87. Ein Traum.

2. Einst genoß ich schöne Freude;
Ich lag auf grüner Heide,
In schönster Unschuld hingestreckt,
Und mit Haselstrauch bedeckt.

3. Viele Blätter hört' ich leise rauschen,
Einen Jüngling sah ich leise lauschen,
Der dem schönsten Junker glich,
Ich aber that als schlummre ich.

4. Der brach ein Röslein für mich nieder,
Küßt das Röslein, gab mirs wieder;
Er küßt das Röslein, küßt auch mich,
Ich aber that als schlummre ich.

5. Das war das Ende meines Schlummers,
Und der Anfang meines Kummers.
Süße Küsse, ich fühlte sie nur kaum.
Als ich erwacht', war's nur ein Traum.

Handschuhsheim.

Verfasser. Chr. F. Weiße 1771 in seiner Oper „der Ärndtekranz" I, 1 (J. Meier, Vz.).

Verbreitung. **Saar** *Köhler-Meier Nr. 103; **Hessen** *Lewalter III, Nr. 23; **Unterfranken** Ditfurth, 110 Volks- und Gesellschaftslieder des 16.—18. Jh., Nr. 39.

88.

2. Sink' vorm Kreuz hin, das im Feld
An den Baum sich lehnet,
Weiß kein Herz auf dieser Welt,
Das sich nach mir sehnet.
Bet' und bete ohne Sinn,
Kann's ja nimmer fassen,
Wie ich unglückselig bin,
Seit du mich verlassen.

3. Schließt dereinst mein Auge sich,
Ruhn die müden Hände,
Will ich noch vom Himmel dich
Segnen ohne Ende.
Brauchst ja Thränen nicht zu weih'n,
Kann vergessen werden.
Mögest du nur glücklich sein
Immer hier auf Erden.

Neckargerach.

89. Am Fensterlein.

2. Der weilt so fern, den ich geliebt,
Der mir Freud' und Leiden giebt.
Leiden gab er mir zu viel,
Doch mein Herz schwieg immer still.

3. Schweig' nur ruhig, armes Herz!
Trag' geduldig deinen Schmerz,
Nur im Grabe findest du Ruh',
Den Frieden dazu.

4. Willst du mich noch einmal sehn,
So steig' hinauf auf Bergeshöh'n,
Steig' hinunter ins tiefe Thal —
Grüß' dich heut' zum letztenmal.

Handschuhsheim.

Verbreitung. *Niederhessen, *Rhein, *Mosel, *Saar, Westpreußen, vgl. Köhler-Meier Nr. 178 und Meiers Bz., wo auf Düringers „Den lieben langen Tag hab' ich nur Schmerz und Plag'" hingewiesen wird, und Erk-Böhme II, 316, Nr. 494.

90. Ich wollt' ich läg' und schlief.

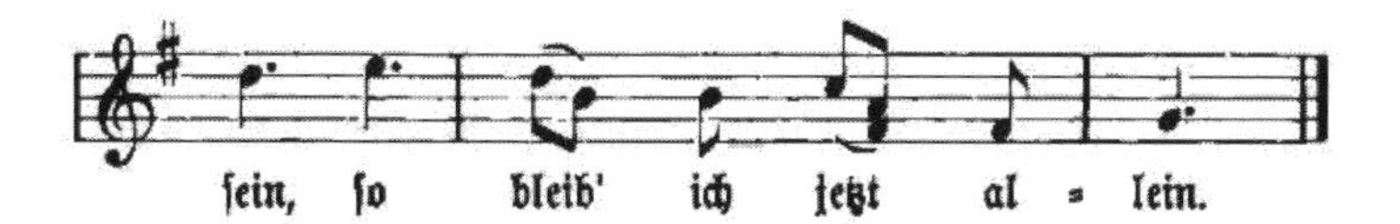

2. Komm Erd' und deck' mich zu,
Schaff' meiner Seele Ruh'!
Ich hab' mich nun verschrieben
Auf ewig dich zu lieben,
Auf ewig dein zu sein,
So bleibe ich allein.

Müstenbach, Handschuhsheim.

Oder 1f ewig dein. Oder Handschuhshelm:

2. Komm Erd' und deck' mich zu,
Schaff' meiner Seele Ruh'!
Vertilge meinen Namen,
Lösch' aus die Liebesflammen,
Lösch' aus die Liebesglut,
Die so viel brennen thut!

3. Das Feuer, das brennet so sehr,
Die Liebe noch viel mehr.
Und hätte das Feuer nicht so gebrennt,
So hätte die Liebe noch kein End';
Das Feuer, das brennet so sehr,
Die Liebe noch viel mehr.

4. Das Feuer, das brennet so heiß,
Die Lieb' wovon kein's nix weiß.
Und hätte das Feuer nicht so gebrennt,
So hätte die Liebe noch kein End'.
Das Feuer, das brennet so heiß,
Die Lieb' wovon kein's nix weiß.

Verbreitung. Älteste Fassung Fl. Bl. 1750—1780 Erk-Böhme II, 507; **Elsaß** Mündel Nr. 85; **Odenwald** Zopf Nr. 4; **Hessen** Erk-Böhme II, 507, †Volk S. 191, Erk Ldh. Nr. 115, Mittler Nr. 781; **Rhein** *Becker Nr. 78, vgl. Nr. 79, Simrock Nr. 145; **Baierische Pfalz** Jungbrunnen Nr. 112 A; **Franken** Ditfurth Nr. 93, Erk Ldh. Nr. 115; **Thüringen** Mittler Nr. 780; **Anhalt Dessau** ib. Nr. 781, Erk-Irmer II, 3, 11; **Sachsen** Rösch 45, Erk-Böhme II, 507, Erk Ldh. Nr. 115, Müller S. 46; **Isgrund** Wolff S. 165; **Schlesien** Hoffmann Nr. 162, Erk Ldh. Nr. 115; **Brandenburg** Erk Ldh. Nr. 115, Erk-Böhme II, 507 und II, 362 (zu Str. 3). Str. 2 als Schluß zu „Es war einmal ein Gärtner" Köhler-Meier Nr. 98 und Becker Nr. 110. Verwandt mit Str. 3—4 ist das allbekannte „Kein Feuer, keine Kohle kann brennen so heiß," vgl. Wolfram Nr. 148, Köhler-Meier Nr. 142, wo die Litteratur angegeben wird.

91.

2. Hör' ich ein Vöglein pfeifen, es pfeift die ganze Nacht
Vom Abend bis zum Morgen, bis daß der Tag anbrach.
Hab' auch schon Tag und Nacht
Schönster Schatz nach dir getracht.
Hab' draußen manche Stunde
Mit dir zugebracht.

3. Gelt, du meinst ich thät mich kränken?
Aber nein, das thu ich nicht.
Ei, da müßt' ich mich ja schämen
Vor deinem Angesicht!
Wegbleiben thu', ja thu' ich nicht,
Geb' auch meinem Herzen keine Pflicht.
Treu und beständig sollst du bleiben,
Das sei deine größte Pflicht.

4. Verfluchet sei dein Name,
Verdammet sei dein Geist!
Lösch' aus der Liebe Flamme,
Lösch' aus, was Lieben heißt!
Denn allein dein falsches Herz
Hat meinen Mut, ja Mut gestürzt,
Drum sei von mir geschieden
Du falsch, verfluchtes Herz!

Handschuhsheim.

Zu dieser Melodie wird in Handschuhsheim auch Hoffmanns von Fallersleben „Wie könnt' ich dein vergessen, ich weiß was du mir bist," gesungen.

Verbreitung. *Saar, Ulm vgl. Köhler-Meier Nr. 108. Hierher gehört auch ein Fl. Bl. um 1800 o. O. u. J. im brit. Museum Sammelband 11521 b 35 Nr. 5:

1. Was hilft mich dann das Lieben,
So ich hab' angewend't?
Thut mich so sehr betrüben,
Ach hätt' ich dich nicht kennt!
Ich hab' ja Tag und Nacht
In deinem Dienst gewacht,
Ja manche schöne Stunde im Lieben zugebracht.

2. Ich thät mich dir verschreiben,
Mein Einzig's in der Welt,
Vermeint sollst treu verbleiben,
Wie du dich vorher gestellt;
Aber dein falsches Herz
Hat nur den stolzen Scherz
Mit mir allzeit getrieben: o hart verfluchtes Herz!

3. Meinst du dann, ich werd' mich henken?
Ach nein! das thu' ich nicht;
Ich müßte mich ja schämen
Ins Herz und Angesicht.
Ja, ich schwöre dir die Treu'
Vor dein Betrügerei.
Glaub', daß ich deinetwegen
Nicht so verwegen sei.

4. Adje, grausame Schöne!
Wünsch' dir ein' gute Nacht.
Glaub', daß dein stolze Seele
Mein Herz nicht traurig macht;
Denn du bist nicht allein
So angenehm und fein;
An Schönheit und Gebärden dir gleichviel tausend sein.

5. Vergesse meinen Namen,
Verbanne meinen Geist,
Und die verfluchten Flammen,
Und als, was lieben heißt.
Drum geh' nur immer hin,
Du hart und stolzer Sinn!
Ich will jetzt nicht mehr heißen,
Der ich gewesen bin.

Sehr ähnlich in einem Liederheft des vorigen Jahrhunderts aus Graubünden.

92.

1. Willst du mich denn nicht mehr lieben?
Ei, so kannst du's lassen sein!
Nimmermehr will ich dich betrüben,
Ich lebe stets für mich allein.

2. Für mich allein hab' ich's keinen Kummer
Weiter traur' ich nicht um dich.
Ich leb' als wie eine Schwalb' im Sommer;
O, wie bald vergesse ich dich!

3. O, wie bald vergess' ich deinen Namen!
So wie du mein' vergessen hast.
Nimmermehr sprechen wir's zusammen,
Geh' nur hin, wo du's besser hast.

4. Geh' nur hin zu deinesgleichen,
Ich wünsche dir viel Glück dazu.
In der Liebe thust du schmeicheln,
Du vergönnst mirs meine Ruh'.

5. Als wirs alt war'n achtzehn Jahren,
Liebt'st du mich und ich liebt' dich.
Als wirs damals noch so fröhlich waren
Und auch jetzt, auch jetzt noch lustig sind.

Schriesheim.

Verbreitung. Schwaben, Bayern, Hessen, Nassau, Mosel, Saar, Rhein, Thüringen, Schlesien, Brandenburg, Pommern, vgl. Köhler-Meier Nr. 50; **Elsenzthal** Glock S. 25.
Zu Str. 3 vgl. unten „Morgen will mein Schatz abreisen".

93. Wie du mir so ich dir.

A.

2. Wenn du meinst, du bist die Reichste
Oder auch die Schönste —
Wer du bist, der bin ich auch,
Wer mich verachtet, den veracht' ich auch.

3. Deine Schönheit wird vergehn,
Wie die Blümlein im Felde stehn.
Es kommt ein Reiflein bei der Nacht
Und nimmt den Blümlein ihre Pracht.

4. Eine Schwalbe macht kein' Sommer,
Wenn es gleich die erste ist
Und mein Lieb macht mirs keinen Kummer,
Wenn sie gleich die Schönste ist.

5. Gift und Gall' hab' ich getrunken,
Es ist mir tief ins Herz gesunken.
Dieweil ich jetzt keine Ruh' mehr hab',
So legt man mich ins kühle Grab.

Schönmattenwaag, Handschuhsheim.

B.

Sinsheim.

C.

noch der Al = ler = reich = ste. Wer du ge = we = sen bist, der

bin ich auch; wer mich ver = ach = ten thut, ver=acht' ich auch.

2. Deine Schönheit, die wird vergeh'n
Wie das Blümlein wohl auf dem Feld;
Da kam ein Ringreiflein wohl bei der Nacht
Und nahm dem Blümlein seine Pracht.

3. Gift und Galle hab' ich getrunken,
Weil du mir bist ins Herz gesunken,
Dieweil ich jetzt keine Ruh' mehr hab'
Und ich jetzt scheiden muß ins kühle Grab.

Nüstenbach.

Verbreitung. Elsaß, Schwaben, *Odenwald, Mosel, Itzgrund, Thüringen, Schlesien, Brandenburg, vgl. Köhler=Meier Nr. 59. Dazu **Elsaß** Mündel Nr. 37—39; **Tirol** Greinz und Kapferer II, 29; **Hessen** Str. A, 2 Lewalter IV, Nr. 26, †Volk S. 191, Zopf Nr. 21; **Nassau** Wolfram Nr. 233; **Wetterau** *Erk=Böhme II, 499; **Nieder-Reifenberg** ib. 461; **Coburg** ib. II, 496, Erk=Irmer I, 4, 8; **Franken** Ditfurth *S. 77, *Nr. 92; **Deutsch-Pilsen** Firmenich III, 633; Wiener Sitzgs.=Ber. XXVII, 197; **Schlesien** *Hoffmann Nr. 82, Peter *Nr. 66 und S. 255.

Zu A 3, C 2 vgl. unten „Morgen will mein Schatz abreisen".

94.

2. Du meinst du seist die Schönst' allein!
Es giebt ja noch wo schöner sein;
Deine Schönheit wird vergehn,
Als wie die Rosen im Garten steh'n.

3. Drunten im Thal da schnalzt ein Fisch;
Lustig wer noch ledig ist!
Ledige Leut' die lebens wohl,
Weil ihre Kinder schlafen schon.

4. Drunten im Thal da liegt ein Steg,
Drüber hat mein Schatz ein' Weg;
Er geht bald hin, er geht bald her,
Als ob's der rechte Weg nit wär'.

Nüstenbach.

Verbreitung. Schweiz Tobler II, 209, Kt. Bern mündlich; **Elsaß** Mündel Nr. 102; **Hessen** Mittler Nr. 952, *Erk, Ldh. Nr. 130; **Rhein** Mittler Nr. 1021, Alem. XII, 186; **Franken** Jungbrunnen Nr. 79, Ditfurth Nr. *190; **Thüringen** Erk Ldh. Nr. *130, Erk=Irmer I, 6, 47, Weimar Jb. III, 301; **Böhmen** Hruschka 154.

Verwandte Lieder auch Erk=Böhme II, 574 f. Zu Str. 2 oben Nr. 93. Zu Str. 3 unten Nr. 95.

95. Ledig und lustig.

A.

2. In dem Wasser schwimmt ein Fisch,
:|: Lustig wer noch ledig ist, :|:
Wer noch nit verheirat' ist.

3. Ledige Leut' die haben's wohl,
Ihre Kinder schlafen schon;
Ihre Kinder nicht allein,
Ihre Sorgen auch dabei.

4. Schätzele, reich' mirs deine Hand!
:|: Zum Beschluß noch ein Kuß, :|:
Dieweil ich von dir scheiden muß.

5. Scheiden ist ein hartes Wort;
:|: Du bleibst hier und ich muß fort, :|:
Ich weiß noch nicht an welchen Ort.

6. Stehn zwei Sternelein am blauen Himmel
Die leuchten heller als der Mond.
:|: Sie leuchten hell, :|:
Sie leuchten zu mein' Schätzelein.

7. Zu mein' Schätzelein da möcht' ich schlafen,
Wenn die Nacht ein Jahr lang wär'.
:|: Wenn die Nacht, :|:
Wenn die Nacht ein Jahr lang wär'.

8. Gerne, gerne möcht' ich dir was kaufen,
Wenn ich wüßt', was ratsam wär'.

9. Gold und Silber, Edelsteine,
Schatz was kann denn schöner sein?

Handschuhsheim.

B.

2. Auf der Elbe schwebt ein Schiff,
Das ich jetzt besteigen muß.
Lustig wer noch ledig ist!
Wer noch nicht verheirat' ist.

3. Liebste, reich' mir's deine Hand,
:|: Zum Beschluß noch ein' Kuß, :|:
Weil ich von dir scheiden muß.

4. Willst du mich noch einmal seh'n,
Steig' hinauf auf Berges Höh'n.
Schau' hinunter in das Thal,
Da siehst du mich zum allerletztenmal.

Kirchardt.

Verbreitung. A: **Schwaben** Birlinger, Schw. Vl. S. 294, E. Meier Nr. 157, S. 30; **Hessen** Lewalter IV, 6, Böckel Nr. 118 C, 107 A, Erk, Ldh. Nr. 75, Erk=Böhme II, 336; **Nassau** Wolfram Nr. 187 ab; **Saar** Köhler=Meier Nr. 58; **Rhein** Simrock Nr. 152, Becker Nr. 60, Altrh. Märl. 110; **Cleve** Erk=Irmer I, 2, 27; **Sachsen** Rösch 36, vgl. 37; **Brandenburg** Erk, Ldh. Nr. 75a; **Ostpreußen** Frischbier Nr. 63.

Str. 2—3: **Voigtland** Rundâs, Nr. 661; **Schweiz** 1818, Erk, Liederschatz III, 73; oben Nr. 92. Str. 5: unten Frgm. „Nun ade, jetzt muß ich fort". Str. 6: oben „Köln am Rhein" Nr. 55.

Str. 7 ff.: oben Nr. 71; **Mosel** Köhler-Meier Nr. 80; **Hessen** Erk-Irmer I, 5, 68; **Nassau** Wolfram Nr. 199; **Itzgrund** Wolff 172. B: **Niederrhein** Erk, Ldh. Nr. 74.

96. Keine Rose ohne Dornen.

A.

2. Den ich so gerne hätte,
Der ist mir nicht erlaubt;
Eine and're sitzt am Brette,
Hat ihn mir weggeraubt.

3. Wer Rosen will abbrechen,
Der scheu' die Dornen nicht:
Wenn sie auch heftig stechen,
Genießt man doch die Frücht'.

4. Hätt' ich dich nicht gesehen,
Wie glücklich könnt' ich sein!
Aber leider, 's ist geschehen,
Mein Herz schlägt nicht mehr rein.

Handschuhsheim, Heidelberg,
Wiesloch, Rüstenbach.

1 d von beiden ist. 3 d das thut die Liebe nicht.

B.

In Kirchardt wird das Lied nach der folgenden Weise gesungen, mit noch einer Strophe:

Vgl. Köhler=Meier Nr. 47, wo auf alte Fassungen des Lieds (Anfang dieses Jh. und noch früher) hingewiesen wird.

Verbreitung (daselbst). Elsaß, Schwaben, *Hessen, *Nassau, *Rhein, *Mosel, *Saar, Erzgebirge. Dazu nach Erk=Böhme II, 432; ***Taunus**, Fl. Bl. aus **Hamburg** um 1815—1820, und die erste Zeile in einer Hs. aus der Mitte d. 18. Jh.: II, 448 **Uckermark, Kt. Bern** Schwz. Archiv f. Vk. V, Heft 1; **Elsaß** vgl. Mündel auch Nr. 34 und 44; **Rhein** Zurmühlen Nr. 120 (Treichel); **Siegelau** Alem. XXV, 19; **Braunschweig** B. Magazin III, 68, Nr. 12 (J. Meier); **Westpreußen** Treichel Nr. 56.

Zu Str. 4 vgl. Köhler=Meier Nr. 109 **Mosel**; Zu Str. 5 ib., Nr. 141 **Mosel und Saar**; **Nassau** Wolfram Nr. 177 u. S. 383; **Schwaben** E. Meier S. 13, Nr. 62, S. 15, Nr. 74; **Kärnten** Pogatschnigg I, 1552; **Voigtland** Rundas Nr. 506; **Brandenburg** Beckenstedts Zs. IV, 171. Zur Melodie vgl. Köhler=Meier Nr. 362: „Mei Hut der hat drei Ecke".

97. Die falschen Jungen.

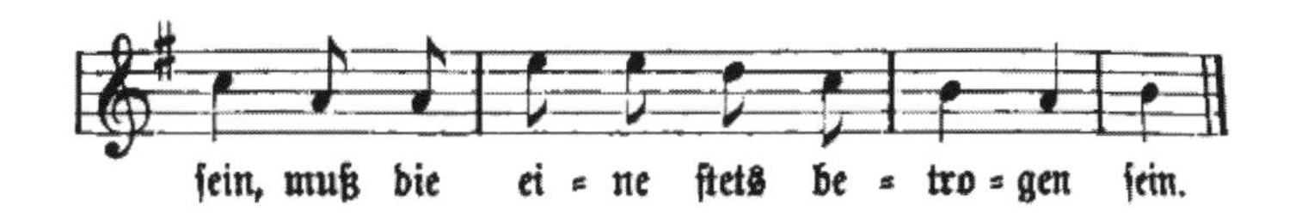

2. Selbst der Gärtner braucht sich gar nicht zu bemühen,
Seine Blumen welken allezeit zu frühe;
Ob es gleich sei Rose oder Nelk',
Seine Blumen werden alle welk.

3. Schönster Jüngling, zu dir darf ich nicht mehr kommen,
Denn die Burschen haben alle falsche Zungen.
Sie abschneiden mir alle meine Ehr',
Schönster Jüngling, zu dir komm' ich nimmermehr.

4. Meine Ehre laß' ich mir nicht abschneiden,
Ich trage alles mit geduldigem Leiden.
Ich trage alle meine Leiden mit Geduld,
Denn daran ist nur die Liebe schuld.

5. Ich trage alles mit geduldigem Herzen,
Denn die Liebe hat viel Kummer und Schmerzen.
Sie ist bald hier, und sie ist bald dort,
Aber nie an ein'm bestimmten Ort.

6. Selbst der Gärtner braucht sich gar nicht zu bemühen,
Solches Unkraut wächst allezeit zu frühe;
Ob es gleich sei Reiche oder Arm',
Falsche Herzen kriegt man überall.

Handschuhsheim.

Verbreitung. Schwaben Str. 3—5 E. Meier S. 215; **Hessen** Lewalter V, *Nr. 43, Böckel Nr. 27, Str. 1—2 Mittler Nr. 1014;

Nassau Str. 1 Wolfram Nr. 213; **Rhein** *Erk=Böhme II, 470, *Becker Nr. 73, Str. 4—5 ib., Nr. 45; **Schlesien** Str. 4—5, Hoffmann 270; **Westpreußen** Treichel Nr. 49.

98.

2. Meine Eltern, die seins gestorben,
Meine Geschwister, die sein alle tot,
Meine Freunde, die haben mich verlassen,
Auf dieser Welt find' ichs kein Trost.

3. Gott läßt Feuer vom Himmel fallen,
Er läßt die ganze Welt zu Grunde geh'n,
Er läßt die Posaunen erschallen,
Und die Toten auferstehn'n.

Kirchardt.

Verbreitung. Schweiz Tobler I, 167 u. 169; **Hessen** *Lewalter IV, Nr. 41; **Böhmen** Hruschka S. 10. Im Ambr. Lb. Nr. CIX steht eine Nonnenklage „Ach Gott wem sol ichs klagen das heimlich leiden mein, mein hertz wil gantz verzagen, gefangen muß ich sein", die aber weiter nicht mit unsererem Liede übereinstimmt — der Eingang war im 16. Jh. überhaupt sehr beliebt. Fl. Bl. o. O. u. J. Augsburg? 1550? im brit. Museum 11522 df 24 „Ach Gott wem soll ich's klagen / wo sol ich hoffen hin" u. s. w.; „Ach Gott wem soll ichs klagen das heimlich leiden mein, mein bul ist mir verjaget" G. Forster V, 38, 1556.

Str. 3 im Liede „Donner Hagel Feur und Flammen" aus einem Liederheft aus Graubünden: —

Laßt vom Himmel Feure fallen,
Laßt die Welt zu Grunde geh'n,
Laßt die Mord-Posaunen schallen,
Laßt die Todten auferfteh'n.
Damit sie recht lehren lieben
Und vertilgen auch dazu,
Die an mir thut Falschheit üben,
Denn mein Herz hat keine Ruh.

Weiter aus eben demselben Liede Fl. Bl. Acht ganz auserlesene neue Lieder Hannover? 1804—15? Brit. Mus. 11521 ee 28, Nr. 52:

Gott laß Feuer von den Himmel fallen,
Laß die Welt zu Grunde geh'n,
Laß die Mohr-Posaune schallen,
Laß die Todten auferfteh'n.
Tod, ach spann' du deinen Bogen,
Zünd' die Töchte an mit Feu'r.
Jene, die mich hat betrogen,
Spei' sie nieder in das Feu'r.

99. Sands Lied.

Von folgendem Liede erzählt man in Handschuhsheim und Rüstenbach, Karl Ludwig Sand, der Mörder Kotzebues, habe es auf dem Wege zum Schaffot geschrieben und an seine Geliebte, eine arme Nähterin in Heidelberg mit dem Verbindungsband seines Corps und einer Locke seines Haares gesandt. In Neckargerach singt man das Lied auch, aber ohne irgend welchen Bezug auf Sand.

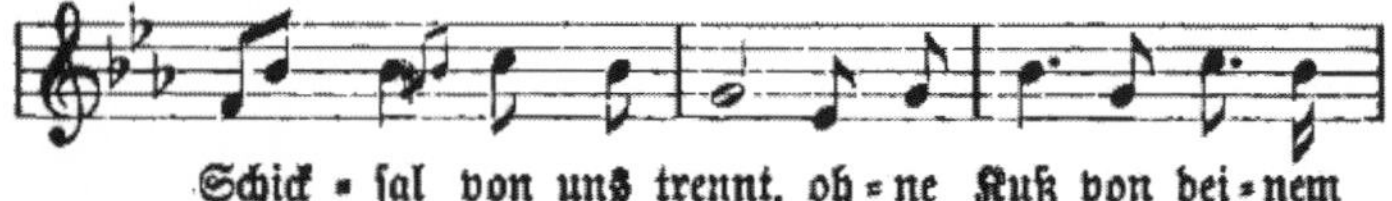

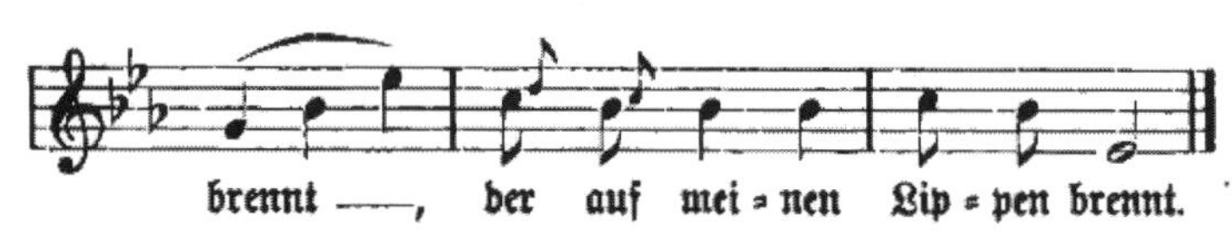

2. Treue hab' ich dir geschworen,
Dir auf ewig treu zu sein,
Glück und Seligkeit verloren,
Wenn ich je vergesse dein!

3. Hast du Meineid mir geschworen,
Treffe dich des Richters Fluch.
Dich verfolg' mein Dolch im Leben
Und mein Geist im Leichentuch!

4. Dich verfolg' ich noch als Leiche,
Wenn du meiner je vergißt,
Und im Totenhemd umschleiche
Ich beständig wo du bist.

5. Nimm sie hin, die dunkle Locke!
Ewig, ewig lieb' ich dich.
Einst schlägt ja die bange Glocke
Lebe wohl, vergiß mein nicht!

Handschuhsheim, Rüstenbach.

Rüstenbach. 1a auf meine Lippe 3b so trifft dich des Richters Fluch.

Daß dieses Lied ursprünglich in Bezug auf Sand gedichtet sei oder gar von ihm selbst herrühre ist mir unwahrscheinlich. In einem Sammelband Fl. Bl. im brit. Museum (11521 ee 28) fand ich eine unserem Texte sehr ähnliche Fassung. Sämtliche datierte

Blätter des Bändchens stammen aus den Jahren 1804 bis 1815; Sand wurde Mai 1820 hingerichtet. Außerdem ist das Lied hier ein Wechsellied zweier Liebenden, Joseph und Franziska; wer diese sein sollten, wurde nicht erklärt.

Franziska und Joseph.

Franziska.

1. Ach sieh' doch die bange Stunde,
Die dein Mädchen von dir trennt,
Ohne Kuß von deinem Munde,
Der nach deinen Küssen brennt.

2. Treue hab' ich dir geschworen,
Fluch erwählt und ew'ge Pein,
Heil und Seligkeit verloren,
Wenn ich je vergesse dein.

3. Hast du Meineid mir gegeben,
Treffe dich des Rächers Fluch.
Dich verfolgt mein Dolch im Leben
Und mein Geist im Leichentuch.

4. Nimm zum ew'gen Liebespfande
Noch dies dunkle Lockenhaar
Mit dem feuerfarb'nen Bande,
Das um Hals und Busen war.

5. Nimm sie hin, die schwarze Locke,
Ewig, ewig, lieb' ich dich.
Weh! sie schlägt, die dumpfe Glocke,
Lebe wohl! — und denk' an mich!

Joseph.

1. Ohne Kuß von deinem Munde,
Trennt das Schicksal mich von dir.
Dumpfig tönt die bange Stunde,
Wie die Sterbeglocke mir.

2. Kann ich meine Schwüre brechen,
Soll mich treffen ew'ge Qual,
Und den Meineid blutig rächen
Deines Dolches scharfer Stahl.

3. Dich verfolg' ich noch als Leiche,
Wenn du meiner je vergißt,
Und im Totenhemde schleiche
Ich beständig wo du bist.

4. Lebe wohl! im Geiste küsse
Ich geliebtes Mädchen dich!
Lebe wohl, ein Engel müsse
Dich begleiten, denk' an mich.

Josephs Teil ist offenbar eine Wiederholung von Franziskas. Noch enger verwandt ist folgendes aus Schweinsberg in Hessen, das mir Prof. J. Meier aus seiner Abschrift der Mittlerschen Mss. freundlichst zur Verfügung stellte. Ich teile nur die Varianten von unserem Texte mit.

1 Ach schon naht ... wo das Schicksal uns nun trennt, Noch ein Kuß ... Busen brennt. 2b Fluch erwählt und ewge Pein Heil und Seligkeit verloren wenn du je vergissest mein 3a gegeben So treff' dich ... dich verfolgt. Zwischen 4—5

Nimm zum ew'gen Liebespfande
Dies mein dunkles Lockenhaar
Nebst ein'm schwarz-braun-goldnen Bande
Das an meinem Busen war.

5a wenn sie schlägt die Abschiedsglocke Lebe wohl und denk' an mich. Dazu als siebente Strophe:

Lebe wohl! im Geiste küsse
Ich, geliebtes Mädchen, dich
Lebe wohl! ein Engel müsse
Dich begleiten wo du bist!

Wichtig ist das schwarz-braun-goldne Band, das auf eine Entstellung des schwarz-rot-goldnen Bandes der Burschenschaft deuten könnte. Ähnliches treffen wir aber wieder in unserm nächstfolgenden Liede Nr. 100, Str. 7. Eng verwandt ist auch Erk-Böhme II, 565, Abdruck aus dem Liederbuch eines Soldaten, Arnstadt 1848 abgeschrieben. Am selben Orte steht ein Lied, nur wenig ähnlich, das mir doch verwandt erscheint („so schlägt die bitt're Trennungsstunde") aus einem Fl. Bl. vor 1829 und mündlich aus Thüringen 1840. Varianten dieses Liedes auch von Mosel und Saar, Köhler-Meier Nr. 171 und Rhein, Becker Nr. 155. Becker Nr. 150a und Erk-Böhme II, 566 aus dem Elsaß enthalten unsere Str. 1. Anklang haben auch die ersten Zeilen eines Liedes, das ich noch nicht zu sehen bekommen konnte: „Sie kommt die bange Stunde wo ich dich lassen muß", Vf. unbekannt in Ludwig Raus „Lieder zum Singen am Klavier", Hamburg 1794, Nr. 2 (Hoffmann, Vtl. Lb. S. 123).

Von Dichtungen Sands ist nirgends die Rede, eben so wenig von einem Liebesverhältnis, zumal in Heidelberg, einer Stadt die er niemals besuchte. Das Lied ist wahrscheinlich eine Opernarie, welche zur Zeit von Sands Hinrichtung noch beliebt, wegen zufälliger Erwähnung des Dolches u. s. w. in Str. 7 und der dunklen Locke Str. 5 mit Bezug auf den Volkshelden gesungen wurde. Er trug sein schwarzbraunes Haar nämlich in langen Locken, wovon der Nachrichter eine abschnitt und an Sands Mutter sandte.

100. Die Gefangene.

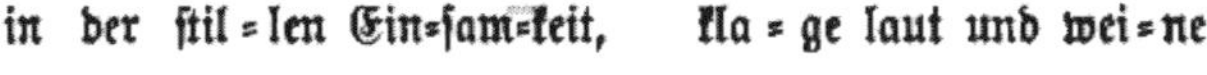

2. Ach, wie bin ich so verlassen
Auf der Welt von jedermann!
Freund' und Feinde thun mich hassen,
Niemand nimmt sich meiner an.

3. Einen Vater, den ich hatte,
Den ich oftmals Vater nannt';
Eine Mutter, die mich liebte,
Die hat mir's der Tod entwandt.

4. Beide sind für mich verloren,
Beide sind für mich dahin;
O, wär' ich doch nie geboren,
Weil ich so unglücklich bin!

5. Schönster Jüngling, meinst du's redlich?
Oder liebst du nur aus Scherz?
Männerränke sind gefährlich
Für ein junges Mädchenherz.

6. Ach, wie sind die Mauern düster!
Ach, wie sind die Ketten schwer!
Ach, wie lange wird's noch dauern!
Ist denn keine Rettung mehr?

7. Schönster Jüngling, nimm zum Pfande
Dieses goldgelockte Haar
Mit dem roten seid'nen Bande,
Das auf meinem Busen war.

8. Und wenn ich einst sterben werde,
Ungetrennt von dir zu sein,
Ei, so pflanz' auf meinem Grabe
Rosen und Vergißnichtmein.

Nüstenbach, Kircharbt.

Handschuhsheim. 2d keiner nimmt sich meiner an. 5a Treuster Jüngling. c seins gefährlich. 6abo O wie sind. 7 dieses blondgelockte Haar . . . das an meinem Busen war.

Verbreitung. Elsaß, Schwaben, Steiermark, Odenwald, *Hessen, *Nassau, *Mosel, *Saar, *Rhein, Franken, Erzgebirge, Schlesien, Pommern, Westpreußen, vgl. Köhler-Meier Nr. 29. Braunschweig B. Magazin Bd. 3 (K. Meier); Kanton Bern *Schwz. Archiv f. Vk. V, Heft 1; *Schleswig-Holstein, *Hannover, Westerwald, *Dillkreis, Erk-Böhme II, 528. „Das Lied soll von einem gefangenen Lehrer auf der Festung Ehrenbreitenstein verfaßt sein", Becker S. 117. In Mündels Fassung (Nr. 210) wird das Lied einem Auswanderer in den Mund gestellt, dessen Frau ihn verläßt, da ihre Eltern „die junge Ehe trennen wegen zeitlicher Verlust". Hier handelt es sich offenbar um ein junges Mädchen. Meier S. 230 dagegen ist das Lied in den Bettelspruch einer alten Frau eingereiht. Das Lied steht mit dem vorhergehenden in Beziehung; Str. 7 steht in der hessischen Fassung unserer Nr. 99 (S. 155) sowie im Fl. Bl. S. 154. Köhler-Meiers Fassung B enthält als vierte Strophe Strophe 2 unserer Nr. 99.

101.

2. Mißgeschick! aus tausend Wunden blutet
Mir mein treues liebevolles Herz;
Kann ich tragen, was man mir zumutet?
Unerreichbar ist der Trennenschmerz.

3. Doch des Schicksals Wahlspruch ist geschehen,
Trenn= ja Trennung ist ein hartes Los.
Könnt ich dich Geliebter wieder sehen,
O, dann wär' mein Glück unendlich groß!

4. Welche Wonne hab' ich da empfunden,
Welche Seligkeit in meiner Brust,
Wenn ich denk' an jene früh're Stunde,
Als ich empfing von ihm den ersten Kuß.

5. Drum so will ich hier im Stillen weinen,
Beten, daß Gott meinen Wunsch erfüllt,
Mich mit ihm auf ewig zu vereinen.
O, dann ist mein Sehnen längst gestillt.

Nüstenbach.

Mir sonst unbekannt. Zu Strophe 3 siehe unten Nr. 102.

102. Untreue.

mehr. Doch Ge - duld! es wird dich schon ge-

2. In der Blüte meiner schönsten Jahre
Gab ich mich zum Opfer für dich hin.
Du raubest mir die Unschuld samt der Tugend,
Spott und Hohn von dir ward mir verlieh'n.

3. Du versprachst mich nicht mehr zu verlassen,
Du liebest mich so lang du leben wirst.
Warum thust du mich im Stillen hassen?
Warum bin ich deiner nicht mehr wert?

4. Doch des Schicksals Wahlspruch ist geschehen,
Trenn- ja Trennung ist ein schweres Los;
Wenn ich dich, Geliebter wieder sehe,
O, dann ist mein Glück unendlich groß!

5. Ew'ge Treue hast du mir geschworen,
Ruf' ich Gott zum wahren Zeugen an!
Doch die Liebe ging so schnell verloren,
Da kann man sehn, wie sich ein Mensch verändern kann.

Handschuhsheim.

Varianten aus einem geschriebenen Liederbuch aus Handschuhsheim:

1a Treuster du brachst mir den Schwur. d dann schlägt dir dein Herz voll Vorwurf. 2d mein Gewinn. 3b du liebest mich so lang du leben würdst oder „schon lange Zeit nicht mehr". 4c mein Liebchen. 5d seht wie sich ein Mensch.

Verbreitung. Elsaß, Nassau, Mosel, Westpreußen, vgl. **Köhler**-Meier Nr. 41; **Spessart** Mitth. u. Umfragen z. bayr. **Volksk.** II, 1896, Nr. 2, S. 2 (J. Meier Bz.); **Voigtland** Dungers Ms. (J. Meier). Strophe 1 „Dreister“ wohl für „Treuster“ gemeint, im Dialekt sind sie kaum unterschieden. Strophe 4 siehe oben Nr. 101.

103.

Melodie: Ich liebte einst, ich war so glücklich Nr. 68.

1. Wer die Liebe hat erfunden,
Hat ans Trennen nicht gedacht,
Sonst hätte er die letzte Stunde
In der Liebe zugebracht.

2. Donner rollen, Felsen brechen,
Aber uns're Liebe nicht;
Alles, alles ist vergessen,
Nur mein treu Geliebter nicht.

3. Thränen steh'n in meinen Augen
Und mein Herz, das schwimmt in Blut.
Nimmer kann ich von dir gehen,
Denn du warst mir viel zu gut.

4. Kommst du's je zu einer And'ren,
Die dich herzlich liebt und küßt,
Sag' ihr nichts von meiner Liebe,
Sag' ihr nur, du kennst mich nicht.

5. Nur für dich bin ich geboren,
Einen And'ren sag' ich ab;
Treue Lieb' hab' ich geschworen,
Treue Liebe bis ins Grab.

Müstenbach.

Varianten aus einer Wieslocher Hs.:

1a das Lieben. b an Trennung. 2c alles andere will ich vergessen nur mein einst Geliebter nicht. 3 fehlt. 4 Gehst du jetzt zu einer andern die dich herzt und küßt, sage nicht von meiner Liebe, sage nur u s. w.

Zu Strophe 4 vgl. **Hessen** Böckel Nr. 41, oben Nr. 68.

104.

2. Mancher liebt aus reinem Herzen,
Meint es treulich und meint es gut;
O wie bitter sein's die Schmerzen,
Wenn man's Liebchen verlieren muß!

3. Meine schöne junge Jahren,
Bring' ich nun in Trauern zu.
Hätt' ich Liebe nie erfahren,
Hätt' mein armes Herze Ruh.

Kirchardt.

Verbreitung. Saar, Oberhessen, Westpreußen, vgl. Köhler=Meier Nr. 33.

105. Es war ein Traum.

2. Als sie mich sah, so wollt sie fliehen.
Vergebens war doch ihr Bemühen.
Ich faßte sie beim Kleid und sprach:
„Ei, Liebchen willst du mich verlassen?
Willst du mich lieben oder hassen?"
Ihr' Antwort war ein leises Ja.

3. Wir setzten uns ins Grüne nieder,
Ich küßte sie und sie mich wieder,
Wir kannten uns vor Liebe kaum.
Die Nacht verschwand vor lauter Küssen,
In derer wir noch weiter müssen.
Ich wachte auf, es war ein Traum.

Handschuhsheim, Rüstenbach.

Verbreitung. *Hessen, Wetzlar, Lahn, Dill, *Nassau, Taunus, *Mosel, *Saar, Rhein, vgl. Köhler=Meier Nr. 102. Dazu **Hessen** Mittlers Ms. (J. Meier); **Elsenzthal** Glock 26; vgl. oben Nr. 87.

106. Die Jugend.

A.

2. Man liebt auch Mädchen bei frohen Zeiten,
Man liebt auch Mädchen zum Zeitvertreib;
Drum sag' ich's noch einmal:
Schön sind die Jugendjahr,
Schön ist die Jugend.
Sie kommt nicht mehr.

Sinsheim.

B.

. . . Vergangene Zeiten kehren niemals wieder.

Wiesloch.

C.

Zur Melodie B.

1. Schön ist die Jugend bei frohen Zeiten,
Schön ist die Jugend, sie kommt nicht mehr,
Sie kommt nicht mehr, nicht mehr,
Sie kommt nicht wieder mehr.
Schön ist die Jugend, sie kommt nicht mehr.

2. Ich pflanzt' ein Rebstock, und der trägt Trauben,
Und aus den Trauben fließt süßer Wein.
D'rum sag' ich's noch einmal: Schön seins meine Jugendjahr,
Schön ist die Jugend, sie kommt nicht mehr.

3. Ich liebt' ein Mädchen in jungen Jahren,
Ich liebt' ein Mädchen zum Zeitvertreib.
D'rum sag' ich's u. s. w.

4. Ich pflanzt ein' Rosenstock und der trägt Rosen,
Und aus den Rosen fließt süßer Duft.
D'rum sag' ich's u. s. w.

Handschuhsheim, Kirchardt.

Noch dazu in Rüstenbach:

5. Vergang'ne Zeiten kehr'n niemals wieder,
D'rum trinkt vor allem die Gläser leer.

6. Die Rosen blühen, die Dornen stechen,
Die Liebe spricht: Vergißnichtmein.

7. Was soll ich dir's zum Denkmal setzen,
Es fällt mir eben ja gar nichts ein.

Rüstenbach.

Oder 5b Vergang'ne Zeiten kehr'n nimmer mehr.

Nach Hoffmann (Volkst. Lb.[4] 214) wahrscheinlich seit 1797 bekannt.

Verbreitung. Elsaß, Schwaben, Steiermark, Odenwald, Hessen, *Nassau, Luxemburg, *Rhein, *Meiningen, Sachsen, Erzgebirge, Böhmen, vgl. Köhler-Meier Nr. 71. Dazu **Elsaß** Jb. f. Geschichte ... Elsaß-Lothringens II (1895) 190 (J. Meier Bz.); **Bayern** und **Amorbach** Englerts Mf. (J. Meier); **Gottschee** †Hauffen S. 83 (bei Trauungen gesungen); **Thüringen** Erk-Böhme II, 367; **Rhein** Becker Nr. 59; **Odenwald** †Volk. 191. Älteste Texte bei Köhler-Meier aufgezeichnet und einer derselben abgedruckt. Im brit. Museum fand ich ein Fl. Bl. o. O. u. J. um 1805? „Sechs ganz auserlesene neue Arien", mit einer dreistrophigen Fassung des Lieds. Es folgen die beiden ersten Strophen:

1. Schön ist das Leben bei frohen Reisen,
Wenn uns der Kummer nicht ganz verzehrt;
Wer wird uns kennen nach langen Reisen,
Wenn uns der Schmerz erst hat verheert.
Die Rosen blühen alle glänzend,
Bald stehn sie welk von Blättern leer:
Drum pflücket die Rosen und windet Kränze.
Schön ist die Jugend! — auch sie vergeht.

2. Greift dann zum Becher, singt frohe Lieder:
Schön ist die Jugend! eh' sie vergeht.
Vergangne Freude kommt nicht mehr wieder;
Drum trinkt die Gläser alle leer.
Die Mädchen spielen mit Liebes Freuden;
So laßt uns auch alle lustig seyn,
Hoch lebt! ihr schönen, lieben Mädchen!
Hoch unsre Freude und auch der Wein.

107. Röschen.

A.

Sollt' ich euch mein Liebchen nen-nen, Röschen heißt das
Sollt' ichs euch noch ein-mal nen-nen, dann ist eu-er

schö-ne Kind, Wunsch er-füllt. } Sie hat Äug-lein wie zwei Sterne und ein

2. Gestern kam mein Herr gegangen,
Macht ihr was von Liebe vor,
Streichelt ihr die zarten Wangen,
Sagt ihrs was ganz leis ins Ohr:
„Sieh', mein Kind! dir will ich geben
Diesen Beutel von Silber und von Gold,
Damit du kannst sicher leben;
Seid mir nur ein wenig hold".

3. „Diesen Beutel anzunehmen,
Das sei ewig von mir fern,
Ei, da müßt' ich mich ja schämen
Auf der Welt vor jedermann.
Bin zwar arm und bin verlassen
Auf der Welt von jedermann,
Auf der Welt lieb' ich nur einen,
Guter Herr, es bleibt dabei."

4. Drum ihr Brüder hier im Kreise,
Schafft euch solches Liebeliebchen an,
Das so treu nach alter Weise,
Wie mein Röschen lieben kann.
Sie ist schön und ist auch lieblich,
Kommt ihr einer vor das Haus,
Dreht sich um und macht ein Näschen,
Schließt die Thür und lacht ihn aus.

Rüstenbach, Kirchhardt, Handschuhsheim.

2f diesen Beutel voller Gold, das du kannst in Frieden leben. 3a So viel Gold von Euch zu nehmen, ei, das kommt bei mir nicht vor. 4c die nach alter deutschen Weise.

B.

1. Sollt ich Euch mein Liebchen nennen,
Rose heißt das holde Kind:
Wollt Ihr sie noch näher kennen,
Ei, so naht Euch doch geschwind!
Sie hat Aeugelein wie zwei Sternelein,
Und einen rosenroten Mund;
Ja, bei ihr verweil' ich gerne,
Bei so später Abendstund'.

2. Sieh', da kam ein Herr gegangen,
Spricht mir leise was ins Ohr,
Streichelt mir die zarten Wangen,
Spricht mir gar der Liebe vor:
„Liebes Kind! ich will dir geben,
Eine Hand voll rotes Gold,
Auf daß du kannst zufrieden leben,
Sei mir nur ein wenig hold!“

3. „Dieses Gold von Euch zu nehmen,
Ei, das sei ja fern von mir!
Ei, da müßt' ich mich ja schämen,
Bester Herr ich dank' dafür!
Auf der Welt lieb' ich nur einen,
Diesem bleib' ich stets getreu,
Diesen lieb' ich und sonst keinen,
Gute Nacht, es bleibt dabei“.

4. D'rum ihr Burschen seid bescheiden!
Schafft euch solche Mädchen an,
Die nach steter deutscher Weise,
Die meine Rosa nennen kann.
Sie ist jung und sie ist liebreich,
Kommt ihr einer vor das Haus,
Da macht sie ihm geschwind ein Näschen,
Dreht sich um und lacht ihn aus.

Schriesheim.

C.

Kirchardt.

Verbreitung. Wetterau, Nassau, Mosel, Rhein, Hinterpommern, Westpreußen vgl. Köhler-Meier Nr. 95. Nach Mitteilung J. Meiers: **Hessen** Mittlers Ms.; **Rheingau** ib.; **Voigtland** Dungers Ms.; **Westpreußen** Treichels Ms.

108. Amor auf der Messe.

1. Als im jüngst vergangenen Jahr
Leibzigs Ostermesse war,
Trat auch auf des Marktes Mitte
Amor eine Krämers-Hütte
Und both freundlich jedermann
Herzen zum verkaufen an.

2. Eine Schöne trat hinzu,
„Was für Herzen hasst denn du?“
Rief sie „darf ich welche sehen?“
„Alles soll zu Dienste stehen
So ich in der Hütte hab'“,
Rief der kleine lose Knabe.

3. Nur das so scharmantes Kind,
So galand und so geschwind,
Dürfen sie so deutsch nicht denken
Und sich dieseswegen kränken.
„Kaufen sie ein Herz von mir,
Es ist gut, ich steh' dafür“.

4. „Nur das hintert nicht den Kauf,
Komm sie mir gar herauf,
Wollte sie Pariser Herzen,
Die wie kleine offen scherzen,
Engelands gelassen ein,
Oder Welschlands Zärtlichkeit“.

5. „Da ich eine Böhmin bin,
Hab' ich meinen Eigensinn,
Mir kein andres Herz zu kaufen,
Weder dies noch aus dem Haufen.
Hast du nicht das Beste hier,
Für die andern dank ich dir".

6. „Sehen sie die Herzen an,
Ob man schönere finden kann?"
„Jüngstens hat ich eins verlohren,
Dieses war im Reich gebohren.
Hättest du nur dieses hier,
Alles zahlt ich dir dafür".

Sinsheim (Liederheft).

Verbreitung. Elsaß Böhme, Vtl. Lb. Nr. 423; **Anhalt-Dessau** †Fiebler S. 125; Fink, Musikalischer Hausschatz S. 559. Nach J. Meier: Walter 60, Nr. 40; **Bayern** Englerts Ms.; Fl. Bll. Kgl. Bibl. Berlin, Yd. 7904 Nr. 110, 3.

109. „Gefühlvoll."

1. Ahnung des Verlangen
Schaudert durch mein Herz.
Meine bleichen Wangen
Künden still den Schmerz.

2. Düster scheint die Aue,
Reizlos die Natur.
Rings umher ist Trauer,
Keine Freudenspur.

3. Jene, die ich liebe,
Wandelt fern von hier.
Meine Geistes Triebe
Fliehen hin zu ihr.

4. Ach! bei ihrem Leben,
Fern von ihr ist Pein.
Alles wollt' ich geben,
Könnt' ich bei ihr sein.

4. Selbst die grüne Waide,
Voller Blumenzier,
Ist mir eine Haide,
Bist du fern von mir.

6. Jeder Tag mich dauert,
Liebchen ohne dich.
Alles wollt' mir trauern,
Alles stirbt für mich.

Sinsheimer Liederheft.

Eine arg verwilderte Übersetzung des französischen Textes zu J. J. Rousseaus „Air de trois notes", (1780?) aber nicht diejenige von Golter 1781, welche Erk (Liederschatz II, 192) druckt; auch im Mildheimischen Lb. Nr. 247, 1801[3] findet sich eine andere Übersetzung. Folgender frz. Text nach „Oeuvres complètes de J. J. R. par P. R. Auguis, Paris 1826" XV, s. 483.

Que le jour me dure,
Passé loin de toi!
Toute la nature
N'est plus rien pour moi.
Le plus vert bocage,
Quand tu n'y viens pas,
N'est qu'un lieu sauvage,
Pour moi sans appas.

Hélas! si je passe
Un jour sans te voir,
Je cherche ta trace
Dans mon désespoir.
Quand je l'ai perdue,
Je reste à pleurer;
Mon ame éperdue
Est près d'expirer.

Le cœur me palpite
Quand j'entends ta voix;
Tout mon sang s'agite
Dès que je te vois
Ouvres tu la bouche,
Les cieux vont s'ouvrir;
Si ta main me touche,
Je me sens frémir.

Auguis fügt hinzu: „Tout dispose à croire que les paroles de cet air sont de Rousseau; cependant on ne peut l'affirmer". Noch ärger ist die Verwirrung der folgenden Fassung Nr. 110, ein gutes Beispiel der Verwendung des Schnörkels.

110. Die ich so treulich liebte.

2. Dort bei ihr ist Leben,
Fern von ihr ist mein.
Ach was wollt' ich geben,
O könnt' ich bei ihr sein.

3. Ist dies der Schein der Augen?
Wie einsam die Natur!
Ringsum wohin ich schaue,
Ist keine Freude Spur.

4. Ohne dies Verlangen
Schaut sie durch mein Herz.
Ihre bleichen Wangen,
Fühlen stillen Schmerz.

5. Her=zigs Schätzel, du bisch mei, du bisch m'r ge = wach=se
Refrain. Tirollai Triollai rol = lai la Tirollai rol = lai rollai la

Wie der Fisch im Bo = de = see und der Flachs in Sach=se.
Lie = ber will i gar kei Schatz als wie so en Flebberwisch.

6. Wenn das meine Mutter wüßte,
Wie mir's in der Fremde ging!
Schuh und Stiefel sind zerrissen,
Durch die Hosen saust der Wind.
Tirollai rollai rollai la u. s. w.

7. Schottisch, Schottisch wolle m'r danze,
Schottisch, Schottisch kenne m'r nit,
Wenn der Mâd der Rock nit bambelt,
Is es a de Schottisch nit.
Tirollai u. s. w.

8. Durch die schwäbische Eisebahne,
Giebts sa wenig Postillione,
Was uns sonst der Posthorn blies,
Pfeift uns jetzt die Lokomotiv.
Tirollai u. s. w.

Handschuhsheim.

Oder 3a Dieses ist der Schein. 5a Schätzele Schätzele du bisch mei.

Zu Str. 5 mdl. aus dem südlichen Baden:

Auf dem Rase grasat Hase,
In der Weiher schwimmat Fisch,
Lieber hab i gar kei Schätzle,
Als a so a Fleberwisch.

Verbreitung. Stubai, Bregenzer Wald, Jena Pommers deutsches Volkslied 1901, S. 56. Zu Str. 6 vgl. unten Nr. 219: **Österreich-Schlesien** Peter S. 319. Zu Str. 7 vgl. **Elsaß** Volksb. S. 36, **Voigtland** Rundâs Nr. 979, **Böhmen** Gesch. d. D. in B. XXI, 142, **Schwaben** Meier, Kinderreim Nr. 431.

111. Frühling vorbei.

2. Der liebliche Lenz ist verschwunden,
Ich seh' ihn auf ewig nicht mehr;
Und ins Grab ist mein Liebchen gesunken,
Ich seh es auf ewig nicht mehr.

3. O, könnt' ich es wieder erwecken!
Im Grabe da ruhet es schon,
Und mit Erde ist er es bedecket,
Gott geb' ihm den ewigen Lohn!

4. Gott Vater im Himmel dort oben!
Du hast mir mein Liebchen geraubt,
Ins Grab' ist mein Liebchen gesunken,
Für mich ist aber keines gebaut.

Kirchardt.

B.

1. Ich habe den Frühling gesehen,
Ich habe die Blumen gepflückt,
Die Nachtigall stimmet belauschend, (sic)
Ein reizendes Mädchen geküßt.

2. Der freundliche Lenz ist verschwunden,
Die Blumen sind alle dahin;
Ins Grab ist mein Liebchen gesunken,
Mein Liebchen das höret sie nicht.

3. O, Vater im Himmel dort oben!
Sag's meinem Feinsliebchen ins Ohr,
O eile, o fliehe, o sage,
Daß ich sie noch liebe wie vor.

4. Dort liegt sie mit Erde bedecket,
Und Blumen blüh'n auf ihrem Grab.
O, könnt' ich sie wieder erwecken,
Die einstens die Rose mir gab!

5. O, Vater im Himmel dort oben,
Du hast mir mein Liebchen geraubt!
Es giebt zwar der Mädchen sehr viele,
Aber keine wie sie so gebaut.

6. Der freundliche Lenz kehret wieder,
Und Blumen erfreunt sich der Duft,
Die Nachtigall singt wieder Lieder,
Mein Liebchen das höret sie nicht.

Wiesloch (handschriftlich).

C.

2. In das Grab ist mein Liebchen gesunken,
Verschwunden der Nachtigall Lied,
O, könnt' ich sie wieder erwecken,
Wie einst sie die Rose mir gab!

3. Ach Vater im Himmel da droben,
Du hast mir's mein Liebchen geraubt!
Es giebt ja der Mädchen so viele,
Aber keine wie diese gebaut.

Handschuhsheim, Weinheim,
Schönmattenwaag.

Oder C 8b Mein Liebchen kehrt nimmer zurück.   3d wie sie mir's vertraut

Verbreitung. Fl. Bl. um 1830—40 Erk-Böhme II, 539. Elsaß Ulm, Nassau, Saar, Rhein, Erzgebirge, Ostsee, vgl. Köhler-Meier Nr. 69, Magdeburg, Wetterau, Rhein, Brandenburg, Pommern, Erk-Böhme II, 539; **Elsenzthal** Glock 16; **Pommern** Birlinger-Crezelius, Festgruß an Erk S. 10, Haas u. Bruncks Ms. (J. Meier); **Braunschweig** Volkskunde, Andree S. 352 (ib.); **Westfalen** Bahlmann, Münsterländische Märchen 1898, S. 223 (ib.); **Sachsen** Soldatenlieder für die Sächs. Armee, Dresden 1842, 163, Nr. 115 (ib.); **Kanton Bern** Schwz. Archiv f. Vk. V, Heft 1, Nr. 25.

112.

2. Als einst fruh am Morgen
Die Dämm'rung sich hüllt,
Sind schon meine Augen
Mit Thränen umhüllt.

3. Dann kommt der Abend
Mit nächtlichem Grau'n.
Da rollen die Thränen
Wie Perlen von Tau.

4. Die Nachtigall schmettert,
Im dunkelnden Hain,
Und labet doch endlich,
Zum Schlummer mich ein.

Kirchardt.

Mir aus sonstigen Sammlungen unbekannt. Zur ersten Zeile vgl. Nr. 69.

113. Wo e' klei's Hüttle steht.

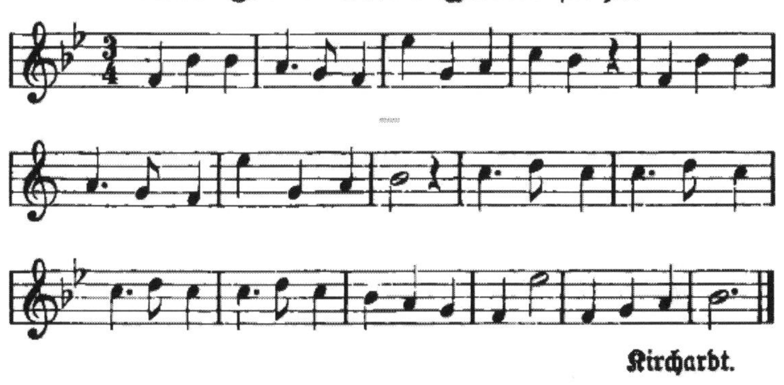

Kirchardt.

Nur die Melodie habe ich aufgeschrieben, weil die Mädchen aus einem gedruckten Buch vorsangen.

Verbreitung. Schwaben Boehme Tanz II, 144 „Anfang des 19. Jh.", Firmenich II, 488, Erk Ldh. *Nr. 68, Jungbrunnen Nr. 65, *Erk-Böhme II, 329; **Steiermark** Weinholds Zs. V, 280; **Ungarn** Ethnol. Mitt. II, 189; **Nassau** Wolfram Nr. 161; **Anhalt** Fiedler 195; **Kommersbuch**[55] 495. Weitere Litteratur bei Erk-Böhme.

III.

Abschiedslieder.

114. „Abschied“.

1. Morgen muß ich fort von hier
Und muß Abschied nehmen;
O du allerschönste Zier,
Scheiden das bringt Thränen.
Da ich dich so treu geliebt, über alle Maßen,
Muß ich dich verlassen, muß ich dich verlassen.

2. Wenn zwei treue Freunde sind,
Die einander kennen,
Sonn' und Mond begegnen sich,
Ehe sie sich trennen;
Doch viel größer ist der Schmerz,
Wenn ein treu geliebtes Herz
Muß vom Liebchen scheiden, muß vom Liebchen scheiden.

3. Küsset dir ein Lüftelein
Wangen oder Hände,
Denke, daß es Seufzer sein,
Die ich zu dir sende;
Tausend schick' ich täglich aus
Die da wehen um dein Haus,
Weil ich dein gedenke, weil ich dein gedenke.

Heidelberger Liederheft
(auch in Handschuhsheim gesungen).

Aus der zweiten Hälfte des 17. Jh. Hilarius Lustig Zeitvertreiber Nr. 195 (Schade, Handwerkslieder 161). Verwandt ist ein Lied von Christian Weise 1674, vgl. J. Meier Vz. Nr. 139, Hoffmann, Vtl. Lb.⁴ S. 189. 1808 Wunderhorn III, 31.

Verbreitung. Elsaß, Schwaben, Nassau, Mosel, Saar, Niederrhein, Franken, Sachsen, Schlesien, Harz, Brandenburg, **Köhler**-Meier Nr. 162. **Kanton Bern** †Schweizerisches Archiv f. Vk V, Heft 1; **Thüringen** Schade, Handwerkslied 161; **Pilsen** Wiener Sitzgsber. XXVII, 200; **Westfalen, Meurs** Erk-Böhme II, 578;

12*

Ungarn Firmenich III, 633 (J. Meier); Kommersbuch 459. Fl. Bll. um 1810? Hannover? im brit. Museum 11521 ee 28 Nr. 5 und 60. Das Lied ist sehr häufig in Fl. Bll. der Zeit.

Zu Str. 3 vgl. unten Nr. 123 „Meine Red' ist abschiedsvoll."

115. Morgen muß mein Schatz abreisen.

2. Eine Schwalbe macht kein' Sommer,
Wenn es gleich die erste ist;
Mädchen, mach' dirs keinen Kummer,
Denn ich lieb' dich sicherlich.

3. Saßen einst zwei Turteltauben,
Saßen auf ein' grünen Ast,
Wo sich zwei Verliebte scheiden,
Da verwelket Laub und Gras.

4. Laub und Gras das muß verwelken,
Aber treue Liebe nicht:
Du kommst mir aus meinen Augen,
Doch aus meinem Herzen nicht.

Handschuhsheim.

1 :|: Nun ade ade ade :|: nun ade Schatz lebe wohl. 2 Und mein Liebchen macht mir keinen Kummer, wenn es gleich die schönste die allerschönste ist.

Verbreitung. *Hessen, *Mosel, *Saar, Rhein, Böhmen, Westfalen, Ostpreußen, Köhler-Meier Nr. 173. **Westpreußen** Treichel Nr. 50 Str. 1; **Kanton Bern** Ms. im Besitze J. Meiers; **Vogtland** Dunger Rundâs Nr. 319 Str. 2; — Vgl. Erk-Böhme II, 583; — Die Melodie hörte ich auch in Paris auf der Straße pfeifen. Meist hat das Lied wie hier irgend einen unsinnigen Kehrreim und wird gern als Marschlied von den Soldaten gesungen. Nach Vilmar (Handbüchlein^{2} 183) wurde es erst um 1830 allgemein bekannt. Nach Fleischer (Sammelbde. der internat. Musikgesellsch. I, 8 f.) ist die Melodie höchst wahrscheinlich slavischen Ursprungs.

116. Zum Thor hinaus.

Nicht zu langsam.

2. „Ei Mädchen, laß dein Schauen sein!
Es kann fürwahr nimmer anderscht sein."

3. Jetzt steig' ich auf 'n Feigenbaum
Und schau wie der helle Tag herkommt.

Nüstenbach.

Verbreitung. Nach 1776 Liebesrose (**Köhler-Meier Nr. 239**). Fl. Bl. **Anfang des 19. Jh.** Schade Handwerkslieder S. 224; Schwaben, Wetterau, Frankfurt, Nassau, *Rhein, *Saar, *Franken, Köhler-Meier Nr. 239. Dazu **Schweiz** Tobler I, 122; **Thüringen** Weimar Jb. III, 261; **Anhalt Dessau** Fiedler 177 B. Verwandt ist: „Es ritten drei Reiter zum Thore hinaus" Hoffmann und Richter Nr. 153—4, vgl. hierzu Hoffmann, Vtl. Lb.[4] S. 88.

117. Die Reise nach Jütland.

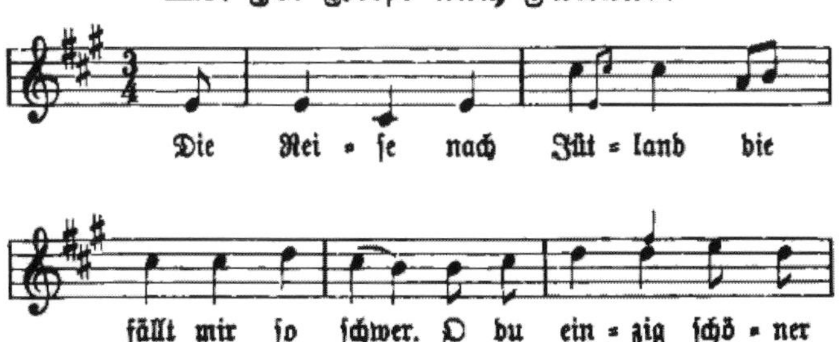

2. Sehen wir uns nicht wieder,
Ei so wünsch' ich dir viel Glück.
O du einzig schöner Jüngling,
Denk' oftmals zurück!

3. Des Sonntags früh am Morgen
Stand der Lotse am Bord:
„Guten Morgen ihr Matrosen,
Heute müssen wir fort".

4. „Ei warum denn grad' heute?
'S ist ja morgen noch Zeit,
Denn es ist ja heut' Sonntag
Für uns alle junge Leut'."

5. Werft die Anker, spannt die Segel,
Denn der Wind, der geht uns gut.
Denn da draußen steht mein Liebchen
Und schwenket den Hut.

Handschuhsheim, Kirchardt.

1 c einzig schönes Mädchen. 3 b stand der Hauptmann vor der Thür: „Guten Morgen ihr Soldaten., heut marschieren wir's fort." 5 fehlt, dafür:

5. Der Hauptmann sprach leise:
„Ach an mir ist keine Schuld,
Denn der Hauptmann der uns führet
Hat's keine Geduld."

6. Das Schifflein am Rande
Schwanket hin und schwanket her,
Als ob im fremden Lande
Keine Rettung mehr wär.

7. Da draußen am Thore,
Nicht weit von hier entfernt,
Dort marschieret mein lieber Heinrich
Und schwinget sein Schwert.

Verbreitung. Ursprünglich wohl im Schleswig-Holsteinischen Kriege 1849 entstanden, daher die Reise nach Jütland. — Elsaß, Odenwald, *Niederhessen, *Nassau, *Saar, *Rhein, Sachsen, Schleswig-Holstein, Ostpreußen, vgl. Köhler-Meier Nr. 300. ***Elsaß, Freiburg i. B.** Erk-Böhme III, 288; **Schlesien** Rübezahl IX aus dem Liederbuch eines Füsiliers; **Ostpreußen** Frischbier Nr. 86, daselbst Anm. zu Str. 3 „Am Sonntag, der ein guter Tag für die Schiffer ist, gehen die meisten Schiffe in See;" **Vogtland** Unser Vogtld. I (J. Meier); Melodie auch Lewalter III, Nr. 5 „**Als Soldat** bin ich geboren". M. Wagner, Soldatenlieder aus dem deutsch-frz. Kriege 1870/71, **Virchows Gemeinverständliche Vorträge**, Heft 241, wie es im 87. Regiment gesungen wurde, S. 9: „die Offiziere des Regiments hörten das Lied nicht gern, es schien ihnen zu weich."

118. Schifflein.

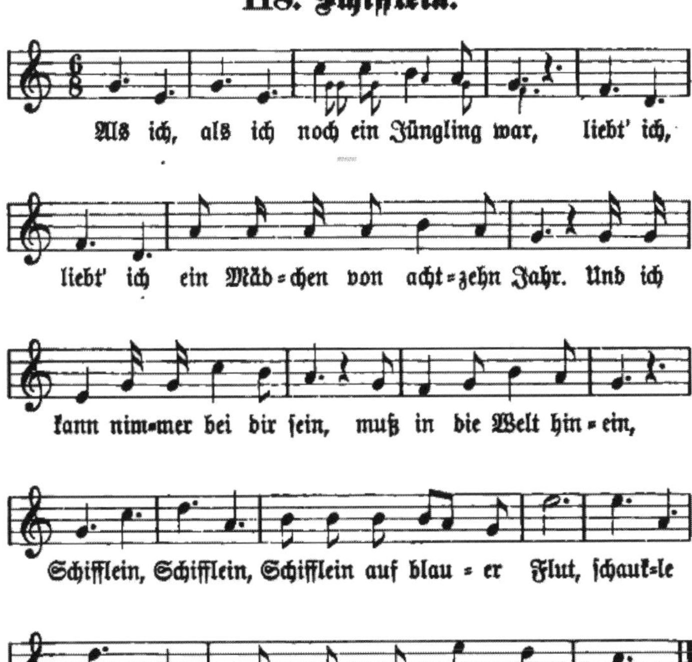

2. Endlich, endlich, endlich nach einem Jahr
Stand ich, stand ich, stand ich am Traualtar;
Und ich kann nimmer bei dir sein,
Muß in die Welt hinein.
Schifflein, Schifflein, Schifflein auf blauer Flut,
Schaukle, schaukle, schaukle der Heimat zu!

3. Endlich, endlich, endlich nach Kummer und Schmerz
Trennt sich, trennt sich, trennt sich das liebende Herz.
u. s. w.

Handschuhsheim.

Verbreitung. **Saar** *Köhler-Meier Nr. 87; **Hochwald** Böhme, Vt. Lb. Nr. *605; **Kreis Wetzlar** Nr. *606 ib.

119. Auf der Elbe.

2. Und die eine von den Mädchen,
Die wollt' so gern, so gerne mit mir gehn;
Aber sie konnte vor lauter Weinen
Ihren Weg nicht mehr sehn.

3. „Kehre um, du schönes Mädchen!
Denn der Weg ist gar zu weit,
Denn der Tag fängt schon an zu grauen,
Ei, was sagen's deine Leut'?

4. Wenn du Lust hast mir zu schreiben,
Ei so schreibe nun recht bald;
Denn mein Schifflein steht schon am Ufer
Und mein Name heißt Matros."

Schönmattenwaag.

Verbreitung. Elsaß, *Hessen, *Nassau, *Saar, *Mosel, Niederrhein, Anhalt, Schlesien, vgl. Köhler-Meier Nr. 176. Dazu **Vogtland** Dunger Rundàs Nr. 327 zu Str. 3; **Waldkirch** Alem. XXV 21. Merkwürdig ist, daß in so verschiedenen Gegenden wie Elsaß, Schlesien, Nassau, Hessen und der badischen Pfalz Übereinstimmung herrscht in einem so unwichtigen Punkte wie im Datum Str. 1 den 14. bezw. 15. Mai!

120. Am Ufer der Donau.

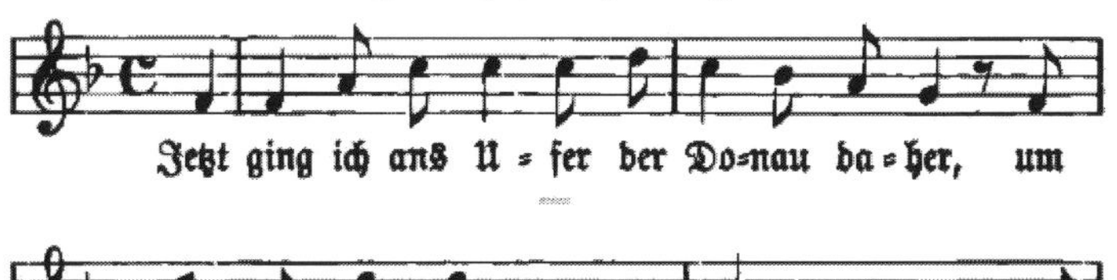

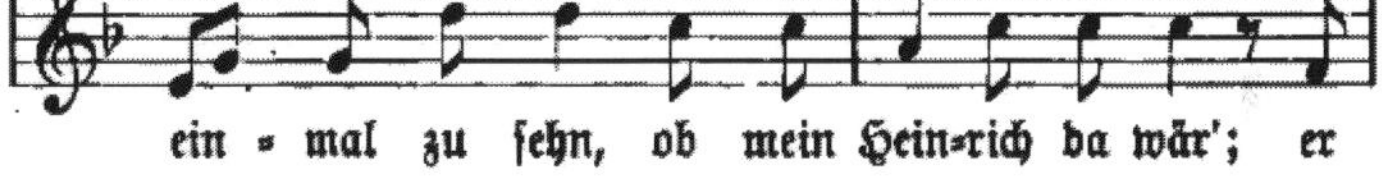

2. „Ach Heinrich, ach Heinrich, jetzt kommt ja bald die Zeit,
Wo mir müsse scheiden von einander so weit."

3. Die Thränen, die flossen vom Auge herab:
„Ach Gott, was soll das werden? hier ist ja schon mein Grab."

4. „O trauriges Mädchen, verzage nur nicht!
Ich will dich ja lieben, jetzt kann ich aber nicht.“

5. Der Heinrich, der schwenkte wohl dreimal seinen Hut:
„Adje mein liebes Mädchen, ich wünsch', es geh' dir gut.“

6. Sie winkte mit den Augen, sie kratzte mit dem Fuß,
„Adje, mein lieber Heinrich, ich wünsch', es geh dir gut.“

Handschuhsheim.

Zur Mel. s. oben Nr. 89 „Ich liebte einst ein Mädchen.“

Verbreitung. **Dennjächt** Alem. XV, 46; **Hessen** Mittlers Ms. (J. Meier), Erk-Böhme II, 508; **Nassau** ib., Wolfram Nr. 23; **Saar** verwandt ist Köhler-Meier 39 B; **Sachsen** Müller Nr. 91 (J. Meier), Dungers Ms. (ib.); **Berlin**, ***Stettin**, **Frankfurt a. O.** Erk-Böhme II, 508, Fl. Bl. 1830—40; **Preußen** ib., Treichel Nr. 18, Frischbier Nr. 13.

121. Lieben ist kein Muß.

2. Dort an der Gartenthür,
Dort stand mein Schatz bei mir.
Gab mir den Abschiedskuß, ja Kuß,
Dieweil ich scheiden muß.

3. „Adje, mein lieber Schatz,
Mach' mir ein wenig Platz.
Schließe deine Äuglein zu, ja zu,
Schlaf' ein in süßer Ruh'.

4. Adje, mein liebes Kind,
Ich muß jetzt fort geschwind,
Muß in Franzosenkrieg, ja Krieg,
Muß streiten um den Sieg."

Kirchardt.

Verbreitung. Hessen Mittler Nr. 829; Rhein Simrock Nr. 217.

122. Berlin.

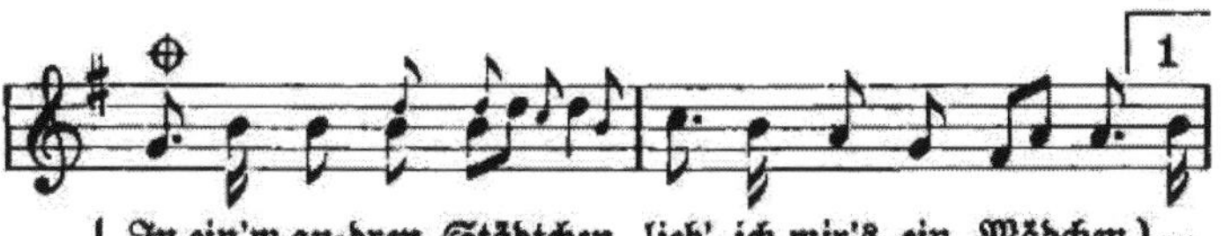

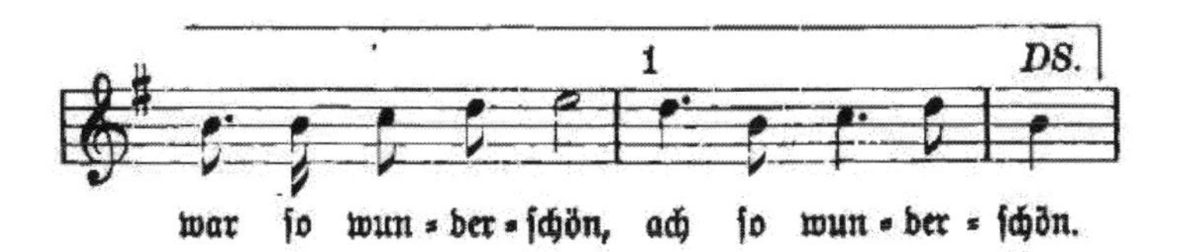

2. Auf der Königsmauer,
Wo der Mond aufgeht,
Stand ich auf der Lauer
Bis er untergeht.
Draußen in der Stube u. s. w.

Handschuhsheim, Nüstenbach, Kirchardt.

Oder: „Singt und spielt was vor von Berlin encore.“

Verbreitung. **Hessen** Zopf Nr. 20, *Erk=Böhme II, 588; **Nassau** ib., vgl. Wolfram Nr. 437; **Taunus** Erk=Böhme II, 588; **Württemberg** Beil. des Staatsanz. 1896, Nr. 15—16, S. 255 (J. Meier); **Berlin** Mitt. d. Ver. f. Geschichte Berlins VII, 1890, 79 (ib.); **Schlesien** Aus dem Liederbuch eines Füsiliers, Rübezahl IX, 446.

123.

2. Kann ich nimmer länger bei dir sein,
Tausend Seufzer schick' ich heim.
Tausend Seufzer, mein liebes, liebes Kind
Will ich dir schon schicken durch den Wind.

3. Durch den Wind und das Meer,
Schönster Schatz, weine nicht so sehr,
Schönster Schatz, weine nicht so laut, so laut,
Wenn ich wiederum komme, wirst du es meine Braut.

4. Wenn ichs aber nicht mehr komm',
Seh' dichs um einen andern um;
Dreh' dich mal um und schau du michs mal an,
Ob du's nicht bekommst einen rechten Grobian.

5. Heiraten ist kein Pferdekauf!
Mädchen, thu deine Äuglein auf,
Dreh' dich mal um und schau du michs mal an,
Ob du nicht bekommst einen rechten braven Mann.

6. Lieben, lieben das ist gut,
Wer das Lieben verstehen thut,
Wer das Lieben nicht gut kann,
Ei der fang ja gar nicht zu lieben, lieben an!

Rüstenbach, Kirchardt, Handschuhsheim.

Verbreitung. Elsaß Mündel Nr. 117; **Hessen** Böckel Nr. 71 *Wolf S. 191, Mittler Nr. 905 zu Str. 2, und Nr. 1035 zu Str. 2, Lewalter V, Nr. 42, Erk-Böhme II, 578; **Nassau** ib. 579, Wolfram Nr. 122, und zu Str. 5—6 Nr. 184; **Rhein** *Becker Nr. 82, Simrock Nr. 152 zu Str. 6 — Mitt. z. bayr. Volksk. II, 1896, Nr. 2, S. 2 (J. Meier). Grüße schicken durch den Wind vgl. Böckel LXXXVII und oben Nr. 114.

124. Auf ewig geschieden.

2. Komm, laß uns noch einmal umarmen!
Vielgeliebte, o denke an mich!
Zur Erinnerung komm' in meine Arme,
Ich umfasse zum letztenmal dich.

3. O könnt' ich die Gegend verlassen,
Worin wir zufrieden einst war'n.
Dies Plätzchen, worauf wir gesessen,
Beglückt uns das feierliche Ja.

4. Und hab' ich dich einmal betrübet,
Von nun an soll's nicht mehr geschehn,
Denn du weißt ja, wie sehr ich dich liebe,
Und wie gern du von mir wirst gesehn.

5. Leb' wohl, ich verlaß dich auf immer!
Ich verlasse mein jetziges Land.
Zwar im Herzen behalt' ich dich immer,
Denn der Herr hat's das Lieben genannt.

Handschuhsheim.

Oder 1 b und wir sehn uns im Walde nicht mehr.

Verbreitung. Elsaß, Nassau, Mosel, Rhein, Köhler=Meier Nr. 169. *Hessen, *Taunus Erk=Böhme II, 580.

125. Heute scheid' ich.

A.

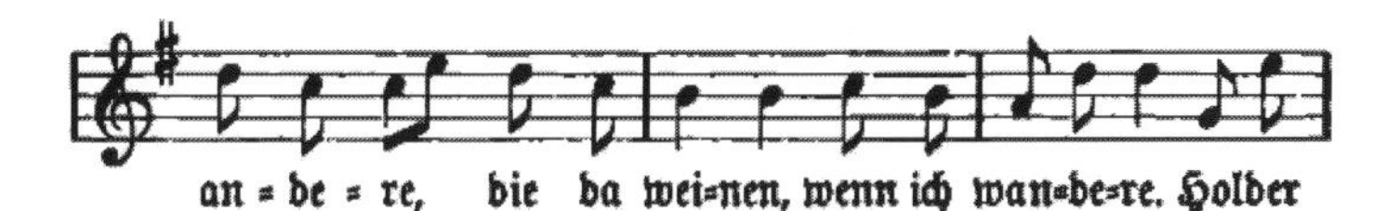

2. An dem Bachstrom hängen Weiden,
In den Thälern liegt der Schnee.
Trautes Schätzele, ja ich muß scheiden,
Muß die geliebte Heimat meiden.
Ach, im Herzen thut mir's weh!

3. Geb' ich meinem Pferd zwei Sporen,
Zu dem Thor reit' ich hinaus.
:|: Gelt Schatz, du bleibst mir auserkoren :|:
:|: Bis ich wiedrum komm nach Haus? :|:

4. Lad' ich meine zwei Pistolen,
Thu' vor Freude einen Schuß,
Meinem Schätzele zu gefallen,
(Sie ist die schönste unter allen)
Dieweil ich von ihr scheiden muß.

5. Und sie dreht sich um und weinte bitterlich,
Dieweil der Abschied fällt ihr schwer,
Aus ihren Äugelein da floß das Wasser
Schneller als der Donau Fluß.

Handschuhsheim, Wiesloch, Rüstenbach.

B.

1. Heute scheid' ich, heute wandr' ich,
Keine Seele weint um mich.
Sind's nicht diese, sind's doch andere,
Die da trauern, wenn ich wandere.
Holder Schatz, ich denk' an dich!

2. Auf dem Bachstrom hängen Weiden,
In den Thälern liegt der Schnee.
Trautes Kind! daß ich muß scheiden,
Muß nun unsre Heimat meiden,
Tief im Herzen thut mir's weh.

3. Hunderttausend Kugeln pfeifen
Über meinem Haupte hin;
Wo ich fall', scharrt man mich nieder,
Ohne Klang und ohne Lieder,
Niemand fraget, wer ich bin.

4. Du allein wirst um mich weinen,
Siehst du meinen Todesschein.
Trautes Kind, sollt er erscheinen,
Thu im stillen um mich weinen,
Und gedenk auch immer mein!

5. Hörst? die Trommel ruft zu scheiden,
Drück' ich dir die weiße Hand,
Still' die Thränen, laß mich scheiden,
Muß nun für die Ehre streiten,
Streiten für das Vaterland.

6. Sollt' ich unterm freien Himmel
Schlafen in der Feldschlacht ein,
Soll aus meinem Grabe blühen,
Soll auf meinem Grabe glühen
Blümchen süß, Vergißnichtmein.

Aus einem geschriebenen Liederbuch
(Handschuhsheim.)

Verfasser. Fr. „Maler" Müller, zuerst in seinen Balladen gedruckt Mannheim 1776 (Hoffmann, Vtl. Ld. 69). B folgt dem ursprünglichen Texte weit näher als A, A ist aber weit mehr unterm Volke verbreitet.

Verbreitung. *Baden, *Hessen, *Nassau, *Saar, Thüringen, Sachsen, Böhmen, *Schlesien, *Brandenburg, vgl. **Köhler-Meier** Nr. 166. ***Elsaß** Erk-Böhme III, 232; **Hessen** vgl. Lewalter III, Nr. 29, Mittlers Ms. (J. Meier); **Frankfurt** Erk-Irmer I iii 39; **Elsenzthal** Glock 33; **München** Englerts Ms. (J. Meier); **Westpreußen** Treichels Ms. (ib.); **Oesterreich-Schlesien** Peter I, 320. Tübinger **Kommersbuch** 345, Kommersbuch 441, Melodie nach F. E. Fesca 1822, Hoffmann, Vtl. Ld. S. 9. S. unten Nr. 126.

126. An der Saale.

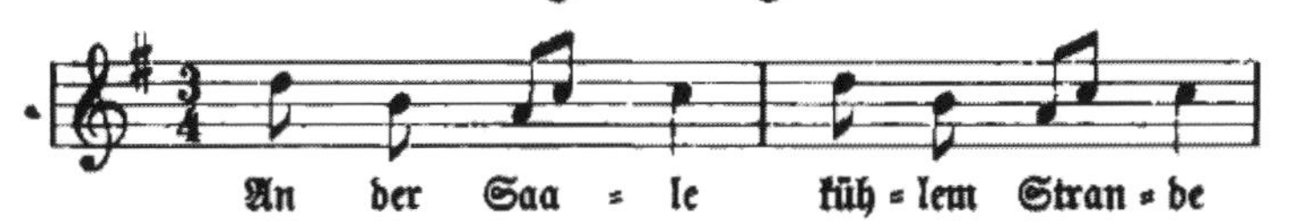

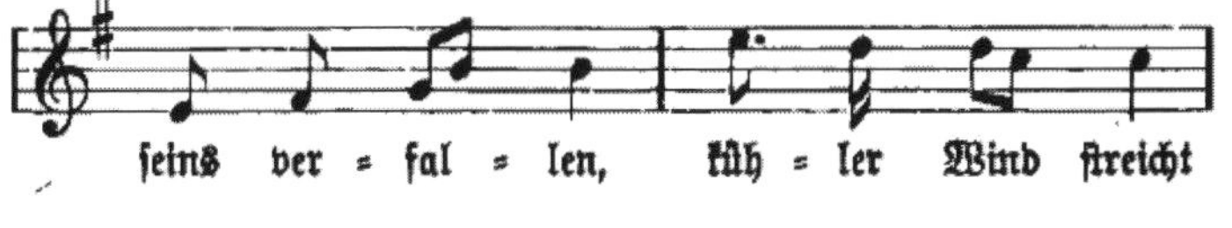

2. An der Saale kühlem Strande
Stehn die Burgen stolz und kühn.
So mancher Jüngling singt Abschiedslieder,
Zieht aus der Heimat, kehrt niemals wieder,
Gedenket seiner Liebe nicht.

3. An der Saale kühlem Strande
Stehn die Burgen stolz und kühn.
Ja ich muß scheiden, muß Abschied nehmen,
Kann dich Geliebte nicht mehr umfassen,
Nicht mehr an deiner Brust anruhn.

Nüstenbach.

Verfasser. Frz. Kugler 1826, zuerst gedruckt 1830. Melodie nach F. E. Fesca 1822, Hoffmann, Vtl. Ld. S. 9. Die beiden Melodien also, diese und die zu Nr. 125 haben denselben Ursprung, obschon sie jetzt keine Ähnlichkeit mehr mit einander haben.

Verbreitung. *Hessen, *Rhein, *Saar, Schlesien, Altmark Westpreußen vgl. Köhler-Meier Nr. 170. Preuß. Jb. 77, S. 218; Hessen Mittlers Ms. (J. Meier), Crämer, Zs. f. d. d. Unterricht X,

625 f. (ib.); **Thüringen, Niederrhein** (ib.); **Pommern** Bl. f. P. Volksk. VII, 27 (J. Meier); Kommersbuch S. 300.

127. Amerika.

2. Und alle, die mir anverwandt,
Gebt uns zum letztenmal die Hand!
Ihr Lieben weinet nicht so sehr,
Wir sehen einander nimmermehr!

3. Und als das Schiff im Meere schwimmt,
Da wird ein Loblied angestimmt;
Wir fürchten keinen Wasserfall
Und denken: Gott ist überall.

4. Bald kommen wir nach Baltimore,
Da strecken wir die Händ' empor,
Und rufen aus: „Viktoria!
Jetzt sind wir in Amerika."

5. Und in Amerika ist's gut sein,
Da giebt's gut Bier und Branntewein.
Der Branntewein der ist so gut,
Er macht uns Deutschen frischen Mut.

Handschuhsheim.

Verfasser. Samuel Friedrich Sautter in seinen sämtlichen Gedichten des armen Dorfschulmeisters (Karlsruhe 1845) S. 201 ff. (J. Meier).

13*

Verbreitung. **Elsaß** Mündel 223 ff., Nr. 205—207; **Schwaben** Meier 257, Nr. 146; **Steiermark** Schlossar 376, Nr. 338, Jeitteles, Schnorrs Archiv IX, 389, Nr. 33 (J. Meier); **Rheinland** Schmitz I, 160, Nr. 20; **Odenwald** Zs. f. d. Myth. I, 99, †Vogt S. 191, **Künzel** S. 71 (J. Meier), Mittler 645, Nr. 963; ***Nassau** Wolfram 367 Nr. 438; **Hessen** Erk-Böhme II, 596, Nr. 795, Alemannia 12, 189, Böckel 33, Nr. 45, Mittler 645, Nr. 963, *Lewalter IV, 28, Nr. 19; **Thüringen** Erk-Böhme; **Erzgebirge** Müller 48; **Voigtland** Dungers Ms. (J. Meier); **Mittelelbe** Mittlers Ms. (ib.); **Braunschweig** Br. Magazin III, 66 (ib.), **Kanton Bern** Schwz. Archiv f. Vk. V, Heft 1, Nr. 36.

128. „Der Abschied".

1. So leb' denn wohl, o stilles Haus!
Ich zieh' betrübt von dir hinaus,
Und find' ich auch das größte Glück,
So denk' ich doch an dich zurück.

2. So leb' dann wohl, o Mädchen mein!
Muß ich von dir geschieden sein,
So reiche mir nun deine Hand
Und schließ' mich ein ins Freundschaftsband.

3. So lebt dann wohl, ihr Freunde mein!
Und wann die Sonne nicht mehr scheint,
So lebt dann wohl, ich muß jetzt fort,
Und weiß noch nicht an welchen Ort.

4. Und kehr' ich einst zurück zu dir,
Dann schenke deine Liebe mir!
So ist mir alles, alles gleich,
Nur deine Liebe macht mich reich.

5. So leb' denn wohl, o Mädchen mein!
Weil es jetzt nicht mehr kann anders sein,
Die Rose blüht, die Dorne sticht,
Die Liebe spricht: Vergißmeinnicht.

6. So schlummere hin du sanfte Nacht,
Daß mir ein heitrer Morgen lacht;
Mein größtes Glück ist schon gemacht,
Wenn mir dein holdes Auge lacht.

Sinsheimer Liederheft.

Heidelberger Liederheft. 1 du stilles Haus wir ziehen betrübt zu dir hinaus. 2 so lebe wohl o Mädchen mein ich muß von dir geschieden sein. Reich mir noch einmal deine Hand u. s. w. Str. 3—6 fehlen.

Verfasser. Ferdinand Raimund 1828 (Hoffmann, Vtl. Lb. 125) in seiner Oper „Der Alpenkönig und der Menschenfeind".

Verbreitung. Ulm, Nassau, Mosel, Anhalt, Sachsen, Köhler-Meier Nr. 163. Nach Mitteilung J. Meiers: **Nassau** Wolfram 411, Nr. 492; **Erzgebirge** Deutsche Bl., Zwickau 1847, 97, Nr. 133; **Böhmen** Hauffen, Vierter Bericht über seine Sammlung S. 4; **Spessart** Mitt. und Umfragen z. bayr. Volksk. II, Nr. 2, S. 2; **Hessen** Mittlers Ms.; **Kanton Bern** Ms.

Zu Str. 3 s. unten Nr. 129.

129. Fragment.

Nun ade, jetzt muß ich fort,
Weiß noch nicht an welchen Ort,
Nun ade, jetzt lebe wohl,
Schönster Schatz ich scheide wohl.

Nüstenbach.

Vgl. oben Nr. 128, Nr. 13 (Anfangszeile). Fl. Bl. um 1800 (brit. Museum 1347 a 12) enthält ein Lied „Adie nun reis ich fort, an anders frembes Ort, kaum hat man sich lernen kennen, so heist es von sich trennen, ach wär ich lieber tod."

130. „Alpenlied".

1. Von meinen Bergen muß ich scheiden,
Wo's gar so lieblich ist und schön;
Kann nimmer in der Heimat bleiben,
Muß nochmal zum Dirnderl gehn!

2. B'hüt die Gott, mei lieber Engel,
Reich mir no a mol deine Hand!
Gar lang wirst mi ja nimmer seha,
Denn i reis ja in in a frembes Land.

3. Geh' Dirndel, laß a mol das Waine,
Es kann ja nimmer anders sei!
Bis übers Jahr komm ich ja hoama,
Denn du woeißt wohl, i bleib dir treu.

4. Bin zum Dirndel no mal ganga,
Hat mer in die Seel weh thua,
Denn i ha sonst halt ka Verlanga,
Als daß i's no ma seha koa.

Sinsheimer Liederheft.

Verbreitung. „Kam 1840 nach Thüringen, Sachsen und nach dem Rhein, angeblich als Schweizerlied. Sein Komponist soll Bigal heißen" **Böhme**, Vtl. Ld. Nr. 504; **Schweiz** Allg. Schweizer Liederbuch, Stuttgart, Aarau und Thun 1851, Nr. 124 (J. Meier); **Württemberg** Staatsanz., Beil. 1896, S. 251 (ib); **Steiermark** Schlossar Nr. 281; **Österreich** Werle Almrausch S. 291 (J. Meier); **Pommern** Brunk und Haas Ms., aus hs. Liedersammlung von ca. 1850 als „Steyrisches Alpenlied von Binder" bezeichnet (ib.), **Kanton Bern** Schwz. Archiv f. Vk. V, Heft 1, Nr. 57.

131. Auf Wiedersehn!

2. Auf Wiedersehn,
Du Bruder treugeliebet!
Das scheiden thut betrüben,
Auf Wiedersehn!

3. Auf Wiedersehn!
Ich kann nicht länger weilen,
Ich muß jetzt von euch scheiden,
Auf Wiedersehn!
Vergißnichtmein!

Müstenbach.

Offenbar ein Kunstlied, mir sonst unbekannt.

IV.

Standeslieden.

132. Liebe in allen Farben.

Schnell.

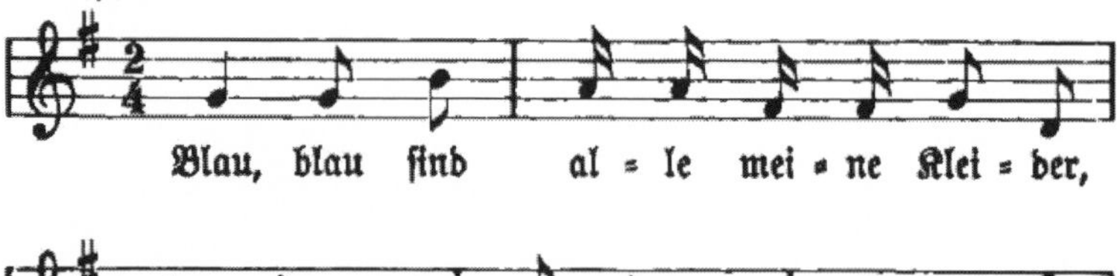

2. Rot, rot sind alle meine Kleider,
Rot, rot liebt jedermann;
Drum lieb ich
Was rot ist,
Weil mein Schatz ein Metzger ist.

3. Grün, grün sind alle meine Kleider, . . .
Weil mein Schatz ein Jägersmann ist.

4. Weiß, weiß sind alle meine Kleider, . . .
Weil mein Schatz ein Müller ist.

5. Braun, braun sind alle meine Kleider, . . .
Weil mein Schatz ein Gerber ist.

6. Schwarz, schwarz sind alle meine Kleider, . . .
Weil mein Schatz ein Schornsteinfeger ist.

Heidelberg, Handschuhsheim.

Str. 4: Weiß . . . weil mein Schatz ein Zuckerbäcker ist.

Verbreitung. Schweiz, Ulm, Kärnten, Ungarn, *Hessen, Nassau, *Rhein, Saar, Schlesien, Preußen, Köhler-Meier Nr. 201. **Kassel** Erk-Böhme III, 568; **Erzgebirge** Müller 182. Wahrscheinlich ist dieses Mittelding zwischen Lied und Spiel aus einem der früher beliebten Farbenlieder entstanden. Die dritte Strophe eines solchen Liedes in einem hs. Lb. des 18. Jhs. aus Graubünden lautet:

Blau ist einzig mein Vergnügen,
Blau ist einzig meine Lust,
Blau ist mir ins Herz geschrieben,
Blau das zieret meine Brust u. s. w.

133. O Straßburg.

2. Ein manicher, ein schöner,
Ein tapferer Soldat,
Der seinen Vater und Mutter
Böslich verlassen hat.

3. Verlassen, verlassen,
Es kann nicht anders sein,
Weil zu Straßburg, zu Straßburg
Soldaten müssen sein.

4. Der Vater, die Mutter
Die gehn vor Hauptmanns Haus:
„Ach Hauptmann, lieber Hauptmann,
Gieb mir meinen Sohn heraus.“

5. „Euren Sohn kann ich nicht geben
Um so viel schweres Geld,
Euer Sohn der muß gehen
Ins weite, breite Feld.

6. Ins weite, ins breite,
Allvorwärts vor dem Feind,
Und wenn gleich sein herzigs Schätzele
So bitter um ihn weint."

Kirchardt.

Im Sesenheimer Liederbuch **1771**, vgl. Freimund Pfeiffer Goethes Friederike, Lpz. 1841, S. 133. **1815—20** Fl. Bl. aus Hamburg, Erk-Böhme III, 259.

Verbreitung. Kanton Bern *Schweiz. Archiv f. Vk. V, Heft 1, Nr. 50; **Elsaß** *Weckerlin II, 260; **Lothringen** Puymaigre, Folklore: Chants allemands de la Lorraine S. 153; **Schwaben** Meier 201; **Hessen** Mittler Nr. 150, Böckel Nr. 82, Erk-Irmer II iii 48, Künzel 585 (Wolfram); **Nassau** *Wolfram Nr. 461; **Rhein** *Becker Nr. 6, Erk-Irmer, Erk-Böhme III, 259, Altrh. Märlein 14; **Franken** *Ditfurth Nr. 244; **Thüringen** Weimar Jb. III, 292; **Sachsen** Pröhle Nr. 114, Erk-Irmer; **Böhmen** Hruschka 234; **Schlesien** *Hoffmann Nr. 231, Peter I, 308 (Wolfram); **Westfalen** Erk-Böhme III, 259, Erk-Irmer; **Schleswig** †Müllenhoff 608 (Ach Rendsberg, ach Rendsberg, du wunderschöne Stadt); **Brandenburg** Erk-Irmer; **Ostpreußen** Frischbier Nr. 84; **Kommersbuch** 465.

134. Im Rosengarten.

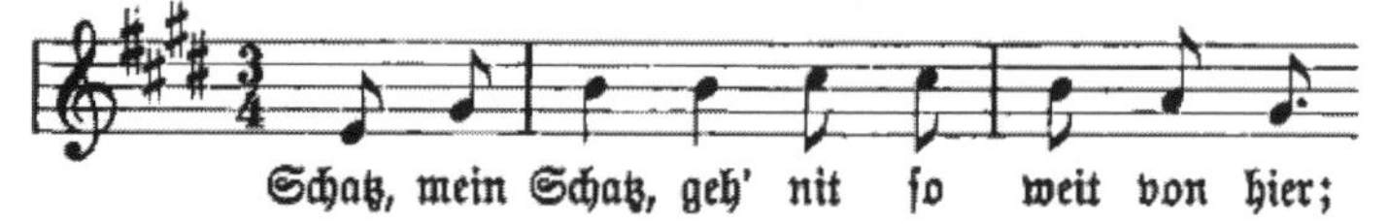

2. „Meiner zu erwarten das brauchest du ja nicht;
Geh' zu den Reichen,
Zu deinesgleichen
's ist mir eben recht."

3. „Ich heirate nicht nach Geld und nicht nach Gut.
Eine treue, fromme Seele
Thu' ich mir erwählen,
Wer's glauben thut."

4. Wer's glauben thut, der ist weit von hier.
Und er ist in Schleswig,
Und er ist in Holstein,
Und er ist Soldat und bleibt Soldat.

5. Soldatenleben heißt auch recht lustig sein.
Wenn's die anner Leite schlafen,
So missen wir's warten,
Missen Schildwach stehn,
Patrolje gehn.

6. Patrolje gehn, das brauchest du ja nit,
Wenn's dich die Leite fragen,
So sollst du's sagen:
„Schatz du kërst mein,
Und ich kër dein."

7. Wer hat denn dieses schöne Lied erdacht?
Zwei Goldschmiedsjungen,
Die haben's gesungen
Bei Bier und Wein,
Zu Köln am Rhein.

Handschuhsheim, Heidelberg,
Kirchardt, Rüstenbach.

1784 Elwert 15; 1806 Wunderhorn I, 205.

Verbreitung. Schweiz, Elsaß, Baden, Schwaben, Steiermark, Pfalz, Odenwald, *Hessen, *Nassau, *Rhein, *Mosel, *Saar, Franken, Thüringen, Sachsen, Erzgebirge, Böhmen, Westfalen, Harz, Priegnitz, Brandenburg, West- und Ostpreußen, Köhler-Meier Nr. 251. Dazu **Schweiz** Kugler, Zs. f. d. Unt. VIII, 598 (J. Meier); **Württemberg** Staatsanz. Beil. 1896, S. 253 (ib.); **Neuweiler** Alem. XV, 41; **Elsaß** Stoeber, Volksbüchlein 89; **Freiburg i. B.** Erk-Böhme II, 568;

Hessen Alem. XII, 188, †Volk 191; **Elsenzthal** Glock 28; **Eifel** †Schmitz I, 162; **Itzgrund** Wolff 188; **Weimar** Schade, Handwerkslb. 159; **Schlesien** verwandt sind Hoffmann Nr. 166 und Peter 236; **Schleswig-Holstein** †Müllenhoff 608; **Berlin** Heinze, Zs. f. d. d. Unt. X, 665 f. (J. Meier); **Pommern** Max Kunze „Beim Königsregiment 1870/71" S. 159 (ib.); Lemke, Die älteren Stettiner Straßennamen S. 21 (ib.)

Str. 7 ein interessantes Beispiel von der jetzt bald abgestorbenen Sitte im Volkslied, daß der Verfasser in der letzten Strophe genannt wird. Diese Berichte, sehr häufig im 16. Jh., sind natürlich nicht als genau zu betrachten.

135. Soldatisches Leben.

Sol- da- ti- sches Le- ben ein har- ter Beschluß! weil

ich es mein Schätzle muß mei- den, { ich hab' mich so / zu ei- nem sol-

treu- lich er- ge- ben / da- ti- schen Le- ben, } ach Himmel! was hab' ich ge-

than —— ? Die Lie- be war schul- dig dar- an.

Müstenbach.

Verbreitung. Dieses Lied ist eine Parodie des Klagelieds eines Mönches, das 1779 im zweiten Bande Herders Volkslieder erschien, S. 62, vgl. Fl. Bl. **Holle** o. J. bei Pröhle Nr. 104, **Müller Erzgebirge** 60; als Klage einer Klosterfrau **Schweiz** Tobler II, 202. Mit unserem Liede übereinstimmend: **Elsaß** Mündel Nr. 156, **Schwaben** *Meier S. 197; **Hessen** Böckel Nr. 11, *Erk-Böhme III, 265; **Nassau** *Wolfram Nr. 267; **Frankfurt a. M.** Erk-Irmer I. iv. 9, Erk-Böhme III, 265; **Rhein** Simrock Nr. 297.

136. Der edele Soldatenstand.

e - de - le Sol - da - tenstand.
strei - ten für sein Va - ter-land.
Für-sten und Gra - fen seins

schwö - ren. Ist denn ein Mensch auf die - ser Welt —, dem

2. Der Soldat muß exerzieren,
Muß auf die Feinde gehen los.
Wenn die Kanonen krachen
Und dem Soldaten nach dem Leben trachten,
Sitzt der Bauersmann in seinem Haus,
Raucht sein' Pfeif' Tobak zum Fenster 'naus.

3. Hat der Feldzug nun ein End' genommen,
Und der Soldat kommt ins Quartier,
Hört man nichts als Jammer und Elend,
Und haben selbst kein Bruder dahier.
Ja, ja, man thuts ihm noch gar verfluchen:
Er soll sein'n Bruder auf dem Schlachtfeld suchen.
So viel Ehr und Dank hat der Soldat,
Der für sein Vaterland gestritten hat.

Nüstenbach.

Verbreitung. Schwaben Meier 200; **Böhmen** ein verwandtes Lied auf den „edlen Bauernstand" Hruschka 242.

137. Soldatenlied.

A.

Verbreitung. „Kam 1840 nach Thüringen, Sachsen und nach dem Rhein, angeblich als Schweizerlied. Sein Komponist soll Vigal heißen“ Böhme, Vtl. Lb. Nr. 504; **Schweiz** Allg. Schweizer Liederbuch, Stuttgart, Aarau und Thun 1851, Nr. 124 (J. Meier); **Württemberg** Staatsanz., Beil. 1896, S. 251 (ib); **Steiermark** Schlossar Nr. 281; **Österreich** Werle Almrausch S. 291 (J. Meier); **Pommern** Brunk und Haas Ms., aus hs. Liedersammlung von ca. 1850 als „Steyrisches Alpenlied von Binder“ bezeichnet (ib.), **Kanton Bern** Schwz. Archiv f. Vk. V, Heft 1, Nr. 57.

131. Auf Wiedersehn!

2. Auf Wiedersehn,
Du Bruder treugeliebet!
Das scheiden thut betrüben,
Auf Wiedersehn!

3. Auf Wiedersehn!
Ich kann nicht länger weilen,
Ich muß jetzt von euch scheiden,
Auf Wiedersehn!
Vergißnichtmein!

Rüstenbach.

Offenbar ein Kunstlied, mir sonst unbekannt.

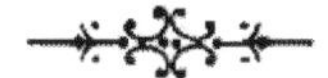

IV.

Standesliedeu.

B.

3. Es kommen die stol- zen Franzo - sen da - her, doch wir

Deut - schen, wir fürch - ten uns nicht so sehr, wir

ste - hen so fest wie die Mau - ern und

wei - chen kein Fin-ger-breit zu - rück von uns-rem Tisch.

4. Napoleon! du Schustergeselle,
Du sitzest ja nit fest auf deinem Thron.
In Frankreich regiertest du so strenge,
In Deutschland bekommst du deinen Lohn.

Kircharbt.

Verbreitung. Elsaß, Steiermark, Odenwald, Hessen, Nassau, *Mosel, *Saar, Rhein, Thüringen, Sachsen, Lausitz, Schlesien, Westpreußen, vgl. Köhler-Meier Nr. 293 — Dazu **Sachsen, Österreich** Dähnhardt II, 129; ***Güntherstthal** bei Freiburg i. B. mündlich, ***Wetterau, *Schleswig,** Erk-Böhme II, 164; **Elsenzthal** Glock S. 31; **Rhein** Simrock Nr. 328; **Vogtland** Dungers Ms. (J. Meier); **Pommern** Bl. f. pomm. Vk. I, 10. [Nach J. Meier Bz.; **Bern** Winteler, Über Volkslied u. Mundart S. 1; **Bodensee** Englerts Ms.; **Württemberg** Beil. z. Staatsanz. 1896, Nr. 15—16; **Tauberbischofsheim** Zs. f. d. Unt. V, 1891, 285f.; **Henneberg** ib. 365; **Essen, Thüringen** ib. 210f.; **Eberswalde** ib. 208f.; **Schlesien** Kleins Ms.; **Quedlinburg** ib. 128; **Pommern** Max Kunze, Beim Königsregiment

1870/71 S. 160; Ditfurth, Hist. Bl. 1815—66 S. 108, Nr. 172; Ditfurth, Hist. Bl. d. bayr. Heeres Nr. 51.]

Die beiden ersten Strophen nach einem Liede von Kotzebue, das zuerst 1803 im „Freimüthigen" erschien. (Hoffmann, Vtl. Lb.[4] S. 274) Diese Umdichtung wohl zuerst 1814 (vgl. Ditfurth, Die hist. Bl. d. Freiheitskriege S. 62) auf Napoleon I., seither aber auch auf Kossuth und „die stolzen Ungarn" bezogen (Weinholds Zs. IV, 26), auf die Österreicher im italienischen Freiheitskriege, die Russen vor Sebastopol, die Dänen, und Napoleon III. (unser B). Verwandt ist Hoffmann und Richter S. 301. Ein anderes Lied auf Napoleon mit gleichem Anfang in einem Fl. Bl. Hannover? 1804—15? Brit. Museum 11521 ee 28, Nr. 46.

139. Rekrutenlied.

1. Haben wir drei Jahr gedienet,
Dann ist unser Dienstzeit aus,
Dann schickt uns der Hauptmann wieder
Ohne, ohne Geld nach Haus.

2. Unser Hauptmann stolz zu Pferde
Zieht mit uns ins Feld;
Siegreich wollen wir Frankreich schlagen,
Sterben als ein tapfrer Held.

Wimpfen.
(„Das singe die Rekrute alle Jor.")

Die Melodie wurde so falsch gesungen, daß es nutzlos gewesen wäre sie aufzuschreiben; ich konnte aber gerade erkennen, daß sie ungefähr mit Köhler-Meiers Nr. 248 stimmte.

Verbreitung. Elsaß, *Hessen, *Nassau, *Saar, Sachsen, Erzgebirge, Ostpreußen. Dazu **Württemberg** Staatsanz.-Beil. 1896, 251 (J. Meier); **Leipzig** Erk-Böhme III, 213; Ich habe das Lied auch in **Nürnberg** und **Heidelberg** singen hören.

140. 's kommt keiner davon.

Wa-rum ist denn die Falschheit so groß auf der

2. Nach Heidelberg marschiere mir und lassen uns visedieren,
Ob wir taugen, ob wir taugen, ob wir taugen ins Feld.

3. Der Hauptmann steht draußen, schaut seine Leut' an:
„Seid nur lustig, seid nur fröhlich, 's kommt keiner davon!"

4. Was batt mich dem Hauptmann sein Reden, sein Sagen,
Mein Vater, meine Mutter die haben mich auswärts so gern.

5. Mein Vater, meine Mutter, meine Schwester, mein Bruder,
Meine große Freundschaft, die hat mich um mein Schatz gebracht.

6. Meim Großherzog von Baden bin i gar nimmer gut,
Weil er mich von meinem Schätzele so weit eweg thut.

Handschuhsheim.

Verbreitung. Elsaß, *Saar, Hessen, *Nassau, Rhein, Franken vgl. Köhler=Meier Nr. 280.

141. Soldatenleiden.

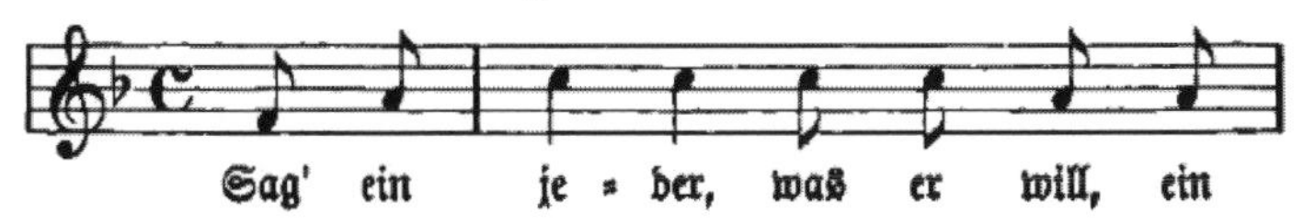

2. Des Morgens eh' der Tag anbricht
Der Korporal im Zimmer spricht:
„Steht auf, steht auf! thut euch frisieren,
Jetzt kommt die Zeit zum Exerzieren,
Zieht euch nur hübsch und sauber an,
Vielleicht kommt auch der Hauptmann an."

3. Und ist das Exerziern vorbei,
Dann sollt ihr hören das Geschrei,
Hat man sich kaum ein wenig g'sesse
Und hat ein Stück Kommis gegesse,
So heißt es gleich: „Heraus! heraus!
Die Waffe zieht schon wieder aus."

4. Und kommt der Löhnungstag herbei,
Dann sollt ihr hören das Geschrei,
Da kommt die Waschfrau beigelaufen,
Das Geld, das Geld das ist schon längst versoffen,
Der Wirt schreit auch zur Thür hinein:
„Soldat! ich muß bezahlet sein!"

Handschuhsheim.

Verbreitung. Elsaß, Hessen, *Nassau, *Mosel, Franken, Thüringen, Schlesien vgl. Köhler-Meier Nr. 243.

2. Liebe Eltern, laßt das Weinen,
Und schicket uns Geld,
Daß wir können lustig leben
Auf dieser schönen Welt.

3. Liebe Eltern, laßt euch lehren
Was Soldaten begehren:
Bei der Nacht ein schönes Mädchen,
Bei Tag eine Kanne Bier,
Soldaten sein's wir.

Handschuhsheim.

143. Soldatenlied.

2. Ei Bauer, was will ich dir sagen?
Ei Bauer, was sag' ich dir?
Wenn du die Trompeten hörst blasen,
Steh' auf und sag' es mir!
Steh' auf und sattel mein Pferd,
Daß ich kann reiten zu Pferd,
Den Mantel schnall oben drauf hin,
Daß ich bald fertig bin.

3. Ei Pferdchen, was will ich dir sagen?
Ei Pferdchen, was sag' ich dir?
Du mußt mich heute noch tragen
Wohl vor des Liebchens Thür,
Wohl vor das hohe Haus,
Da schaut mein Liebchen heraus.
Mit ihren schwarzbraunen Äugelein
Schaut sie zum Fenster 'raus.

Nüstenbach.

So vor etwa 30 Jahren. Heutzutage

1. :|: Der Kaiser hat schöne Soldaten
Wenn sie's montieret sein :|:
Der Kaiser ist unser Held,
Er giebt uns Brod und Geld u. s. w.

Verbreitung. Wunderhorn II, 25. **Elsaß** Mündel Nr. 147, Alsatia 1854—5, S. 184; **Schwaben** Meier S. 228; **Hessen** *Lewalter II, Nr. 10, Mittler Nr. 1431, Böckel Nr. 85; **Nassau** nach Erk-Böhme III, 207 ist der Wdh. Text (vgl. Alem. X, 153 f. Birlinger-Crezelius II, 620) aus Mosbach bei Wiesbaden, nicht aus M. in der bad. Pfalz, aus welcher Gegend Frau von Pattberg es hätte schicken können, vgl. oben Nr. 65—66. **Franken** Ditfurth* Nr. 255 bis 256; **Sachsen** Freytag S. 46 mit Anm. „über die Entstehung des Liedes vgl. Gräve, Volkssagen und vtl. Denkm. d. Lausitz, Sage über Martin Pumphut", wovon ich nichts im besagten Büchlein finden konnte. **Böhmen** *Hruschka S. 157; **Schlesien** *Hoffmann Nr. 247, Peter S. 310; **Ostpreußen** Frischbier Nr. 82. Fl. Bl. um 1800 im brit. Museum 1347 a 12 „O Schatzerl laß dir sagen, das Quatier ist schon aus."

144. Soldatenlied.

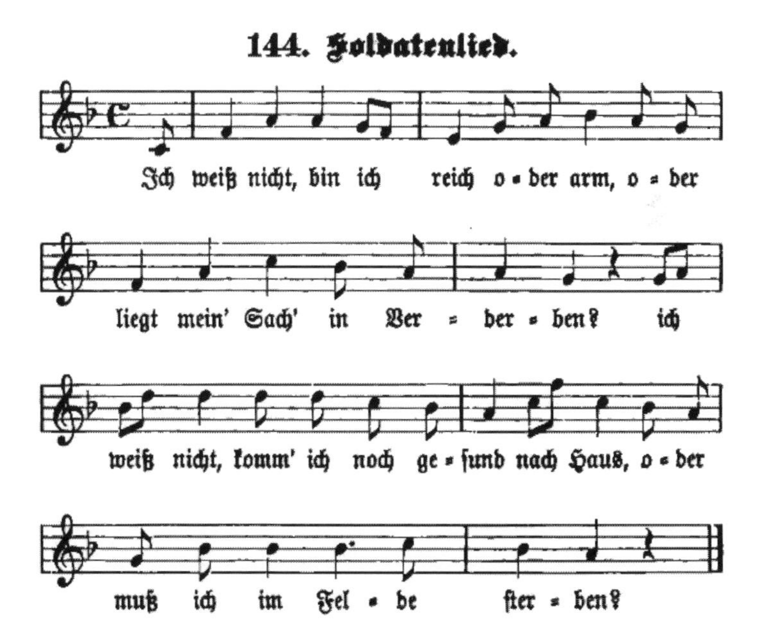

2. Wenn ich im Felde sterben muß,
So thut man mich begraben
Wohl unter einem grialinden Feigenbaum,
Drei Röselein die soll er tragen.

3. Er trägt nicht nur drei Röselein,
Er trägt auch grüne Zweige.
Wenn sich mein Schatz verheiraten thut,
Ach Gott, wie wird's ihm reuen!

4. „Ach Gott!“ wird er sagen und die Händ' zusammenschlagen,
„Was hab' ich für ein Traliwatsch genommen!
Ja, ich selber hab's gethan, ich bin selber schuld daran,
Kein Mensch hat mich dazu gezwungen.“

5. Der Großherzog von Baden hat auch noch Geld,
Hat auch noch schöne junge Leute.
Wenn ich ein'n badischen Soldat seh',
So lacht mir das Herz im Leibe.

Kirchardt.

Verbreitung. **Schwaben** Meier 196; **Baden** Erk, Ldh. *Nr. 184; **Hessen** *Erk-Böhme III, 243; **Nassau** *Wolfram Nr. 305; **Rhein** *Becker Nr. 42; **Franken** *Ditfurth Nr. 267; **Schlesien** *Erk-Irmer III, S. 1; **Brandenburg** Erk, Ldh. Nr. 184.

145. Handschuhsheim, ade!

2. Nun ade mei liebe Eltern,
Nun ade, so lebe wohl!
Ihr habt mich wohl auferzogen
Für den Großherzog wohl auserkor'n:
Ist das nicht ein harter Schluß,
Dieweil ich jetzt marschieren muß.

3. Nun ade mein lieber Bruder,
Nun ade, so lebe wohl!
Du bist auch noch jung von Jahren,
Du wirst auch noch viel erfahren.
Ist das nicht ein harter Schluß,
Dieweil ich jetzt marschieren muß.

4. Nun ade meine liebe Schwester,
Nun ade, so lebe wohl!
Willst du mich noch einmal sehen,
Steig' hinauf auf Bergeshöhen,
Steig' herab ins tiefe Thal,
Siehst du mich zum letztenmal.

Handschuhsheim.

Verbreitung. Schweiz, Elsaß, Steiermark, Kärnten, Hessen, Nassau, Mosel, Saar, Köln, Erzgebirge, Schlesien vgl. Köhler=Meier Nr. 299.

146. Abschied des Soldaten.

A.

al = le! Wir ge = ben uns zum letz = ten = mal die

Hand, und sehn wir uns ein = an = der nicht mehr

wie = der, so hof=fen wir auf ein an=dres beſſ=res Land.

2. Kanonenschüſſe krachen durch die Lüfte,
Und die Kugel iſt ins Flintenrohr geſteckt
Und noch ein Kuß von dir, o Heißgeliebte,
Erinnert mich an jenes Morgenrot.

Nüſtenbach.

B.

1. So lebt denn wohl! wir müſſen Abschied nehmen,
Die Kugel wird ins Flintenrohr geſteckt,
Und unſer allerſchönſtes junges Leben
Wird einſt im Krieg wohl auf dem Schlachtfeld hingeſtreckt.

2. So lebt denn wohl ihr Eltern, Schweſtern, Brüder!
Ich reiche Euch zum letztenmal die Hand,
Und ſehen wir einander nicht mehr wieder,
So hoffen wir's auf ein jenes beſſre Land.

3. So hoffen wir's auf ein jenes Wiederſehen,
Dieweil wir auch dem Tod entgegen gehn;
Die Stunde ſchlägt, wir alle müſſen fort,
Wer weiß wie bald eine Kugel uns durchbohrt.

4. So leb' denn wohl, du meine Heißgeliebte!
Der Abſchied fällt mir ſchwerer als der Tod,
Noch einen Kuß von dir, o Heißgeliebte,
Erinnert mich an jenes Morgenrot.

5. Kanonenkugeln sausen durch die Lüfte,
Die Bajonette sind schon aufgepflanzt,
Die Siegesfahne flattert durch die Lüfte,
Mit Pulverrauch ist unser Haupt bedeckt.

6. Wohl auf dem Schlachtfeld wird unser Blut einst fließen,
Da hilft kein Zagen, kein Reichtum und kein Geld,
Da ist für uns ein kühles Grab beschieden;
So leb' denn wohl du eitle, falsche Welt!

Handschuhsheim.

Verbreitung. **Nassau** Wolfram Nr. 314, Erk-Böhme III, 247; **Erzgebirge** Müller 18 und 27.

147. Schwarz-weiß-rot.

2. Frankreich ach Frankreich! wie wird es dir ergehn,
Wenn du Deutschlands Fahne wirst sehen?
Deutschlands Fahne schwarz-weiß-rot,
Weh dir, o wehe dir Franzosen Blut!

3. Bruder, ach Bruder ich bin ja schon geschossen,
Eine französische Kugel, die hat mich getroffen,
Hole mir's einen Feldarzt dabei,
Denn meine Wunde muß verbunden sein.

Kirchardt.

Verbreitung. **Nassau** *Wolfram Nr. 469 sehr abweichend. Zu Str. 3 vgl. Köhler-Meier Nr. 283.

148. Hohenzollern.

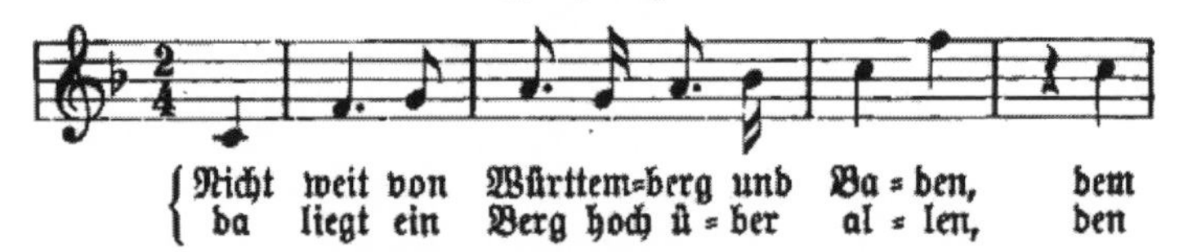

Nicht weit von Württem-berg und Ba - den, dem
da liegt ein Berg hoch ü - ber al - len, den

Bai - ern und der schö-nen Schweiz
man den Ho-hen-zol-lern heißt. } Er schaut her - ab so

stolz und schön auf al - le, die vor - ü - bergehn. Auf

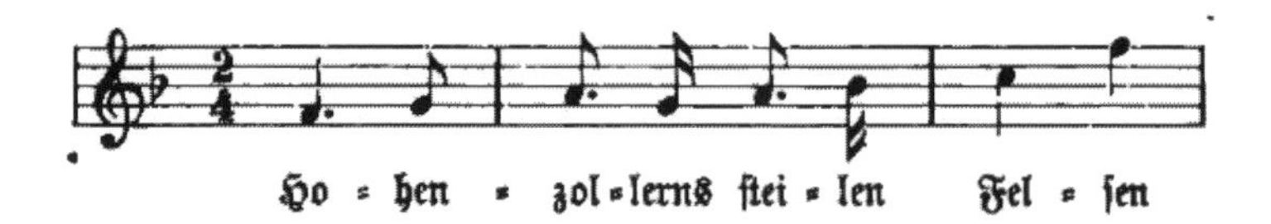

Ho - hen - zol - lerns stei - len Fel - sen

hoch, un - ver - zagt die Ein - tracht ruht.

2. Von diesem Berg erzählt die Sage,
Die sich aufs ganze Land ausstreckt:
Ein jeder Vater hat die Plage,
Die sich auf seinen Sohn ausstreckt;
Er schickt ihn fort ins fremde Land,
Sein Liebchen glaubt, er sei verbannt
Auf Hohenzollerns steilen Felsen,
Wo unverzagt die Eintracht ruht.

3. Es kommt die längste, wünschte Stunde,
Die uns zur Heimat wieder ruft,
Da ziehen wir mit frohem Mute
Dem stolzen Hohenzollern zu,
Und rufen aus: „Du heil'ges Land!
Wie ist mein Herz an dich gebannt!
An Hohenzollerns steilen Felsen,
Wo unverzagt die Eintracht ruht."

Handschuhsheim, Nüstenbach.

Oder 1b der Donau und der schönen Schweiz.

Verbreitung. Nach J. Meier Vz.: (Vf. Konstantin Killmaier, vgl. Bl. d. schwäb. Albvereins VI, 126, 1895, **Württemberg** Staatsanz. Beil. 1896, Nr. 15—16, S. 247, Zs. f. d. Ph. XXX, 260). Schwaben, *Hessen, *Mosel, *Saar, *Rhein, vgl. Köhler-Meier Nr. 316. **Elsaß** Erk-Böhme III, 233.

149. An der Weichsel.

An der Weich-sel, ge-gen Os-ten stand

ein U-lan wohl auf dem Posten; ei sieh, da kam ein

schö-nes Mäd-chen, brach-te Blu-men aus dem Städtchen.

2. „Wo willst du's hin, du edle Rose,
Wo willst du's hin, du Himmelsknospe?"
„Ei, Blumen bring' ich dir zum Strauße,
Dann eile ich nach Hause."

3. „Ganz verdächtig scheint mir's die Sache,
Du mußt mit mir wohl auf die Wache."
„Ei, laß mich ziehen, denn ich eile,
Meine Mutter ist alleine."

4. „Bist du treu dem Vaterlande,
So gieb mir's einen Kuß zum Pfande."
„Du wirst vom Pferd absteigen müssen,
Wenn du mich willst küssen."

5. „Küssen will ich dich auf Posten,
Und sollt' es gleich mein Leben kosten,
Mit sechsmal hunderttausend Küssen
Will ich dich begrüßen."

Nüstenbach, Kirchardt,
Handschuhsheim.

Handschuhsheim:

2. Wo willst du's hin du schöne Rose,
Wo willst du's hin du Himmelsrose.

3b Marsch, marsch mit mir wohl auf die Wache. 5a Küssen will ich wohl auf den Posten.

Verbreitung. Odenwald, *Hessen, Nassau, *Saar, Rhein, Böhmen, Sommerfeld, vgl. Köhler-Meier Nr. 252. **Württemberg** Staatsanz.-Beil. 1896, Nr. 15—16, S. 247 (J. Meier); **Westpreußen** Treichels Mf. (ib.); **Brandenburg** Beckenstedts Zs. IV, 171; **Norddeutschland, Niederrhein** Erk-Böhme III, 286; **Odenwald** †Volk S. 191.

150. Drum ist's so schön Husar zu sein.

2. Hier liegt mein Säbel und Gewehr valdira
Und alle meine Kleider.
Ich komm' vom Frieden her
Und bin kein Kriegsmann mehr.
Drum ist's so schön 2c.

3. Und wenn ich einst gestorben bin valdira,
So thut man mich begraben;
Drei Salven in das Grab,
Die ich verdienet hab'.
Drum ist's so schön 2c.

Handschuhsheim.

Verbreitung. Elsaß, Hessen, Frankfurt, *Nassau, Saar, Niederrhein, Franken, Hildburghausen, Schlesien, vgl. Köhler-Meier Nr. 274 (mit Nachweis alter Drucke 1812—1822).

151. Die Tochter des Regiments.

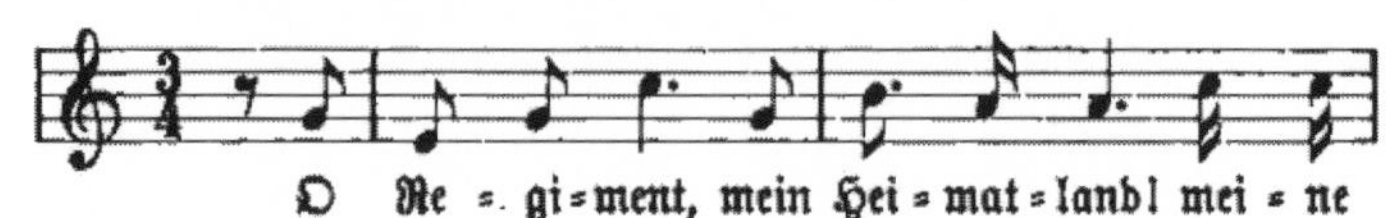

2. Wenn's Regiment früh ausmarschiert,
Der Tambour seine Trommel rührt,
Tausch' ich mit keinem Fürsten nicht.
Wer lebt denn glücklicher als ich?

3. Marie, Marie, so heißt mein Nam',
Den ich vom Regiment bekam;
Mein ganzes Leben lasse ich
Für's Regiment, da sterbe ich.

4. Ein'n Offizier, den mag ich nicht,
Weil er den Mädchen so viel verspricht;
Ein Grenadier, der muß es sein,
Für den schlägt nur mein Herz allein.

5. Und wenn ich einst gestorben bin,
So setzt mir einen Grabstein hin.
Auf diesem soll geschrieben sein:
Hier ruht Maria ganz allein.

Handschuhsheim, Nüstenbach, Kirchardt.

Oder 1a O Baden ist mein Heimatland.

Verbreitung. Nach Erk-Böhme III, 257 soll der Text des Liedes eine Nachbildung sein der Arie „Heil dir mein Vaterland" in Donizettis Tochter des Regiments. Ich kann weder in dieser noch in sonst einer Arie der Oper eine Verwandtschaft mit unserem Liede entdecken. Das Lied verdankt seinen Ursprung aber gewiß dem Stoffe der Oper und wird auf Dorfbühnen sogar der Oper eingefügt. Wenigstens sagte mir ein Mädchen in Anblau im Elsaß, daß sie das Lied erst aus der Oper kennen gelernt habe. Zur Melodie vgl. Nr. 166. ***Elsaß** Erk-Böhme III, 257; **Siegelau** Alemannia XXV, 21; **Württemberg** Staatsanz. Beil. 1896, Nr. 15 bis 16, S. 254 (J. Meier); ***Hessen** Lewalter II, Nr. 23, Erk-Böhme; **Sachsen** Müller 30; **Saar** Köhlers Mſ. (J. Meier); **Westpreußen** Treichel Nr. 38 enthält nur Strophe 4.

152. Tiroler Schützen.

2. Und ich hab e Gemsel g'schosse,
Das isch e wahre Pracht,
Geh ich's die Alpen unter,
Will sehn was Dirndel macht.

3. Trag' ich's Gemsel auf dem Rücken,
Geh' ich mit frohem Mut.
Da mach' ich starke Schritte
Und schwenke meinen Hut.

Nüstenbach, Handschuhsheim.

Mir sonst unbekannt.

153. Jägerlied.

2. Als ich in den Wald 'nein kam,
Stellt' ich mich hintern Eichenbâm;
Da lâft mir's ein Has' daher,
Fragt, ob ich's der Jäger wär',
Ja der Jäger wär'.

3. „Ei, du mein lieber Has',
Treib' mit mir nur keinen Spaß,
Denn ich hab' einen neu Geschütz,
Einen nagelneuen Kulerugelspritz,
Schnallt als wie der Blitz."

4. Und ich hab's geschossen,
Und ich hab's getroffen,
Da pack' ich mein Wildpret auf
Und geh' mit Fralaleud nach Haus,
Ja, mit meinem Schmaus.

Handschuhsheim.

Verbreitung. Von diesem Liede hieß es: „desch isch desch allereltscht Lied wu's giebt — fimf hunnert Jar alt". Alles, was heutzutage wenig gesungen wird, hält man für sehr alt, darunter auch die Lieder von Schäferinnen und „du Mädchen vom Lande, wie bist du so schön". Str. 2—3 um 1800 im Liede „**Komm herfür du schönste Schäferin**" aus Fl. Bl. im brit. Museum 1347 a 12, 160. Vor 1806 in Arnims Nachlaß Erk-Böhme III, 320; **Schwaben** Meier S. 131, vgl. S. 94; **Südwest-Schwarzwald** Erk-Böhme III, 320; **Hessen** ib., Mittler Nr. 1475, *Erk, Ldh. Nr. 170, Böckel Nr. 108 A; **Nassau** *Wolfram Nr. 330; **Frankfurt a. M.** *Erk-Irmer I ii 51; **Franken** *Ditfurth Nr. 287.

Als Schnörkel zu diesem Liede wird „Spielet auf ihr Musikanten" Nr. 256 gesungen; auch bei Ditfurth und in Erks Ldh. ist dieses der Fall.

154. Jägers Aufenthalt.

2. Mein Hündelein ist stets bei mir
In diesem grünen Wald, ja Wald;
Und mein Hündelein jagt,
Und mein Herz, das lacht,
Meine Augen leuchten hin und her.

3. Und als ich in den Wald 'nein kam,
Traf ich ein schönes Mädchen an:
:|: Und wie kommst du's in den Wald? ja Wald :|:
Du strahlloses Mädchen!
Wie kommst du's in den Wald, ja Wald?

4. Bleib' du's bei mir als Jägerin,
Bleib' du's bei mir als meine Frau,
:|: Bleib' du's bei mir :|:
Wohl in dem grünen Wald, ja Wald."

Handschuhsheim.

Verbreitung. Elsaß, Baden, Schwaben, *Hessen, *Nassau, Mosel, *Rhein, Franken, Osterland, *Schlesien, Norddeutschland, Westfalen, Harz, Brandenburg, vgl. Köhler=Meier Nr. 233. **Württemberg** Staatsanz. Beil. 1896, S. 255 (J. Meier); **Kanton Bern** †Schwz. Archiv f. Vk. V, Heft 1.

Nach Hoffmann ist das gewöhnliche „strahlaugig, strahlenauges" in Str. 3 ein Mißverständnis für „Stralauer Mädchen". Diese Erklärung scheint mir ungenügend. Unser „strahlloses" macht die Verwirrung nur noch ärger.

155. Jägerlied.

Schneller Marschtakt.

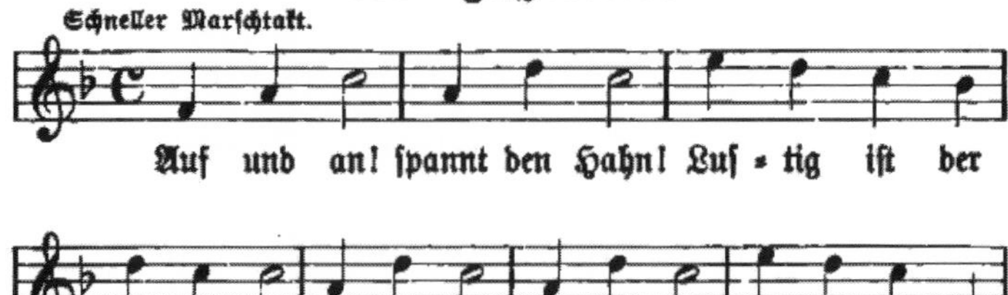

Jä=gersmann. Hörnerklang, Bi = xe schallt ü = ber Berg und

Verbreitung. **Nassau** Wolfram Nr. 324a und b (Soldatenlied), *Erk-Böhme III, 318. Verwandt ist Str. 3 von „Fahret hin, fahret hin", Wolfram Nr. 328, Büsching und von der Hagen S. 80 nach Fl. Bl. Nach J. Meier Vz.: „Vers. F. Förster in seinen Gedichten I (Berlin 1838) 17 ff., **Elsaß** Kern und Roth 15, Nr. 16, **Spessart** Mitth. u. Umfragen z. bayr. Volksk. II (1896), Nr. 2, S. 2.

156. Der Wilderer.

A.

2. Jetzt nehm' ich meine Büchse
Und gehe in den Wald,
Und schieß' mir ein Hirschlein,
Sei es jung, oder sei es alt.

3. Ich muß es halt machen,
Wie mein Vater hat's gemacht:
Nach drei oder vier Jägern
Hat er gar nix danach gefragt.

Sinsheim.

B.

2. Das Hirschlein ist erschossen,
Das Hirschlein ist erlegt,
Und so drei oder vier Jäger
Haben niemals was ersehn.

3. „Ach wunderschöner Jäger,
Was schaffest du hier?
Deine wunderschöne Bixe,
Die nehmen wir's dir!“

4. Ich muß es halt machen,
Wie mein Vater hat's gemacht:
Nach drei oder vier Jägern
Hat er gar nix gefragt.

5. Jetzt nehm' ich eine Feder,
Steck' sie auf auf meinen Hut,
Und den Hans Michel möcht' ich sehen,
Der sie mir herunter thut.

Rüstenbach.

Verbreitung. Süddeutschland. Schn. u. Ober. Liabln S. 85; **Hessen** *Lewalter II, Nr. 1, Mittler Nr. 334, Böckel Nr. 55, *Erk-Böhme III, 326; **Nassau** *Wolfram Nr. 336; **Odenwald** Zopf Nr. 29, Erk-Böhme; **Rhein** *Becker Nr. 101; **Franken** Ditfurth S. 42; **Sachsen** Erk-Böhme, Rösch S. 51, Müller S. 122; **Böhmen** Hruschka 237, Gesch. d. D. in Böhmen XX, 289; **Harz** Pröhle Nr. 56.

157. Frisch auf!

2. Und als ich auf die Alp 'naufkomm,
Setz ich mein grün Hut auf,
Nehme Bixe und Tasch' an meine meine Seit',
Dann seh' ich einem Jägerle gleich.
Und als wirs an ein Wirtshaus kamen,
Kommt gleich die Kellnerin her.

3. „Was essen und was trinken Sie?
Was ist denn Ihr Begehr?"
„Schenken Sies mir ein Bier und Branntewein
Und auch eine Flasche Tirolerwein;
Und mach sie's einen Specksalat
Für mich und meinen Schatz."

4. Und als wirs nun gegessen und getrunken haben,
Führ' ich mein' Schatz nach Haus,
Leg' mich zu ihr ins Federebett
Und schlaf' ganz ruhig aus.
Bleibe liegen bis der Kuckuck schreit,
Der helle, helle Tag ist nicht mehr weit.
„Adje mein Schatz, jetzt lebe, lebe wohl!
Gehts halt wieder ins Tirol."

Bockschaft.
(Von Schnittern aus dem Oberland hergebracht.)

Verbreitung. Günterstal bei Freiburg i. Br. mündlich; **Franken** Ditfurth Nr. 292 als Lied eines Wildschützen; **Österreich** Ziska und Schottky S. 83 zu einer Melodie, welche ich in Heidelberg folgenderweise singen hörte:

158.

Jetzt bin i auf mei Berg = le gan = ge und

hab mei Stut=ze = le a mit g'nomme; die

Ber = ge stehn der Re = ben voll, und's Stutze = le hat mi

g'freut; (Jodler)

die Ber = ge stehn der

Re = ben voll, und's Stutze = le hat mi g'freut.

Verbreitung. Der Text ist offenbar fragmentarisch, sonst wußte die Sängerin davon nur noch die Zeilen: „ich nimm dich doch, so arm ich bin, du saubre Wienerin.“ Sie glaubte das Lied stamme aus einem Singspiel, das in den fünfziger Jahren aufgeführt wurde. Ich lasse es hier drucken, weil es mit Nr. 157 in Beziehung steht.

159.

A.

2. Mei Sennrin sagt mr neulich:
„Ei du mei lieber Bu,
Warum gehst du so selten
Der Almerhütten zu?
Du weißt mei Kammer, weißt mei Fenster,
Weißt sogar mei Bett.
Und komme mußt mr d' Woch zweimal
Aber ausbleiben darfst mr net."

3. Den andern Dag wards wunderschön,
Fruh macht sich auf der Bu
Und gehet dann ganz wohlgemut
Der Almerhütten zu;
Doch wie er vor das Hitterl kommt,
Will klopfen an die Tür,
Da steht die Sennerin heimli auf
Und schiebt den Riegel für.

Bruchsal.

Das Lied hatte aber die Sängerin von ihrem Vater gelernt, der aus Thüringen stammte und weit herum gekommen war.

B.

2. Am vierten war das Wetter schön,
Und ich mach' mich auf den Weg.
Ich wollt' zu meiner Sängerin gehn
Schnurstracks der Alpe zu.
Und als ich an ihr Hüttchen kam,
Und ich klopfte an der Thür,
Da stand meine Sängerin leise auf
Und schob den Riegel für.

3. „Ach Sängerin, liebste Sängerin mein
Wie bist de heit so stolz.
Warum stehst nicht auf und läßt mich 'nein,
Warum gränkt dich heit dein Holz?"
„Denn du weißt ja mein Liebchen,
Und du weißt ja mein Stübchen,
Und du weißt ja sogar mein Bett.
In der Woch da sollst du komme siebemal,
Aber ausbleibe darfscht de net."

Handschuhsheim.

Augenscheinlich ist dieser Text in arg zersungenem Zustande, vgl. A oben. Sängerin natürlich für Sennerin.

Verbreitung. Kanton Bern, Appenzell Schwz. Archiv f. Vk. V, Heft 1; **Tirol** („ziemlich verbreitet, besonders im Unterinnthal, Zillerthal und Brixenthal") F. F. Kohl, Echte Tirolerlieder, Wien 1899, S. 146, Nr. 97; **Steiermark** Schlossar 154, Nr. 115 (Schwz. Archiv l. c.); Werle, Almrausch S. 283 (ib.).

160. Auf der Alp.

2. Will man auf die Alp 'nauf steigen,
Muß man grüne Knospenzweigen,
Muß me auch e Mädele han,
Die recht schaffe, schaffe kann.

3. Schauet nur das Mädele an,
Wie sie sich anschicke kann.
Sie kann grasen, sie kann mähen,
Sie kann stricken, sie kann nähen.
Alles, was sie schaffe, schaffe thut,
Ist e wahre, wahre Lust.

4. Schecke, Blässe, Stirne, Stern!
Kommet all, ich seh euch gern.
:|: Kommet alle auf die Alpen :|:
Bei den Kühlein auf der Alp
Hat der Sänger seine Freud'.

Kirchardt.

Verbreitung. Mir sonst unbekannt. Die Mißverständnisse im Texte kommen wohl davon her, daß das Lied aus dem bayer.-österr. Dialektgebiet nach der Pfalz kam. So Str. 1 „geht's saufen" für „geht's aufen"; „Sänger" für „Senne".

161. Schäfers Lied.

1. Kein schöneres Leben ist nicht auf der Welt,
Die Schäflein zu weiden, zu treiben ins Feld.
In Schäfergestalten und mein Schatzel gefällt
Zu weiden, zu treiben die Schäflein ins Feld.

2. Mein Herz thut frohlocken, ist freud- und lustvoll,
Thut Rosen abbrechen, sie riechen sehr wohl.
Sie riechen sehr wohl, mein [Schatzel] gefällt[s] wohl.
Meine Augen thun stauchen (so) und mein Schatzel gefällts wohl.

3. Jetzt wird es bald heißen: Ei Bubel, marschier!
Der Wagen zum Fahren steht schon vor der Thür.
Die Nacht ist verschwunden, der Tag kommt herbei.
Herzallerliebst's Schatzel, bleib' meiner getreu!

4. „Getreu will ich dir bleiben, so lang' es Gott will,
Die Zeit zum Vertreiben mit allerlei Gespiel.
Bald sing' ich ein Tänzchen, bald pfeifft du ein Stroph',
Bald gehe ich, bald stehe ich, bald reis' ich nach Haus."

5. „Wenn's deine Leut' wüßten, daß du wärest bei mir,
So mußt du bald meiden das Haus und die Thür,
Die Thür und das Haus,
Dabei wirst du erfahren, daß die Liebschaft ist aus."

Sinsheimer Liederheft.

Mir sonst unbekannt.

162. Ei Schäfer, wohin?

„Ei Schäfer, wo weidest du hin?"
„Hinaus auf die Heide in grün."
„Ei, du hättest ja könne bei mir bleibe,
Und hättest mir könne die Zeit vertreibe;
Aber du hast mich verkennt,
Denn du warst von der Liebe verblend't."

Rüstenbach.

Verbreitung. Elsaß, Nassau, Saar, Rhein, Franken, vgl. Köhler-Meier Nr. 223.

163. Schäfers Lied.

A.

2. Des Nachts, wenn alle Sternlein blinken,
Und alles liegt in süßer Ruh',
Da läßt sie ihren Schleier sinken,
Begiebt sich in die süße Ruh'.
O, könnt' ich doch mein Lied erklagen,
Doch fürcht' ich mich zu ihr zu gehn.
Ich denk', es möcht' ein Blümlein rauschen,
Und nie dürft' ich sie wiedersehn.

3. Oft ist sie mir im Traum erschienen,
Wie oftmals reicht' sie mir die Hand!
Doch ich muß immer einsam wohnen,
Weil ich sie, weil ich nimmer fand.
Da nahm ich heimlich meine Flöte
Und spielte ihr ein Stücklein auf.
Und wenn man mir den Himmel böte,
Nach Hause geh' ich nimmermehr.

Handschuhsheim.

Ober Kirchardt: 1b ein Mädchen stehn. 1c sie war von allen Schäferinnen. 1e und da wünsch ich mir die goldne Krone. 1g in diesem Hüttchen. 1h bei einer schönen Schäferin. 2c da legt sie ihre Kleider nieder. 2g Mädchen lauschen.

B.

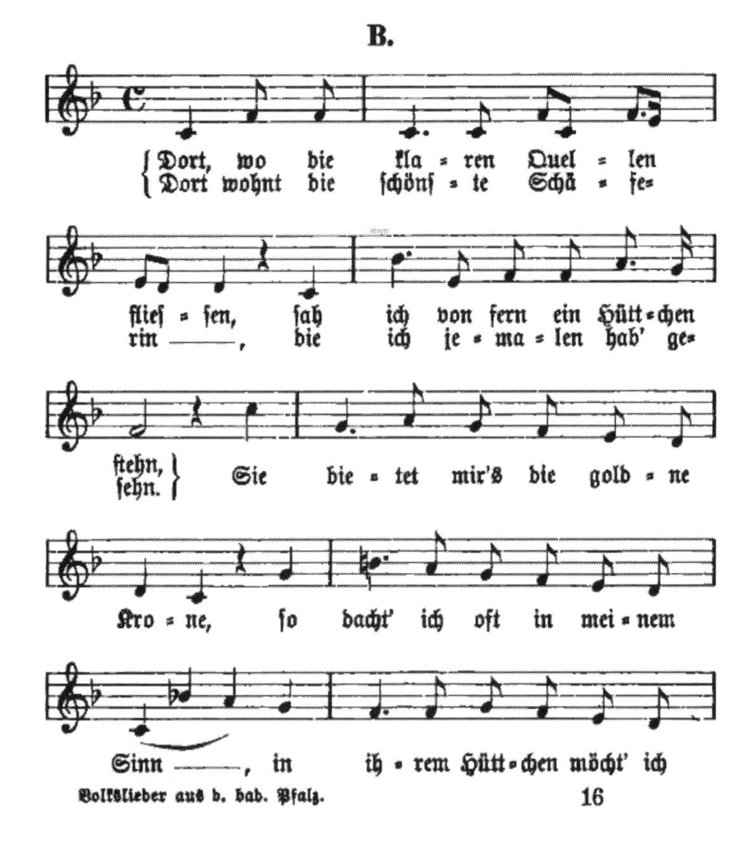

2. Treibt sie's am heißen Sommertage
Ihr silbers Lämmlein auf die Weid',
So muß mein banges Herz mir sagen:
„Ach, könnt' ich doch ihr Schäfer sein!"
Aber heimlich nahm ich meine Flöte
Und schlich mich ihrem Hüttchen näh'r;
Ach wenn, wenn mir's der Himmel gebe,
Nach Hause geh' ich nimmermehr!

3. Des Abends, wenn die Abendsonne, (sic)
Schleich' ich zu ihrem Fenster hin.
Ich will und muß mein Liebchen sehen,
So krieg' ich Ruh' in meinem Sinn.
Ich möchte sie so gern belauschen,
Doch wag' ich nicht hinzu zu gehn.
Sie möcht' ein Blättchen hören rauschen!
Einstmal werd' ich sie wiedersehn.

Nüstenbach.

Verfasser. Ernst Schulze 1789—1817 (Lewalter V, 28), erschien 1813 (Böhme, Vtl. Lb. 599).

Verbreitung. Odenwald, *Nassau, *Niederhessen, Rhein, *Mosel, vgl. Köhler=Meier Nr. 225, *Oberhessen, Wetterau, *Elsaß, Erk-Böhme III, 348. **Elsenzthal** Glock 32. **Hessen** Mittlers Ms. (J. Meier); †Vogt S. 191. **Vogtland** Dungers Ms. (ib.). **Tirol** Englerts Ms. (ib.). Das Lied ist außerordentlich beliebt in der Pfalz und wird für sehr alt angesehen.

164. Kuckuck.

A.

2. Sie setzte sich ins kühle Gras
Und sprach gedankenvoll:
„Ich will nun einmal sehn zum Spaß,
Wie lang' ich leben soll."
Bis hundertsieben zählte sie,
Indem der Kuckuck immer schrie:
Kuckuck trala, Kuckuck trala,
Kuckuck trala, Kuckuck!

Kirchardt.

B.

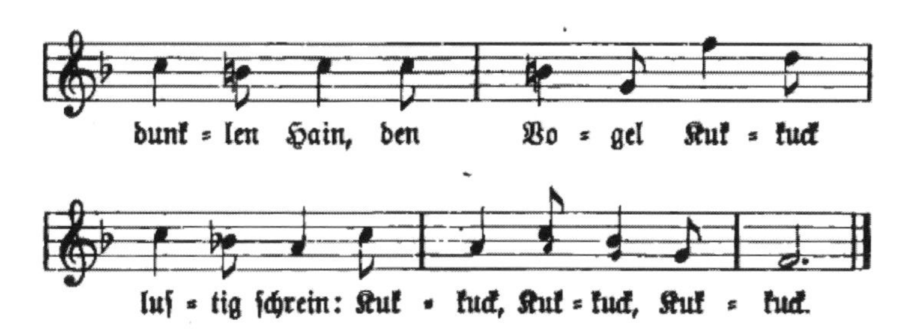

2. Sie setzte sich ins hohe Gras
Und sprach gedankenvoll:
„Ich will doch einmal sehn zum Spaß,
Wie alt ich werden soll.“
Sie zählte wohl schon hundert Jahr,
Da schrie der Vogel immerdar:
Kuckuck, Kuckuck, Kuckuck.

3. Sie lief weit in den Wald hinein,
Da ward sie müd' und sprach:
„Ja, meinetwegen kannst du schrein,
Ich lauf' nicht weiter nach!“
Sie will zurück, da sprang hervor
Der Schäfer und ruft ihr ins Ohr:
Kuckuck, Kuckuck, Kuckuck.

Handschuhsheim.

Verbreitung. Nach *Erks Liederschatz I, 33 „Neueres Volkslied vor 1820.“ Nach Finks Musikalischem Hausschatz S. 9 soll Gleim Verf. des Textes sein, dagegen spricht Hoffmann, Vtl. Lb. S. 40. **Sachsen** Lb. d. deutschen Volkes, Lpz. 1843, S. 218, Nr. 742. **Hessen** Erk=Irmer II i 64; **Nassau** *Wolfram Nr. 82; **Anhalt** †Fiedler 125; **Schlesien, Brandenburg, Niederrhein** Erk=Irmer II i 64. **Elsaß, Rhein** Böhme, Vtl. Lb. 122.
Die mit dem Stern bezeichneten Melodien stimmen mit unserer zweiten Weise überein.

165. Schäfers Lieb.

Die, wo en Schäfer liebt,
Hat e groß Glick;
Bal kriegt sie mit'm Stecke Hieb,
Bal mit dr Schip.

Nüstenbach.

Verbreitung. Schwaben Birlinger, Schw. Vl. S. 72; Meier S. 48, Nr. 265; „Von der fränkischen Grenze", Alem. XVI, 69.

166. Der Fischer.

2. Sie hat ein'n rosenroten Mund,
Ihre Wangen, die seins kugelrund,
Ihre Händ' und Füße jung und klein,
Ihre Zähne weiß wie Elfenbein.

3. Jetzt fahren wir zur See hinaus
Und werfen unsre Netze aus.
Da kommen Fische groß und klein,
Ein jeder will einmal gefangen sein.

4. Und ist der Fischfang nun vorbei,
Dann kommt der schöne Monat Mai.
Dann kehren wirs beim Herzliebchen ein,
Herzliebchen will einmal geliebet sein.

5. Und ist der Fischfang nun vorbei,
Und kommt der schöne Monat Mai,
Dann treten wir vor den Traualtar.
Es lebe, lebe hoch das Fischerpaar.

Handschuhsheim.

Verbreitung. Verf. Johann Bürkli 1781 im Göttingischen Musenalmanach, *Saar, Schlesien, Lübeck, vgl. Köhler=Meier

Nr. 228. **Pommern** Andree, Globus 70, 1896, 270; Bl. f. pomm. Vk. IV, 180. Büsching und von der Hagen 136, Nr. 52. Vielfach in Fll. Bll., so Kgl. Bibl. Berlin Yd. 7902—4 (J. Meier). **Kanton Bern** Schwz. Archiv f. Vk. V, Heft 1, Nr. 47, die Melodie dort verwandt mit unserer Nr. 25.

167. Das arme Dorfschulmeisterlein.

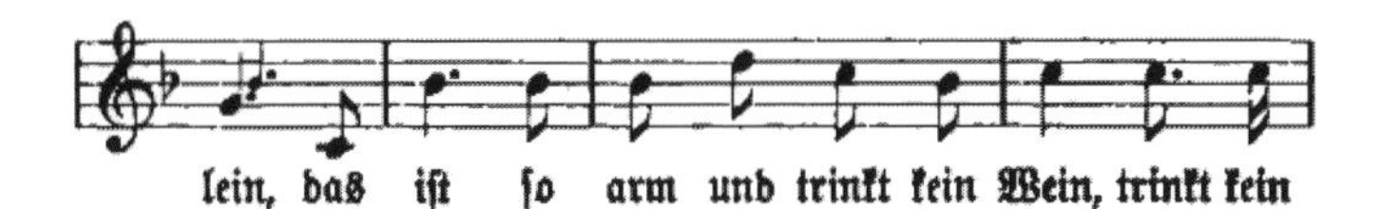

2. Des Morgens, eh' der Tag anbricht
Und alles noch am Schlafen liegt,
Da hängt er schon am Glockenseil,
Das arme Dorfschulmeisterlein.

3. Wird in dem Dorf ein Kind getauft,
Ei, sollt't ihr sehen, wie er lauft!
Die fünfzehn Kreuzer steckt er ein,
Das arme Dorfschulmeisterlein.

4. Und wenn im Dorf 'ne Hochzeit ist,
Ei, sollt't ihr sehen, wie er frißt!
Was er nicht frißt, das steckt er ein,
Das arme Dorfschulmeisterlein.

5. Und wird im Dorf ein Schwein geschlacht't,
Ei, sollt't ihr sehen, wie er lacht!
Die größte Wurst, die kêret sein,
Dem armen Dorfschulmeisterlein.

6. Und wenn er einst gestorben ist,
Begräbt man ihn wohl auf dem Mist.
Ein Holz, das ist sein Grabenstein,
Das arme Dorfschulmeisterlein!

Handschuhsheim.

Oder 6c Der Hund setzt ihm den Grabenstein.

Verbreitung. Schon 1743—48 bezeugt in der Reyherschen Liederhs. (Kopp, Deutsches Volks- und Studenten-Lied, 1899, S. 275). **Nassau** Str. 4 in einem Soldatenlied, Wolfram Nr. 297; **Thüringen** †Weimar. Jb. III, 327 ist wohl unser Lied gemeint. Kommersbuch der Tübinger Hochschule⁷, 1886, S. 318 (hat Str. 6c „Kein Hund setzt ihm den Leichenstein"). Nach J. Meier Bz. Kommersbuch f. d. deutschen Studenten (Magdeburg u. Lpz. 1858) 362, Nr. 282. **Lausitz** Neues Lausitzisches Magazin 59 [1883], 371, Anm. 1. **Magdeburg** Wegener Nr. 815, 834. **Pommern** Max Kunze, Beim Königsregiment 1870/71, S. 158. **Livland** G. Freiherr v. Manteuffel, Zwei deutsche altlivländische Volkslieder, für eine Singstimme gesetzt. **Preußen** Frischbier, Pr. Vl. in plattd. Mundart 49, Nr. 33. **Sachsen** Dähnhardt II, 17 ein Reim: „Schulmeisterlein, Schulmeisterlein, die größte Wurst soll deine sein!"

168. Dorfschulmeister.

Die Kinder.

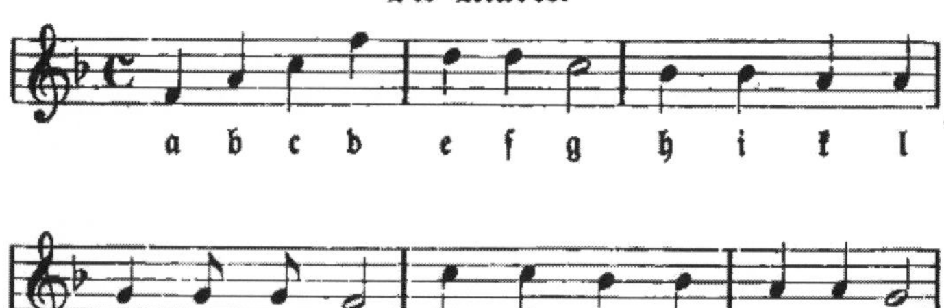

Der Schulmeister.

manchmal so warm! Ach, daß Gott, daß Gott sich er=barm'!
mit dem Stecken drein. So, so wird es bes=ser sein.

Sinsheim.

Verbreitung. Die Melodie ist das bekannte „Ah vous dirai-je Maman“, das (um 1780?) unter dem Titel „Les Amours de Silvandre“ in Paris erschien. Diese, meines Wissens, erste Fassung befindet sich im Britischen Museum B 362b/88. Mozart schrieb Variationen auf dieses Thema. Nach Tappert (Wandernde Melodien S. 15) ist der erste Satz der Melodie auf ein Lied in Forsters Sammlung 1549 zurück zu führen. Nach Erk=Böhme II, 592 soll es die alte Weise zu „Morgen muß ich fort von hier“ sein, am Ende des 18. Jhs. sehr verbreitet. Den Text kenne ich nur noch aus Erks „Deutscher Liederschatz“ III, 1, wo die einzige Anmerkung „Volksweise nach Leonhard von Calls Bearbeitung“ nur die Melodie betrifft; er ist mir aber aus **Sachsen** Anfang des 19. Jhs. mündlich bezeugt, allerdings nur für den ersten Teil.

169. Die Müllerin.

1. Es war einmal eine Müllerin,
Ein wunderschönes Weib;
Sie wollte selber mahlen,
Das Geld wollte sie ersparen,
Wollt' selber der Mahlknecht sein.

2. Und als der Müller nach Hause kam,
Ganz leise klopft er's an:
„Steh' nur auf, steh' nur auf, du Stolze!
Mach' mir's ein Feuer von Holze,
Vom Regen bin ich naß.“

3. „Ich steh' nicht auf, laß dich nicht ein,“
Sprach gleich die Müllerin fein.
„Stehst du nicht auf, läßt mich nicht 'rein,“
Sprach gleich der Müller ganz frech,
„So will ich die Mühle verkaufen,
Das Geld will ich versaufen
Für lauter Bier und Wein.“

4. „Willst du's die Mühle verkaufen,
Das Geld willst du versaufen
Für lauter Bier und Wein,
So kauf' ich mir's eine andere
Dort oben auf dem Berge,
Wo kühles Wasser fließt."

Schriesheim.

Geschichte. Lieder ähnlichen Anfangs giebt es in einer Straßburger Hs. um 1430 (Erk-Böhme I, 497), in einer holländischen Hs. des 15. Jhs. (Horae Belg. II, 85), im Ambraser Lb. Nr. 173 und 220, und in J. Otts 115 Lieder im Jahre 1544. Nach Erk-Böhme werden die beiden ersten Zeilen 1590 von Fischart zitiert. Das ganze Lied im Berglieberbüchlein um 1740 (Nr. 127). Unerbaulich genug ist diese ganze Sippschaft der „Müllerlieder"; weshalb stehen Müller und Müllerin beim Volke in so schlechtem Ruf?

Verbreitung. Schwaben, Odenwald, Hessen, Nassau, Mosel, Rhein, Franken, Voigtland, Böhmen, vgl. Köhler-Meier Nr. 128. Dazu **Taunus, Elsaß** Erk-Böhme I, 497. **Odenwald** †Volk S. 191.

170. Der Gärtner.

1. Es war einmal ein Gärtner,
Der sang sein trauriges Lied,
Der ging in seinen Garten
Seine Blümlein alle zu erwarten.
Sein Mädchen war dabei.

2. „O holdes Gärtnermädchen!
Könnte ich nur bei dir sein,
Könnte ich dich einmal küssen,
Dich in meine Arme einschließen,
O wär' ich, o wär' ich, o wär' ich nur bei dir!"

3. „Holder Gärtner, brauchst dich gar nicht zu bemühen,
Deine Blümlein werdens alle welk;
Deine Blümlein, deine Blümlein,
Deine Blümlein werdens alle welk."

Schriesheim.

Verfasser. Joh. Martin Miller im Jahre 1775 und zuerst in seinem Siegwart veröffentlicht 1776 (Köhler-Meier Nr. 98).

Verbreitung. Schwaben, Saar, Rhein, Schlesien, Westfalen, Brandenburg, Pommern (ib.); **Lothringen** Fragm. Jb. f. lothr.

Gesch. II, 355 (Meier Vz.); **Schlesien** Zs. f. Volkskunde IV, 313; **Westpreußen** Fragm. Treichel Nr. 24 (ib.); vollständig in Treichels Ms. (J. Meier). Str. 3 kontaminiert mit Nr. 97 oben.

171. Bergwerksleut'.

2. Der eine haut das Silber
Und der andere das Gold,
Denn den schwarzbraun'n Mädelein
Sind sie hold.

Handschuhsheim.

Verbreitung. **Vor** 1550 Bergkreyen Uhland Nr. 93 A; **um** 1740 Bergliederbüchlein Nr. 75; **vor** 1750 Reinh. Köhler, Alte Bergmannslieder S. 47 ff.; **um** 1800 Fl. Bl. im Brit. Museum 1347 a 12; 1806 Wunderhorn I, 114. **Elsaß** Mündel Nr. 188—9; **Schwaben** Meier 169; **Hessen, Odenwald, Bergstraße** Erk, Ldh. Nr. 79, Erk-Böhme III, 358, Erk-Irmer III, 79—80, †Wolf S. 191; **Badische Pfalz** Neue Hdg. Jb. VI, 121; **Nassau** *Wolfram Nr. 347; **Rhein** *Becker Nr. 98, Simrock Nr. 272; **Franken** Ditfurth *347; **Thüringen** Reinh. Köhler, Bergmannslieder S. 47; **Sachsen** Döring II, 211, Roesch 179, Müller 111 (nach Wolfram); **Böhmen**

Hruschka 247, N. Böhm. Exkursionsklub XIX, 141; **Schlesien** *Hoffmann Nr. 267, Meinert 125; **Harz** Pröhle Nr. 72, Firmenich III, 279; **Bergisch, Märkisch** Erk-Irmer II, 60; Kommersbuch S. 440. Vgl. noch Köhler-Meier Nr. 324.

172. Der Schmied.

Nüstenbach.

Melodie „Mein Lieb ist eine Alpnerin". Komponist Karl Karow, gedruckt schon 1836. Hoffmann, Vtl. Lieder, hsg. Prahl, Nr. 864.

173. Schornsteinfeger.

(Spottreim.)

Schornsteifeger kreideweiß!
Hat e Säckele volle Laiß,
Kann's nimme trage,
Schmeißt's auf de Wage,

Wenn de Wage verbricht
Schmeißt's auf de Mischt,
Wenn de Mischt verfault
Schmeißt auf de Gaul,
Wenn de Gaul verreckt
Schmeißt's in de Dreck.

Heidelberg.

2 Hat sei Keppele volle Laiß.

Verbreitung. Blaubeuren. Alemannia XX, 288.

174. Der Pannefliďer.

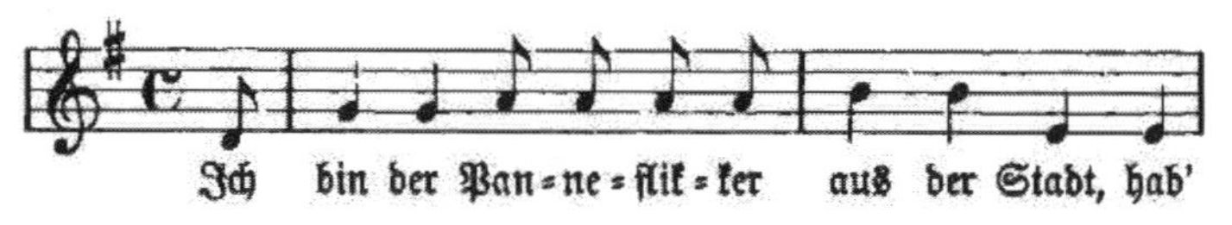

2. :|: Da kam er's vor eines Drechslers Haus,
Eine Mamsell schaut heraus :|:
„O Panneflicker, komm herein!
Es wird schon was zu flicken sein.“

3. Da reicht sie ihm ein Pännelein,
Das war bedeckt mit Ruß,
Darinnen war ein Lechelein
Groß wie ein Ochsenfuß:
„O Panneflicker, gebet acht,
Daß ihr das Loch nit grösser macht!"

4. Und als der Panneflicker fertig war,
Das Lechelein war geflickt;
Da hat sie ihm ein Silberstick
Wohl in die Hand gebrickt.
Der Panneflicker schwenkt den Hut:
„Adje Mamsell! so geht es gut!"

Handschuhsheim.

Oder 1c macht sich nichts draus. 3d so groß wie ein Ochsenfuß. 3e gieb recht acht. 3f daß du. 4a und als das Pännelein fertig war. 3f mir geht es gut.

Das „pflickt" in Str. 1 aus Bestreben wenigstens einmal das „gebildete" pf auszubringen. Die Sängerin wurde dennoch von ihren Kameradinnen ausgelacht.

2. Da hab' ich nur noch eins gehabt,
Das kauft mir gleich die Bäuerin ab.
Die Bäuerin ruft den Oberknecht
Und sagt: Sie versteht's nit recht.

3. Der Oberknecht kam gleich herbei
Und sagt, daß 's en guter Wetzstein sei:
„Drum kauft Ihr ein, denn Ihr braucht ja ein'n,
Und der Wetzstein muß gut sein."

Nüstenbach, Handschuhsheim.

Oder 1b Mit Wetzstein in das ganze Land. 1c auf meim Buckel.

Mir sonst unbekannt. Melodie nach J. N. Freiherr v. Poißl (1826). „Auf der Alma da finden die Küh 's beste Gras" Erk, Liederschatz II, Nr. 11.

176. Der Savoyer.

2. Eine kleine Ranze
Samt meinem Murmeltier,
Das kann schön tanzen,
Zählen bis vier.

3. Ein blauer Kittel,
Hut und ein Kamisol
War's beste Mittel
Bis ins Tirol.

4. Herren und Frauen
Und die Kinder vor der Thür
Wollten beschauen
Mein Murmeltier.

5. Gaben für Speise
Und ein Pfennig in der Hand
Zu meiner Reise
Ins Schweizerland.

6. Schweiz ist mir lieber
Als das Savoyerland,
Tralala la la
Tralala la.

Nüstenbach.

Oder 3d Ins Tirel. 5a Knaben für Speise (!).

Verbreitung. Verwandt mit dem Spiel vom kleinen Murmeltier: **Hessen** Lewalter V, Nr. 61; **Schaffhausen** Unoth 1863, I, 52; **Schweiz** Rochholtz, Kinderlied S. 305; **Uckermark** Weinholds Zs. 1899, S. 392.

Ein verwandtes Lied vom „Verlorenen Sohn" aus **Unterfranken** *Ditfurth, Gesellschaftslied 349: „Als ich einstmal reiste in das Sachsenweimarland, da war ich der Reichste, das ist der Welt bekannt."

177. Der Lumpenmann.

2. Die Leute sagten's mir,
In diesem Hause hier
Da geb' es Lumpen nach der Dicke,
Nach der Größe, nach der Länge,
Lumpen ganze Zentner schwer.
Drum komm' ich ja zu euch her.
Lumpen! Lumpen!

3. Jetzt geb' ich meinen Kauf
Den Lumpenhandel auf.
Sonst könnten am End' die Leute sagen:
„Der Lump will nur nach Lumpen fragen".
Am Ende käm' ich ins Geschrei,
Daß ich selbst ein Lümpchen sei.
Lumpen! Lumpen!

Heidelberg, Nüstenbach, Handschuhsheim.

Verbreitung. **Elsaß** Mündel Nr. 199; **Nassau** *Wolfram Nr. 375, *Erk-Böhme III, 567; **Franken** *Ditfurth Nr. 345.

178. Zigeunerlied.

Die Melodie hatte Ähnlichkeit mit „Ihren Schäfer zu erwarten", wurde aber so falsch gesungen, daß ich nicht nachschrieb.

Lustig ist Zigeunerleben,
Wenn wir uns in Wald begeben;
In dem Wald ist unsre Freud',
Weil wir sein Zigeunerleut'.

Nüstenbach.

Verbreitung. **Elsaß** Mündel Nr. 237; **Schwaben** Meier S. 161, Birlinger, Schwäb. Bl. S. 136; **Lechrain** Leoprechting S. 276; **Schlesien** Hoffmann Nr. 40.

179. Straßenräuber.

Es giebt fürwahr kein schönres Leben
Auf der ganze weite Welt,
Als ein Straßenräuberleben,
Streiten um das liebe Geld,
In den Wäldern herumstreiche
Frische Beite zu erreiche.

Wilhelmsfeld.

Verbreitung. **Elsaß** Mündel Nr. 238; **Schwaben** Meier S. 184; **Nassau** Wolfram Nr. 376; **Böhmen** Hruschka S. 38 als Schäferlied; **Schlesien** Hoffmann Nr. 41; vgl. auch Alemannia X, 153 f., Nr. 5. Ein verwandtes Lied aber in andrem Metrum ist „'s giebt schönres Leben als das Räuberleben", Kommersbuch S. 674, nach J. Meiers Vz.: „Vf. W. Cornelius (?), Köhler-Meier Nr. 335, Wegener 242, Nr. 832." Ferner im Berglieberbüchlein um 1740 Nr. 144 „Ist doch wohl kein besser Leben auf der gantzen weiten Welt, als das edle Schäferleben" u. s. w.

V.

Lumpelieden.

17*

180. Die Heidelberger Mädchen.

A.

Heidelberg.

Verbreitung. Die erste Zeile natürlich nach dem Liede von Martin Usteri, geschrieben um 1793; (Hoffmann, Vtl. Lb. S. 56), die Melodie nach der dazu gehörigen Weise von Hans Georg Nägeli. Dieses Lied ist schon deshalb in Heidelberg sehr bekannt, weil die Militärkapelle am Kaisersgeburtstag vor Sonnenaufgang durch die Stadt zieht und beständig nur dieses Lied spielt. Als ich fragte, weshalb nur das eine Lied gewählt wurde, hieß es, die Kapelle könne sonst nichts auswendig!

Was das Spottlied betrifft, ähnlich singt man auch in **Tübingen** „Freut euch des Lebens! Tübinger Mädle hent Töffele an, alles ist vergebens, keine kriegt kein Mann". Meier, Kinderreim Nr. 266; aus **Ulm** „d' Stuegerter Mädle hant Stiefele na, alles ist vergebens, keine kriagt an Ma." Frommanns Zs. VII, 466.

B.

Die Heidelberger Mädle
Die habe rote Spenserlin an,
Sie thun die Hösle mit Spitze garniere
Und wolle die arme Studente verführe,
Aber keine, aber keine, aber keine kriegt en Mann.

Heidelberg.

181. De henseme Berschteln.

2. Un de henseme Berschteln sin kreizbrave Leit,
Ja, ja, ja!
Se trinke zwei drei Schoppen 'naus
Un zuletzt kommt nô de Humpe drauf.
Ja, ja, ja, frisch auf Viktoria!

3. Un de henseme Berschteln sin kreizbrave Leit,
Ja, ja, ja!
Se gehe an der Kirch vorbei
Als ob der Deifel selbscht din sei.
Ja, ja, ja, frisch auf Viktoria!

4. Un de henseme Berschteln sin kreizbrave Leit,
Ja, ja, ja!
Hewwe sie kei Geld, hewwe sie doch Schneid
Un de henseme Berschteln sin's kreizbrave Leit.
Ja, ja, ja, frisch auf Viktoria!

5. Un de henseme Berschteln se danze auch gern,
Ja, ja, ja!
Se danze zwä drei möl 'erum
Un zuletzt höißts: „Mädel dreh dich um".
Ja, ja, ja, frisch auf Viktoria!

Handschuhsheim.

Verbreitung. **Schweiz** Str. 5 als lokales Spottlied auf „Wauwel". Tobler I, 126; **Nassau** (die Bergmannsleut' sind die schönsten Leut') *Wolfram Nr. 357, *Erk-Böhme III, 372; ***Hannover** ib.; **Würzburg** Ditfurth Nr. 309 (Handwerksbursch' sind brave Leut'), so auch bei Schade, Handwerkslied 165; **Hessen** Mittlers Ms. „Bergleut' sein die schönsten Leut'".

182. Dischpedier Lied.

A.

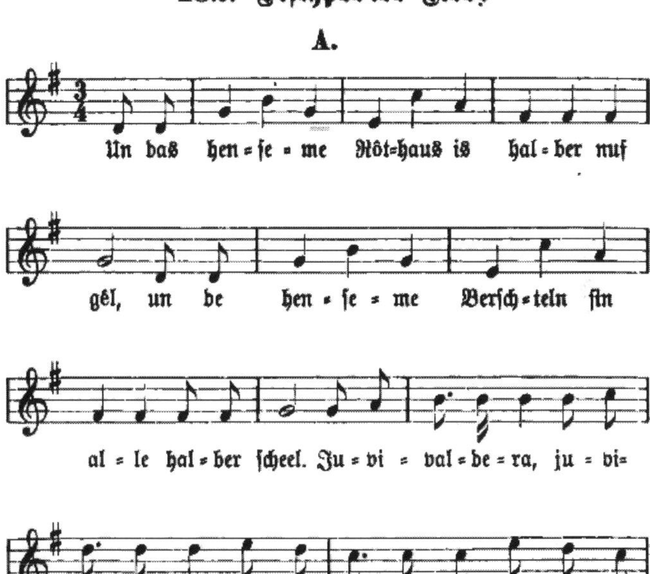

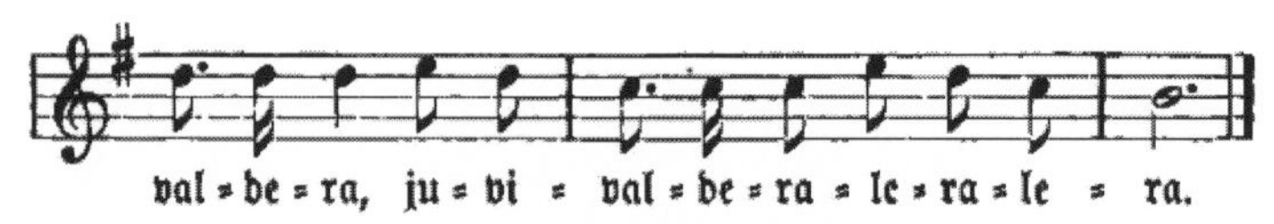

2. Uns henseme Röthaus
Hot höche Sparra,
Un de henseme Verschteln
Sin lauder Narra.

3. Un de henseme Verschteln
Hewwe Strohhütel uf,
Steht hinna un vorna
E Lumpekerl druf.

4. Uns henseme Röthaus
Is halba nuf schwarz,
Vun de henseme Verschteln
Wird kaner mai Schatz.

5. Un de henseme Verschteln
Sin alle so stolz,
Gehn Sundags zu der Musik
Un Wertags ins Holz.

Handschuhsheim.

In Wiesloch soll ein ähnliches Spottlied zu dieser Melodie gesungen werden.

Zur Melodie vgl. „Ach Mädchen vom Lande", Nr. 70.

Verbreitung. Solche Spottlieder finden sich wohl in jedem Dorfe, und weil man selbst beim Schimpfen nicht immer wieder Neues erfinden kann, dienen diese Strophen in den verschiedensten Gegenden unter Verwandlung des Dorfnamens demselben Zweck. Str. 3 von den „Amerschgrüner Mädle", „Thossener Mädle", Dunger Rundâs Nr. 1299—1300; von den „Bleiburger Buebn", Pogatschnigg II, Nr. 378. Str. 1 vom „Mieringer Turn" aus Tirol, Weinholds Zs. IV, 198; Str. 5 von den „Saalburger Mädle", Dunger Rundâs Nr. 1305. Vgl. Dähnhardt, Vtl. a. d. Königreich Sachsen II, 55.

B.

Die Schrieseme Mädle
Sin alle so stolz,
Die gehn Sonntags ins Wertshaus
Un Montags ins Holz.
Holdria, Holdria u. s. w.

Schriesheim.

Verwandt ist auch folgendes aus Neckar-Gerach:

C.

Vor'n Kreitzer sechs Äpfel,
De schennste sin siß,
Die Geracher Bursche
Hawwe all krumme Fiß.

183. De heuseme Guguk.

2. Do kleppere se mit Stange
Zum Dal 'naus, jung un alt,
De Guguk ei'zufange
Beim Hollermann[1]) im Wald.

3. Wu der sich boud hat g'schosse
Hockt selle uf'm Bâm
Un kreischt un mächt sei Bosse:
„Er Dappes,[2]) dappt nor haam.

---

[1]) bei der Holdermanns-Eiche.
[2]) Von den Dossenheimern werden die Handschuhsheimer immer „Dappes" genannt.

4. Freßt liwer Schweineknechel
Mit Sauerkraut un Worscht,
Un brät eich annere Bechel,
Wenn Kerwe isch, zum Dorscht.

5. Dort kennt er rum eich holze
Un danze um die Linn,
Mit eire Kätse rolze
Doch i bleib wu i bin!

6. Der Guguk legt eich selwer
De Eier als ins Nescht,
Drum schlacht net eire Kelwer
For flotte Kerwegäscht.

7. Un wollt er Elwetritsche
Eich fange, gêt nor hâm,
Daß die eich net entwitsche
Un werge bei de Nächt."

Handschuhsheim.

Die Handschuhsheimer Kirchweih findet im Juni statt, zur Zeit, wo der Kuckuck weniger singt; deshalb die lokale Sage, daß er zur Kirchweih gebraten wird. Diese Sage ist keineswegs auf Handschuhsheim beschränkt; ähnliches erzählt man von den Eberbachern im Neckarthal und den „Reihemern" der Sinsheimer Gegend (Alem. XXII, 277), auch von den Bewohnern der Gemeinde Würm bei Pforzheim (ib. 278). Text des Liedes ist nur wenig verändert nach einem Gedicht von Herrn Carl Christ aus Heidelberg, das er zuerst den 20. Februar 1897 in der Südwestdeutschen Touristen-Zeitung (Mannheim) veröffentlichte.

184. Die Kircherter Bube.

Die Kircherter Bube, die trutze so schnell.
O laß sie nur trutze, i weiß nit warum!
Sin lauder Schmarutzer, fahre überall 'rum.
Fahre überall rum, vor jedermanns Thür,
Wenn sie überall rum sin, no komme sie zu mir.

Verbreitung. Zur Zeile 2–3: **Schwaben** Meier S. 4 u. 10. Zur Melodie s. unten Nr. 231.

185. Gute Partie.

A.

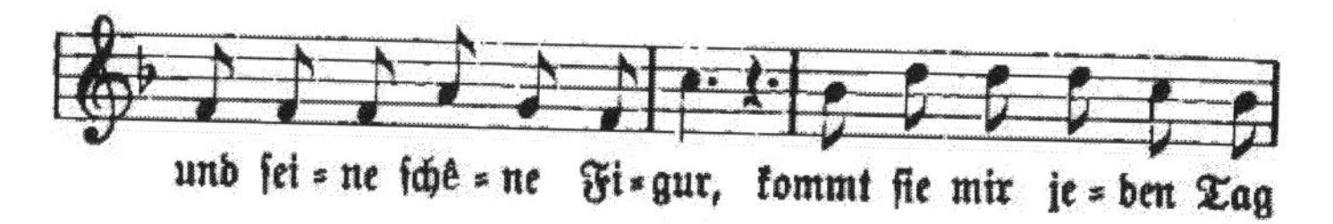

2. Sie hat e einsteckigs Haisele
Un e bissel Weinberg dabei;
Rebe, die wachse zum Fenster 'nei,
Traube, die kehre nicht sei.

Sinsheim.

B.

2. Sie hat e einsteckigs Haisele
Un e paar Wingert dabei,
Rebe, die wachse zum Fenster nei,
Bube, die rutsche dra' nei.

3. Und wenn sie iber die Straße geht
Mit ihrer schlanken Figur,
Kommt sie mir jeden Tag schêner fir
Mit de Pariser Frisur.

4. Und wenn ich in die Kirche geh.

* * *

Oder 1 e paar Acker. 3 seh ich sie iber die Straße gehn.

Handschuhsheim.

C.

Melodie in Nüstenbach.
Text wie Handschuhsheim 1—3.

Verbreitung. Steiermark Schlossar Nr. 158, S. 190; **Westpreußen** Treichel Nr. 114, 9, S. 147; vgl. Kommersbuch S. 701, „Serenade": „Wenn ich dich bei mir betrachten thu'." Diese Melodie zu „Allemal kann man nit lustig sein", Erk-Böhme III, 258 und II, 402; und zu „Unter mán'n Vôter sein Ochsenstall", Dunger Rundâs S. 299.

186. Das artige Mädchen.

2. Bin ich denn die Häßlichst' ünter allen?
Ach nein, ich glaube es nicht, juchhe.
Ich habe schon manchem gefallen,
Und mancher erfreuet auch mich.
Fidirula la u. s. w.

3. Einst saß ich in meinem Stübchen
Gerade für mich allein,
Da dacht ich an meinem Feinsliebchen,
Da kam es zur Thüre hinein.
Fidirula la u. s. w.

Handschuhsheim.

Verbreitung. Nur Str. 3 ist mir sonst bekannt, und die ist alt. 16. Jh. Heidelberger Hs. 343, Uhland Nr. 47. 1550—70

Fl. Bl. Nürnberg bei Valentin Neuber. Erk-Böhme II, 265. **1571** Geistl. Parodie ib. 1582 Ambraser Lb. Nr. 62, Str. 2. **Rhein, Oberlahn, Wetzlar,** Erk-Böhme II, 266. **Nassau** Wolfram Nr. 166.

187. Die Beichte.

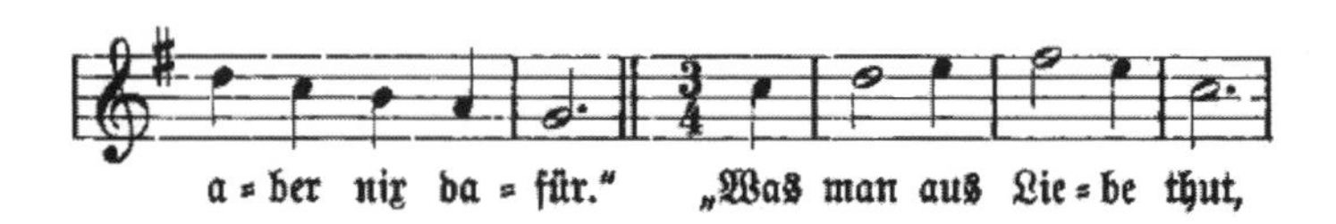

2. Es war grad' um Mitternacht,
Die Straße niemand passiert;
Es hat uns nur der Mond gesehn,
Grad' der hat uns geniert,
Als er mit seinem schön Gesicht
Uns küssen sah er zu,
Sang er ein Lied so wundervoll:
„Küßt euch nur immer zu!
Wenn man aus Liebe küßt,
Die ganze Welt begrüßt,
Das Küssen, das kann euch ja niemand verwehren,
Ich küss' ja selber gern.“

3. Es war gerad' bei Mondenschein,
Da sitzt die junge Maid;
Sie wartet bis der Hansel kommt
Zu ihrem Zeitvertreib.
Auf einmal klopft's ganz leise an
Am Kammerfensterlein,
Sie öffnet ihm, und er vor Freud'
Springt gleich zu ihr hinein.
Was man aus Liebe thut
Geht noch einmal so gut,
Was man aus Liebe hat gethan,
Das geht ja niemand nix an.

Handschuhsheim.

Geschichte. Nur der Refrain „was man aus Liebe thut“ u. s. w. ist mir sonst bekannt. **Voigtland** Rundas 1395 als Spruch; **Hinterpommern** Bl. f. p. Volksk. V, 129; **Westpreußen** Treichel Nr. 114, 33 mit der Anm.: „Volkstext zu „Gardes de la Reine“ von Godfroy.“ Allerdings nennt man den betreffenden Walzer so in Deutschland, er heißt aber „The Guards Waltz.“ Der Komponist ist der bekannte englische Militär-Kapellmeister Dan Godfrey Sr. Der Walzer erschien nach dem Katalog der Bibliothek im britischen Museum um 1864 und wurde laut dem Titelblatt für den Ball komponiert, den die Offiziere des Garderegiments in London zu Ehren des Prinzen und der Prinzessin von Wales veranstalteten. Das alles klingt modern genug und das Lied selbst ist wohl nicht älter als dieses Jahrhundert. Das Motiv aber ist volkstümlich und sehr alt. In Essex habe ich als Kind eine solche „Beichte“ gehört, eine Art Zwiegespräch oder Puppenspiel, die sich ganz ähnlich abwickelte, nur daß der Vater lange nicht so milde gesinnt war, wie in unserem Liede:

Fistelstimme: Holy Father, I've come to confess.
Bass: Well child, well?
F.: Holy Father, I stole a fish in the market the other day.
B.: Well child, well, what of that?
F.: Holy Father, I saw a nice young man in the market the other day.
B.: That was a very great sin and you'll have to do penance for that.
F.: Holy Father, what penance must I do?
B.: You must go to Rome and kiss the Pope's toe.
F.: Holy Father, I'd rather kiss you!

Verwandt mit diesem Zwiegespräch sind andere aus Shropshire, Haute-Bretagne, Straubing, Rotthalmünster u. a. alle im sehr lehrhaften Aufsatz von Anton Englert „Das Lied vom Pater Guardian“ vorgeführt, Weinholds Zs. IV, 437, vgl. auch S. 332 und 299. Hierher gehört auch das „Fragment einer Beichte, Alcine und der Pater' im „Zeitvertreib vor das schöne Geschlechte von Lenov Frankfurt 1765“, ein Dialog, worin der Geistliche sich in Liebesaffairen sehr milde zeigt, rügt dafür das Kartenspielen desto mehr.

„Sonst nichts? Wie leicht kann uns die Liebe nicht verleiten!
Ein Kuß, ein Rendezvous sind nichts als Kleinigkeiten!“

Und noch älter in den Newen teutschen Liedlein von Chr. Holland 1570, Nr. 19 „Es fuer, es fuer ein bawer in das holtz“, Teil II:

Da kam, da kam, da kam der Herr Beichtinger:
„O Son wilt du beichten? darumb komm' ich her."
„O Herr, o Herr, o Herr! ich gib mich schuldig,
Das ich mein tag het gerne schöner frawen hulde."
„O Son, O Son, O Son! das gib ich dir zur buß:
Was du ferten gethon hast, das dus hewer wider thust."

188. All' von einem Schlag.

A.

2. „O du Einfalt, bleib' bei Sinnen!
Hör' was ich jetzt zu dir sag!
Du wirst dabei nit viel gewinnen,
Wir sind all von einem Schlag."

Wilhelmsfeld.

B.

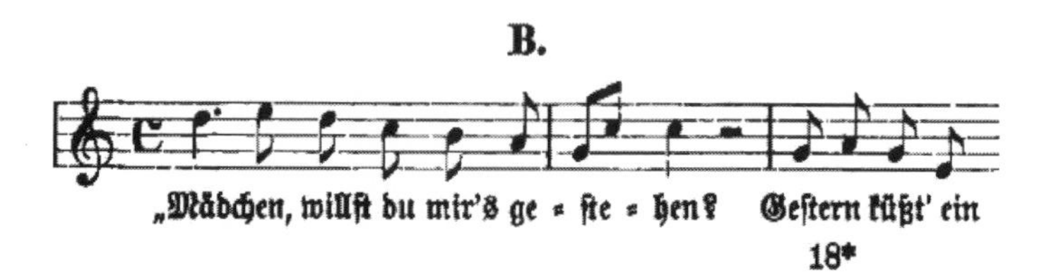

2. „Ei, so willst du dieses wissen?
Stelle dich in deine Ruh,
Meinst denn, du allein kannst küssen?
Ein Anderer küßt so gut wie du.

3. Ei, so willst du mich denn hassen?
Geh' zurück! es war nur Scherz!
Jenen Stolzen will ich hassen,
Komm und drück' dich an mein Herz!"

4. „Deine Liebe will ich fluchen,
Dich verabscheu'n, wo du bist,
Und will mir 'ne Andre suchen,
Die mir treu auf ewig ist."

5. „Holde Einfalt! geh' von dannen,
Geh' von deiner Einfalt nach!
Und ein Jeder soll es wissen,
Was für ein falsches Herz du hast."

Kirchardt.

Vgl. Köhler=Meier Nr. 107: Vf. Chr. F. Weiße 1772.
Verbreitung. Elsaß, Ulm, *Rhein, *Mosel, *Saar, Sachsen, Erzgebirge. Unser Text B ist sehr verdorben und die Strophenfolge verwirrt, sie sollte etwa folgendermaßen sein: 1, 2, 5, 4, 3.

189. Warum sollt' ich mich grämen?

Sinsheim.

Verbreitung. Tirol (als Teil eines Wechsellieds) Greinz und Kapferer II, 87; **Ungarn** als zweite Str. eines Liedes (erste Str. ist unsre Nr. 190, Str. 2 und 3—8 mit unserem „Graf und Nonne" verwandt) „Was soll ich dich denn nehmen, wenn ich dich ja gar nicht mag." Ethnol. Mitt. aus Ungarn II, 94.

190. Das liebe gute Mädchen.

2. Sie sagt: ich sollt' sie nehmen,
Sobald der Sommer kommt.
Der Sommer ist gekommen,
Und ich hab' sie nicht genommen:
:: „Scher di weg von mir ::
Scher di weg von meiner Thür."

3. Warum ich sie nicht nehme,
Das liegt schon auf der Hand.
Denn sie ist nicht schön von Angesicht,
Sie hat eine sichelkrumme Nas' im G'sicht:
:: „Scher di weg von mir ::
Scher di weg von meiner Thür."

4. Jetzt hab' ich noch drei Kreuzerling,
Ist all mein bares Geld.
Dafür kauf' ich mir Bier und Wein,
Einen zuckersüßen Branntewein,
Versoffen, versoffen, versoffen müssen sie sein.

Nüstenbach, Heidelberg.

Geschichte. Str. 2 1569 Jacob Mailand Nr. 3; 1586 Regnart, Neue kurtzweilige Teutsche Lieder Nr. 1; 1580 vgl. Köhler = Meier Nr. 105.

Verbreitung. Süddeutschland, Elsaß, Ulm, Tirol, Bayern, Pfalz, Nassau, Rhein, Mosel, Franken, Sachsen, Böhmen.

Zur Melodie vgl. das Brombeerlied Nr. 6 und folgendes, das ich in Heidelberg auf der Straße pfeifen hörte:

191. Die adelige Gänshirtin.

2. Was fand ich auf der Straße?
Ein Mädchen ohne Nase.

3. Sie sagt, ich sollt sie nehmen,
Ich thät mich ihrer schämen.

4. Sie sagt, sie könnt gut kochen
Aus lauter, lauter Knochen.

5. Sie sagt, sie thät auch erben
Ein ganze Sack voll Scherben.

6. Sie sagt, sie könnt schön tanzen;
Ihr Rock, der ist mit Franzen.

7. Sie sagt, sie sei von Adel;
Der Gänshirt sei ihr Vater.

Nüstenbach.

Verbreitung. Elsaß Alsatia 1854–5 S. 172; **Schwaben** Meier S. 116; **Nassau** Wolfram Nr. 256; Erk-Böhme II, 360; **Hessen** ib.; **Rhein** Simrock Nr. 213–14; **Sonneberg** Schleicher Nr. 45; **Schlesien** Hoffmann Nr. 69, Meinert S. 50; **Berlin** Erk-Irmer I, 16. Das Gegenstück „Ich hott emol e Freier" bei Wolfram Nr. 254, Lewalter III, Nr. 36.

192. Wenn ich's emal heirate.

2. Wenn der Mann vom Wirtshaus heim kommt,
Der Stiefelknecht muß in Bereitschaft schon stehn,
Muß ihn anfassen bei der Hand,
Muß ihm ausziehen das Gewand;
„Ach lieber Mann," muß sie schon sagen,
„Ich will dich ins Bett hinein tragen."

Nüstenbach.

Verbreitung. **Salzburg** Süß Nr. 374 (als Schnaderhüpfl); **Niederösterreich** Frommanns Zs. IV, 534; **Franken** *Ditfurth 155, Nr. 212; **Böhmen** Čejke národnj pjsně Nr. 48.

193. Schnur und Schwieger.

„Wo wollt ihr eu-er Brot her-krie-ge?" sprach die

al-te Schwäge-rin. „In dem Bäk-kers-la-de ist das

Brot zu ha-be," sprach das jun-ge Mäd-chen wie-der.

2. „Wo wollt ihr euer Fleisch herkriege?"
Sprach die alte Schwägerin.
„In dem Metzgerlade
Ist das Fleisch zu habe,"
Sprach das junge Mädchen wieder.

3. „Wo willst du dein Bett herkriege?"
Sprach die alte Schwägerin.
„Schmeißt man Stroh ins Eck,
Hat mr glei e Bett,"
Sprach das junge Mädchen wieder.

4. „Wo willst du deine Wieg' herkriege?"
Sprach die alte Schwägerin.
„Mit zwei Wellepriegel
Hät mr glei e Wieg,"
Sprach das junge Mädchen wieder.

5. „Wo willst du bei Kind herkriege?"
Sprach die alte Schwägerin.
„Das geht dich nichts an,
Das macht mir mein Mann,"
Sprach das junge Mädchen wieder.

Handschuhsheim.

Geschichte. 1560? Nürnberg? Fl. Bl. im brit. Museum 11522 df 35; um 1570 Fl. Bl. (Uhland Nr. 276); 1571 Ammerbach, Orgeltabulatur (Erk=Böhme II, 781); 1573 Orlando di Lasso II, Nr. 1 (ib.); Fl. Bl. von Hans Koler, Nürnberg o. J., Kgl. Bibl. Berlin Ye. 546; 1574 Utenthal Frőliche neue Teutsche u. Frantzös. Lieder Nr. 13; 1579 2 Lieder auf die Spanier in den Niederlanden im Thon „wie die alte Schwieger" (Erk=Böhme); 1582 Ambraser Liederbuch Nr. 132; 1583 O. di Lasso, Teutsche Lieder Nr. 36; 1611 Franck, Quodl. (Erk=Böhme); 1618 Erfurter Liederbuch (Uhland); um 1740 Berglieberbüchlein Nr. 40.

Verbreitung. **Schweiz** Tobler I, 124; **Elsaß** Mündel Nr. 225; **Österreich** Ziska u. Schottky S. 58; **Siebenbürgen** Schuster S. 135; **Hessen** Erk=Böhme II, 681; *Erk, Liederhort Nr. 36; **Nassau** *Wolfram Nr. 266; **Böhmen** Hruschka S. 206; **Schlesien** Hoffmann Nr. 200; **Brandenburg** Erk=Böhme II, 681; *Erk, Ldh. Nr. 36.
Die Melodie ist dem Liede „Soviel Sternlein wie da stehen" entnommen.

194. Das Häusel am Rhein.

A.

2. Zwei Kinder, die hat sie, schon zwei,
Die verführen ein jämmerlich's G'schrei;
Auf de' Arm soll ich sie nemme,
Soll's Haisele umrenne —
Jetzt wollt ich wärs wieder allein.

3. Vor dem Haisel da stehet ein Stein,
Und das ist ja so hübsch und so fein,
Und in all meinen Zimmern
Gefallt mir's halt nimmer —
Jetzt wollt ich wärs wieder allein.

Nüstenbach.

B.

2. Und nebe dem Haisel steht e Stä
Ich sitze darauf und schneid Spä u. s. w.

3. Dem Viehhirt sei Dirndel von der G'mä.

* * *

Handschuhsheim.

C.

1. I hab e schö Häusel am Raa,
Deß isch e so nett un so kla;
Aber all meine Zimmer
Gefallen mir nimmer,
Weil ich bin im Häußl alla.

2. Un nebe am Raa stet e Sta,
Do setz i mi bruf un schneit Spa;
Die Aussicht isch prächtig,
Do seh i weit mächtig,
Aber ich bin im Häußl alla.

3. Dem Viehert sei Dirntl von der Gma,
Die was halt schon lang wie i's ma;
Zum Weibl habs genumme,
Es isch schon drei Summe,
Seit dem bin i nimma alla.

4. Jetz will mirs halt ga nimmer ga,
Jetz wird mir mei Häußl zu gla,
Die Ruh isch ausgefloge,
Sie hot mi betroge,
Ach wär i doch wieder alla.

Handschuhsheim schriftlich.

Die „Orthographie" des Originals habe ich in Fassung C beibehalten.

Geschichte. „Desch geht noch vom dreißigjährige Krieg her" sagen die Handschuhsheimer von diesem Liede, aber dennoch ist es erst vom Jahre 1822 und sein Vf. ist J. F. Castelli (Hoffmann, Vtl. Lb.⁴, S. 158), vgl. auch Böhme, Vtl. Lb. S. 598, Nr. 5.

Verbreitung. **München** *Erk-Böhme II, 688, *Erk-Irmer I iii 40 (unsere Melodie B); **Tirol** Greinz und Kapferer I, 110; **Franken** Ditfurth Nr. 1896 (eine Frauenklage, das Haus liegt „am Main"); **Böhmen** Hruschka 209; **Südungarn** Ethnol. Mittlgn. aus U. III, 355. Nach J. Meier: **Kärnten** Pogatschnigg II, 232, Nr. 750; **München** Englerts Ms.; **Böhmen** Urban S. 44.

195. Kleiner Mann und große Frau.

2. Große Frau wollt' auf Tanzboden gehn,
Kleiner Mann, der wollt' auch mitgehn.

3. „Kleiner Mann, du bleibst zu Haus!
Spülst Teller und d' Schüssel aus."

4. Als große Frau vom Tanzboden kam,
Kleiner Mann in die Ecke sprang.

5. „Kleiner Mann, was hast denn g'schafft?"
„Hab zweimal umgestrickt und dreimal abgemacht."

6. Große Frau nahm den großen Stock,
Schlug den kleinen Mann auf den Kopf.

7. Kleiner Mann sprang ins Nachbars Haus:
„Nachbar! was ich euch muß klagen!
Mich hat heute meine Frau verschlagen."

8. „Nachbar, sei zufrieden!
Meine hat mir's gestern g'rad so gemacht."

Nüstenbach, Wilhelmsfeld.

Verbreitung. Schweiz, Salzburg, Hessen, *Nassau, Rhein, Saar, Franken, Böhmen, Kuhland, Niederlausitz, Schlesien, Norddeutschland, Göttingen, Harz, Altmark, Magdeburg, Uckermarck, Brandenburg, Berlin, Westpreußen, vgl. Köhler-Meier Nr. 210. Dazu **Eifel** Schmitz, S. 157 „das Kauschermännchen"; **Hessen** Mittler Nr. 263; **Thüringen** Wm. Jb. III, 295 (die Frau wird geschlagen); **Schwaben** Neues Volksliederbuch Reutlingen S. 73; **Schleswig-Holstein** Erk-Böhme II, 686; **Pommern** Bl. f. pomm. Volksk. V, 132; **Nordwest-Böhmen** Geschichte d. Deutschen in B. XX, 286; **Baiern** Erk-Böhme II, 694, mit Nachweis an Archiv f. Litt. Geschichte, 1886, S. 206 und Zs. f. d. Mundarten VII, 211—214; **Niederrhein** als Kinderspiel Urquell N. F. I, 334 f. (J. Meier). Für die Litteratur vom sehr nahe verwandten **Lied vom Bettelweibl**, vgl. Köhler-Meier Nr. 210; dazu **Kärnten** Pogatschnigg II, Nr. 564; **Österreich** Ziska u. Schottky S. 54; **Südböhmen** Frommanns Zs. V, 408. Eine Nebenart von diesem ist auch das **Lied vom Vetter Hans und Gretele** aus Erstein in **Elsaß**, Alsatia 1856—7, S. 197, wo Hans auf die Kirchweih gehen will, und Jockele zum Schluß den klugen Rat giebt, die Frauen lieber sein lassen „mr hänn e greßri Ehr dervo."

Unser Lied ist auch unter den Studenten bekannt, *Kommersbuch[53], S. 679. Es wird beinahe überall im Dialekt gesungen.

Geschichte. Wir haben es hier mit der Nachkommenschaft des alten Liedes vom **„Herorimatori"** zu thun, vgl. Goedeke und Tittmann S. 133; **1535** Graslieblin Nr. 25; **1540** Forster II, 32; **1544** Schmeltzels Quodlibet Nr. XI; 1578 Caspar Glanner, München Nr. 21; **1605—8** Liederbuch des P. Fabricius Nr. 145. Aber in dieser Form erscheint unser Lied zuerst im Wunderhorn II, 420.

196. Madam.

„Ma-dam, Madam, Ma-dam! nach Hau-se sollst du

sei er krank, schmeißt ihn auf die Ho=belbank; ich komm' nicht,

2. Madam, Madam, Madam!
Nach Hause sollst du kommen,
Dein Mann, der ist schon tot."
„Ist er tot, sei er tot,
Frißt er a kei Käsebrod,
Ich komm' nicht, ich komm nicht,
Ich komm nicht' nach Haus."

3. . . . Die Träger sind schon hier."
„Sind die Träger auch schon hier,
Sie bekommen's Tragebier." . . .

4. . . . Sie tragen ihn schon fort."
„Tragen sie ihn auch schon fort,
Kommt er auch an seinen Ort." . . .

5. Sie scharren ihn schon zu."
„Scharren sie ihn auch schon zu,
Kommt er auch an seine Ruh'." . . .

Kirchardt.

Gegenstück zum bekannten „Tod von Basel", aber auch hier ist es zuweilen die Frau, welche so wenig vermißt wird.

Verbreitung. Schwaben, Baiern, Österreich, Steiermark, Kärnten, Gottschee, Pfalz, *Hessen, *Nassau, Siebenbürgen, Rhein, *Mosel, *Saar, Franken, Leipzig, Böhmen, Westfalen, Brandenburg, Niederländer und verwandtes aus dem Ungarischen, Griechischen und **Macedo-romänischen**, vgl. **Köhler-Meier** Nr. 209. **Dazu Sachsen-Meiningen** Erk-Böhme II, 696; **Kuhländchen** Zs. f. Öst. Volksk. III, 266: **Osnabrück** Firmenich III, 160.

C. M. Weber hat das Lied aufgezeichnet (Erk-Irmer I iv 67) und komponiert (Erk-Böhme).

197. Der Bauer im Odenwald.

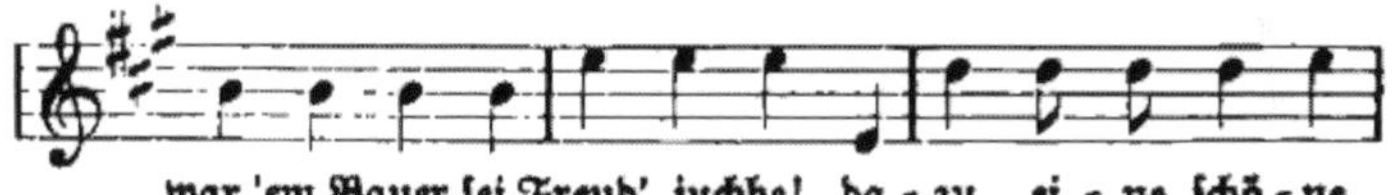

2. Die Bäuerin auf den Jahrmarkt ging,
Der Bauer, der Bauer fror,
Da sagt er zu der Dienstmagd:
„Geh du mit' mir auf Stroh."

Handschuhsheim.

Verbreitung. Mir nur sonst aus **Franken** bekannt, Ditfurth Nr. 68, wo der Bauer auch Odenwälder ist. Zur Melodie vgl. Lewalter IV, Nr. 28: „Mein lieber Wilhelm liebet mich“ und unten Nr. 198.

198. Holla Jägerle juk!

2. Der Bauer ging geschwind nach Haus
Zu seiner Magd in die Küche 'raus:
„Elise, koch' geschwind ein'n Brei,
Und schlag' em Dutzend Eier d'rei.“

3. Horch! in der Kammer rumpelt was.
Die Magd, sie sagt, der Wind thut das;
Und als er in die Kammer kam,
Da zog der Schatz die Hosen an.

4. Der Bauer nahm den Besenstiel
Und schlug dem Schatz von hinten viel.
So wird es allen Pfaffen gehn,
Die zu des Bauern Weibern gehn.

Verbreitung. Schwaben Meier S. 386; **Steiermark** Schlossar Nr. 297; **Siebenbürgen** Schuster S. 138; **Hessen** Lewalter II, Nr. 30, Mittler Nr. 233; **Franken** Ditfurth Nr. 66; **Thüringen** Weimar Jb. III, S. 290; **Böhmen** Hruschka 223; **Lausitz** verwandt ist Haupt und Schmaler I, S. 152; **Märkisch** Frommanns Zs. VII, 441; **Preußen** ib. VII, 211, 213, Treichel Nr. 28.

Ein verblaßtes Überbleibsel der vielen rohen Spottlieder über Unzucht der Geistlichen. Nur aus den letzten Zeilen ersehen wir, daß es sich hier um einen Pfaffen handelt; auch wird die Bauernfrau der meisten Fassungen hier durch die Magd vertreten. Der erste Satz der Melodie ist dem „Doktor Eisenbart" entnommen; zum zweiten vgl. oben Nr. 197.

199. Der Brief.

2. Das Brieflein hab i aufg'macht,
Da hat mir mei Herz g'lacht,
Da bin i glei gange bei stockfinstrer Nacht.

3. Als i hin kam zu ihr,
Klopf ich an an die Thür:
„Was thu i, was mach i, daß i nei komm zu dir?"

4. „Zieh die Hosen heraus,
Stell die Stiefel ins Eck,
Stell die Stiefel ins Eck, leg di 'rei in mei Bett."

5. Jetzt haben die Buben
Die Stiefel versteckt,
Dazu noch den Bauer
Vom Schlaf aufgeweckt.

6. Der Bauer is komme,
Schlug mr eine auf's Maul,
„Du Lump!" hat er glei g'sagt,
„Was thust du bei meiner Magd?"

7. „Du närrischer Bauer!
Was du thust bei deinem Weib.
Schlaf so gern bei dem Mädel
Als du bei dein'm Weib."

Kirchardt.

Verbreitung. **Salzburg** M. V. Süß, Schn. Nr. 358—9; **Tirol** Greinz und Kapferer I, 62; **Kärnten** Pogatschnigg II, Nr. 604; **Steiermark** Schlossar Nr. 346; **Wiener Wald** Firmenich III, 414; **Voigtland** Str. 1 Dunger Rundâs Nr. 393.

200. Der Hawersack.

A.

2. Nicht weit davon wohnt ein Edelmann,
Oho! so so!
Der wollte Müllers Tochter ha'n.
Fidiri, fidira u. s. w.

3. Der Edelmann hat einen Knecht,
Und was er that, war alles recht.

4. Der Knecht, der steckt' seinen Herrn in den Sack
Und trägt ihn in die Mühl' hinab.

5. „Guten Tag, guten Tag Frau Müllerin!
Wo stell' ich meinen Hawersack hin?"

6. „Ei, stell' ihn dort in jener Eck',
Nicht weit von meiner Tochter Bett."

7. Und nachts um halber Zwölfe,
Da bekommt der Hawersack Händ' und Füß'.

8. „Ei Mutter, mach' geschwind ein Licht!
Der Hawersack schon bei mir liegt."

9. „Ei Tochter, hättest du still geschwiegen,
Einen Edelmann hättest können kriegen."

10. „Einen Edelmann, den mag ich nicht,
Meinen munteren Soldaten, den verlaß ich nicht."

Handschuhsheim.

B.

Schönmattenwaag.

C.

Hierher gehört auch eine Umdichtung des alten Liedes, ein Spottlied von den Rüstenbacher Burschen, Sommer 1897 gemacht. Drei Strophen mögen als Beispiel genügen:

2. Der Hildebrand hat en schene Knecht,
Und was er thut, das thut er recht.

3. Und wann die Gretel Kuche backt,
Der Hawersack sich lustig macht.

Geschichte. In Fischarts Gargantua, vgl. Köhler=Meier Nr. 129; 1679 Hecks Liederhs. (Erk=Böhme) I, 479; 1716 holländisch (ib.); 1777 Nikolais Alm. S. 59.

Verbreitung. Elsaß, Schwaben, Steiermark, Kärnten, Hessen, Frankfurt, Nassau, *Saar, Rhein, Franken, Thüringen, Böhmen, Schlesien, Lausitz, Brandenburg, Ostpreußen, vgl. Köhler=Meier. Dazu **Böhmen** Gesch. d. Deutschen in B. XX, 282; **Odenwald** mit Melodie und Kehrreim unserer Nr. 75, *Erk=Böhme I, 480. Die Nüstenbacher Melodie ist wohl die bekannteste; sie findet sich auch bei Köhler=Meier, Lewalter IV, 3, Wolfram Nr. 57 und (zum Brombeerlied) Erk=Irmer I, 2, 56, aus dem Bergischen.

Ein Singspiel der englischen Komödianten hat vielleicht diesen Stoff zum Gegenstand (vgl. J. Bolte, Die Singspiele der englischen Komödianten, S. 44). Jedenfalls wurde der Stoff zu einer handschriftlichen Marionettenkomödie gebraucht „Das schöne Müllermädchen“ oder „Die Liebe im Sacke,“ Weimarer Bibl. ib. 187.

201. Spottlied.

Da wir einmal durch Nr. 200 C auf rein lokale Spottlieder gekommen, wie sie in den Dörfern der Pfalz in der allerletzten Zeit entstanden sind, gebe ich noch ein Beispiel, dessen Melodie mit Köhler=Meier Nr. 318 „Leise über sanften Wogen zieht ein Schifflein seinen Lauf“ übereinstimmt. Fastnacht 1898 entstanden, war es eine Zeit lang Mode im Dorfe. Vier Strophen gemeiner persönlicher Angriffe laß ich weg und gebe nur die letzte:

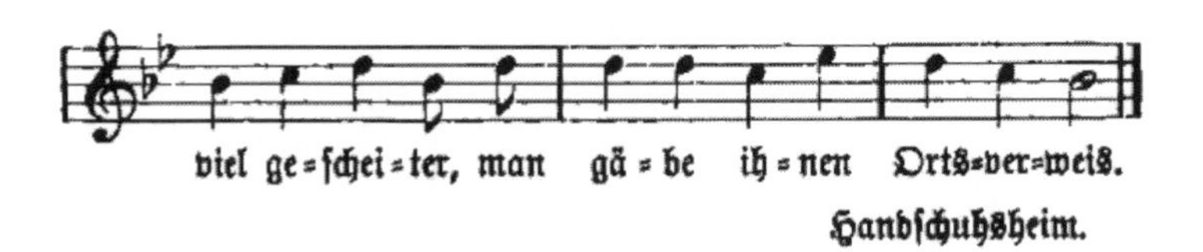

Handschuhsheim.

202. Es geschieht dir recht.

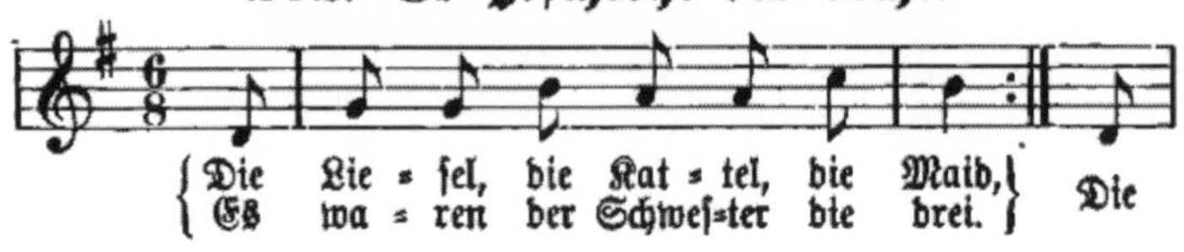

2. :|: Sie stellte ihn hinter die Thür, :|:
Bis Vater und Mutter schlafen war'n,
Zieht sie den Burschen herfür.

3. :|: Sie führte ihn oben hinauf, :|:
Er meint, sie thät ihn schlafen führen,
Stürzt sie ihn zum Fenster hinaus.

4. :|: Er fiel auf einen Stein, :|:
Daß ihm das Herz im Leib zersprang,
Dazu das linke Bein.

5. :|: Er krabbelte sich nach Haus. :|:
„Ach Mutter! bin's hinausgefallen
Auf einen harten Stein."

6. :|: „Mein Sohn, es geschieht dir ganz recht, :|:
Wärst du zu Haus geblieben
Wie ein andrer Bauersknecht!"

7. :|: Sie legt ihn auf das Bett, :|:
Und als das Glöckelein zwölfe schlug,
Hat ihn der Tod gestreckt.

Handschuhsheim.

Geschichte. 1536 Hans Neusidlers Lautenbuch x, 2; 1544 Schmelzel Quodlibet (Erk=Böhme I, 500); Fl. Bl. um 1550 (ib.); Fl. Bl. um 1570 (Uhland Nr. 260); 1582 Ambraser Lb. Nr. 259; 1603 Hainhofers Lautenbuch (Böhme, Ab. Lb. Nr. 73—4); Fl. Bl. Anfang 17. Jhs. (Uhland Nr. 260); 1622 Fragment in Francks Grillenvertreiber (Erk=Böhme I, 502); 1629—44 Aus dem Sammelbuch eines Danzigers (Altpreuß. Monatsschrift IX, 549, nach Treichel Nr. 13); um 1690 Hilarius Lustig, Zeitvertreiber (Erk=Böhme I, 501); 1750 Mdl. bei Thirsis Minnewitz (Uhland Nr. 260); 1806—8 Wunderhorn II, 204.

Verbreitung. Schwaben, Hessen, Nassau, Saar, Rhein, Franken, Vogtland, Sachsen, Erzgebirge, Böhmen, Kuhland, Oberlausitz, Schlesien, Saterland, Magdeburg, Berlin, Westpreußen, vgl. Köhler=Meier Nr. 123. **Schweiz, Elsaß** Erk=Böhme I, 500; **Rhein** verwandt ist **Becker** Nr. 62; † **Reuß** j. L. I, 181; **Dillingen** Ditfurth 110 Volks= und Gef.=Lieder Nr. 43; **Böhmen** Mitth. der Gesellsch. z. Gesch. d. Deutschen in B. XX, 281; **Schlesien** verwandt ist Meinert 115; **Lausitz** Haupt u. Schmaler I, 164; **Brandenburg** Erk=Böhme I, 500.

203. Die Laterne.

„Ei Hans=che, lie=ber Hans=che, leih mir dei=ne La=
Ha=ni=zun=dra bi=ra=li=ra=li=ra hanizundra dirali=

tern'! denn es ist ja stock=finster, und es leicht mir kein Stern."
ra, denn es ist ja stock=finster, und es leicht mir kein Stern."

2. „Mein Laternchen will ich dir geben,
Aber nimm dich in acht!
Wenn es einmal zerbrochen ist,
Wird es nimmermehr gemacht."
Hanizundra u. s. w.

3. Und ich nahm das Laternchen,
Stellt ein Lichtchen hinein,
Und auf einmal macht es knick=knack,
Und das Scheibelein sprang entzwei.

4. Nicht zu hoch und nicht zu nieder,
Nicht zu eng und nicht zu weit,
Denn an so ein'm Laternchen
Hat ein jeder seine Freud'.

Handschuhsheim.

Oder 1a Ei Hansche, mei liebes Hansche, warum weinst du so sehr? 4c denn an so einem schönen Mädchen.

Geschichte. 1777 Nicolais Almanach, Neudr. I, 31 „eyn schwebisch Volcks Lyd." Fl. Bl. vom **Ende des 18. Jhs.** ib. II, 64.

Verbreitung. **Elsaß** Alsatia 1854—4, 182; **Schwaben** Erk-Irmer I i 45; Birlinger, Schwäb. Vl. S. 76; **Rhein** Simrock Nr. 215; **Saar** *Köhler-Meier Nr. 197; **Harz** Pröhle Nr. 29, Str. 2; **Steiermark** Werle, Almrausch Str. 1 als Schnaderhüpfl (J. Meier).

204. Vor dem Fenster.

2. „Schatzel, bist stolz und magst mich nit?
Oder sind das dei' Fenster nit?
Schatzel, steh auf und laß mich ein."

3. „Ich steh' nicht auf, laß dich nit ein,
Du könnt'st heut' Nacht mei' Unglück sein;
Ich steh' nit auf, laß dich nit ein."

Sinsheim.

Geschichte. Melodie von Joh. Ph. Kirnberger 1773; den ursprünglichen Text „Wenn ich kein Geld zum Saufen hab', geh' ich und schneide Besen ab" kannte Lessing schon als Kind und schrieb über denselben 1777 an Nicolai (Friedländer, Das deutsche Lied im 18. Jh., S. 102). Nach dieser Weise sangen Studenten zuerst 1823 das von Uhland vor 1813 gedichtete Lied „Es zogen drei Burschen wohl über den Rhein", Böhme, Tanz II, 141; vgl. Hoffmann, Vt. Ld. S. 52.

Verbreitung. **Elsaß** Mündel Nr. 105; **Schwaben** Meier S. 25; **Tirol** Greinz und Kapferer II, 39; **Salzburg** Firmenich II, 717 (verwandt mit Str. 2); **Steiermark** Schlossar Nr. 148; **Kärnten** Pogatschnigg I, 1210 u. Nr. 988; **Österreich** *Ziska und Schottky S. 167; **Süddeutschland** Hörmann, Schn. 224, Schnaderhüpfl und Oberländer Liabln S. 15; **Rhein** Simrock Nr. 185; **Sonneberg** *Schleicher Nr. 1, S. 109; **Vogtland** Melodie bei *Dunger Rundâs S. 296 „Kerschen sei süß, sei Stiella brâ"; **Böhmen** Hruschka S. 180, 2 Fassungen; **Hinterpommern** *Beckenstedts Zs. III, 188. Verwandt sind: Zopf Nr. 3, Reifferscheid Nr. 21, Str. 3—4. **Belegt** aus **Schlesien** und mit einem Lied von Burns verglichen in Weinholds Zs. 1899, S. 41 f.

205. Das edle Gerstenbier.

2. Wenn die Auen grünen
Und die Bächlein rinnen,
Wenn die Felder strotzen alle gerstenvoll,
Wenn auf Hopfenstangen
Duft'ge Blüten prangen,
Ei, wie wird mir's da ums Herz so wohl!

3. Kann bei herben Zeiten
Wohl den Wein auch meiden,
Wenn es nicht gebricht am edlen Gerstenbier;
Kann ja alles dulden,
Scheue keine Schulden,
Leide gerne manchen Spott dafür.

4. Wenn mich Kummer drücket
Und das Schicksal tücket,
Wenn mich Amor fliehet und kein Mädchen liebt,
In der Trinkerhalle
Bei dem Bierpokale
Bleibt mein Herz doch ewig ungetrübt.

5. Möcht' im Keller liegen,
Mich ans Bier verschmiegen,
Möcht' die Kehle netzen, „Vivat Bacchus" schrei'n,
Möchte mich berauschen,
Nicht mit Fürsten tauschen
Und im Wahne selbst nit König sein.

6. Jenen guten König,
Dem der Wein zu wenig,
Der aus Gersten hat das edle Bier gemacht,
Ihn nur will ich loben
Dort im Himmel oben,
Wo des Nektars Fülle ihnen thaut.

7. Darum traute Brüder,
Singet frohe Lieder!
Nehmt die vollen Gläser in die Hand und singt!
Lebt in Jubel, Freude,
Eh' wir von uns scheiden,
Eh' des Lebens goldne Sonne sinkt.

Handschuhsheim, Wiesloch.

Wahrscheinlich von den Studenten ins Dorf gebracht; die Worte stimmen fast genau mit dem Kommersbuchtext (S. 553) überein. In der neunten Auflage S. 548 steht die Anm.: „das Lied kam meines Wissens im Jahre 1849 auf der k. k. östr. Bergakademie zu Chemnitz zum ersten Male zum Vorschein." **Trotz** dieser Übereinstimmung teile ich das Lied mit wegen der **Melodie**, denn diese ist merkwürdigerweise mit Wechsel des **Rhythmus** dieselbe wie zu „Mariechen" oben Nr. 82, zum „Schnörkel" unten Nr. 212, und wie folgende, die einem Liede vom „**Schustersbuben**" gehören sollte:

Rüstenbach.

Einen Text dazu habe ich nicht gehört.

206. Trinklied.

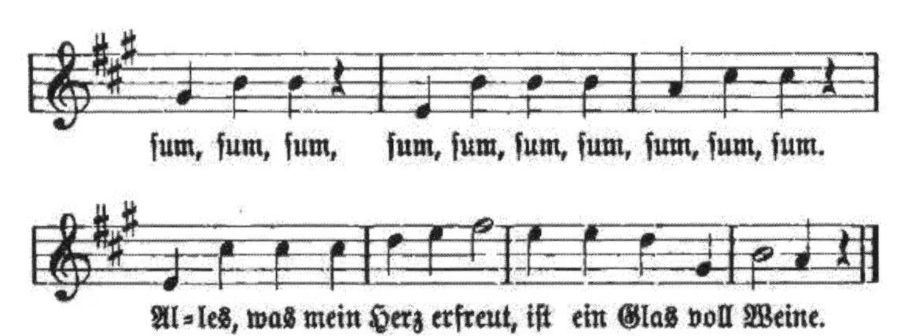

Wiesloch.

Verbreitung. Hessen Hessenland V, 310, als Geberdenspiel, Lewalter V, Nr. 27, Kinderspiel; **Nassau** *Wolfram Nr. 422, *Erk-Böhme III, 502 (Pfandspiel); **Rhein** Simrock S. 517, *Erk-Böhme III, 502, †Schmitz S. 163; **Österreich-Schlesien** Peter Nr. 163 (Rauchfangkehrerlied) hat dieselbe Melodie. Zur Melodie vgl. noch „Gestern Abend ging ich aus, ging wohl in den Wald hinaus“.

207. Josephche.

Heidelberg, Wiesloch, Nüstenbach.

B.

Zur selben Melodie.

(Aus Karlsruhe, in Nüstenbach verbreitet.)

Johann Jakob Scheiwele,
Maler und Lackier, Juhe!
Johann Jakob Scheiwele,
Maler und Lackier;
Malt er nicht, so schmiert er doch,
Johann Jakob Scheiwele,
Johann Jakob Scheiwele,
Maler und Lackier.

Text mir sonst unbekannt. Melodie vgl. Erk=Böhme II, 567: „Mädchen warum weinest du?" vom Rhein und Untertaunus.

208. Spottliedchen.

Ja = kê = be = le, Ja = kê = be = le, geh mit mir ü=bern Rhein.
Ich trau dir nit, ich trau dir nit, uff ê=mol schmeißt mich 'nein!

Heidelberg.

Geschichte. Mit dem Liedchen ärgern die Buben diejenigen, die Jakob heißen. Bei G. Forster II, 1540 im Quodlibet Nr. 60: „Ach gretlein, ach gretlein far mit mir über Rein, sie nein ich, sie nein ich, ich fürcht du stost mich drein." In der Ausgabe von 1553 auch Nr. 74. Verwandt ist auch Nr. 64: „Traut Marle, traut marle treib mir gens ind Wicken, sie nein ich sie nein ich ich ließ dich wol ersticken". 1544 Schmeltzels Quodlibet Nr. 9 und Nr. 20: „Ach Elselein, ach Elselein far mit mir in die Ernt," letzteres

auch in einer Baseler Hs. FX, 1—4, aus der ersten Hälfte des 16. Jhs. „Ei medlin, ei medlin wol auf mit mir ins Feld! So nein ich, so nein ich du Narr, du hast kein geld" Heidelberger Hs. 343, Fol. 98, vgl. Böhme, Altdeutsches Liederbuch Nr. 468 und Görres S. 64.

209. Drei Juden.

2. Der erste der hieß Moses,
Mo=Mo=Mo=ses=ses=ses u. s. w.

3. Der zweite der hieß Jakob.

4. Der dritte der hieß Isak.

5. Der Abram ist gestorben.

6. Wo liegen sie begraben?

7. Sie liegen in Jerusalem.

Handschuhsheim.

Nach freundlicher Mitteilung Dr. Max Friedländers zuerst 1789 gedruckt in „Ebs Rores von Moses Schnips, Jerusalem 1789." In Hessen und Franken im Volksmund *Lewalter III, Nr. 20. Häufig in Kommers= und sonstigen Liederbüchern als „Der Abram ist gestorben." Augenblicklich kann ich aber nur auf Hauptners

Deutsches Lb. mit Klavierbegleitung o. J. bei Breitkopf und Härtel Nr. 200 verweisen. Als Schulkinder (in York) sangen wir eine englische Übersetzung nach mündlicher Überlieferung. Da ich sie nie gedruckt gesehen habe, lasse ich sie hier folgen:

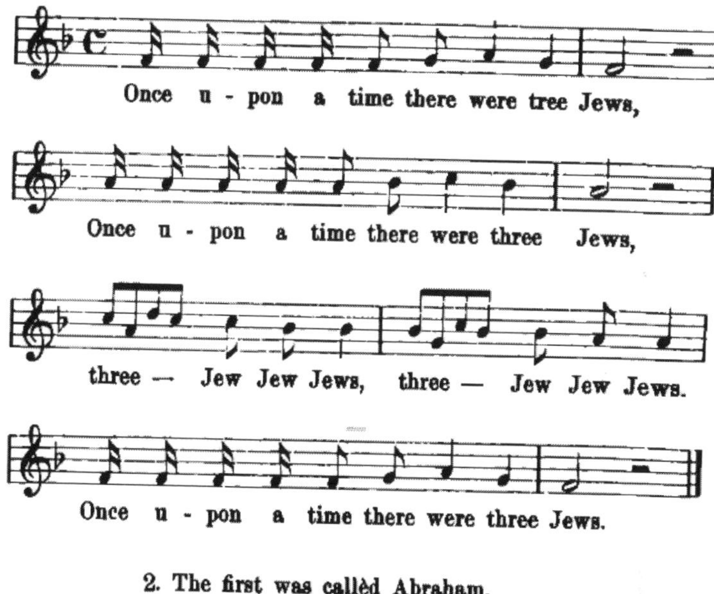

2. The first was callèd Abraham,
A—braham, ham, ham &c.

3. The second was callèd Isaac
I—saac, saac, saac &c.

4. The third was callèd Jacob.

5. They went to Jerusalem.
Je-rusalem, lem, lem &c.

6. On the way they were hard up.

7. That was the end of these three Jews.

Bemerkenswert ist, daß der mittlere Teil der Melodie mit „O Tannenbaum" übereinstimmt.

210. Der Bauer auf der Eisenbahn.

A.

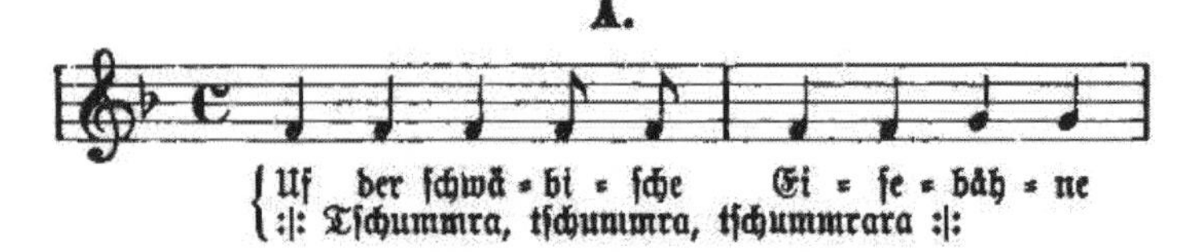

2. Uf der schwäbische Eisebähne
Wollt emal e Beierle fárne,
Gôt an Schalter, lupft de Hut:
„Het gern e Biljetel, sit so gut."

3. E Beckle hat er sich gekaufet,
Daß' ihm aber nit fortlaufet,
Bindet er's, der gute Mä,
An de hintere Wage ä.

4. „Beckle, darfscht jetzt tapfer springe!
's Fresse will i dir scho bringe."
Steckt sei stinkets Pfeifle ä,
Steigt er zu seim Weible ei.

5. Als er kommt auf d' nächst Statione,
Wollt der Bauer 's Beckle hole,
Findet er nur Kopf und Seil
Vom Bock am hintere Wageteil.

6. Da kriegt der Bauer e heft'ge Zorn,
Er packt das Beckle an de Ohre,
Schmeißt, so weit er schmeisse kann,
Dem Kondukteur an de Ohre an.

7. Der Kondukteur war a nit faul,
Er schlägt dem Bauer ei ins Maul,
Daß ihm's Blut zur Nas naus lauft,
Und der Bauer schon kei Bock mehr kauft.

8. Durch die schwäbische Eisebahne
Giebt's so wenig Postillione.
Was uns sonst der Posthorn blies,
Pfeift uns jetzt die Lokomotiv.

Rüstenbach.

Zur Melodie vgl. Köhler-Meier Nr. 346: „eins, zwei, drei, vier, fünf, sechs, sieben". In anderen Volkslieder-Sammlungen habe ich das Lied nicht gefunden, erinnere mich aber, dasselbe im Tübinger Kommersbuch gesehen zu haben. Leider ist mir die Seitennummer entgangen und das Buch jetzt unzugänglich. Dieses scheint für die schwäbische Heimat des Liedes zu sprechen wie auch der Inhalt und noch dazu folgende Fassung aus Eßlingen bei Stuttgart; von mir in Freiburg i. B. aufgeschrieben.

B.

2. Auf de schwäbische Eisebahne
Kenne Sai und Ochse fahre,
Alles, was nur fahre kann,
Fahrt jetzt auf d'r Eisebahn.

3. Auf de schwäbische Eisebahne
Will emol e Beterle fahre,
Geht an Schalter, lüpft de Huot:
„Zwei Billetle, seid so guot."

4. Einen Bock hat er gekaufet,
Und daß er ihm nicht entlaufet,
Bindet ihn der gute Mann
An den hinteren Wagen an.

5. „So mei Gaisle! jetzt kannscht springe!
Futter werd i dir schon bringe."
Setzt sich zu seim Weible 'nä,
Zündt sei dreckig Pfeifle ä.

6. Als der Bauer ward ausgestiegen,
Seinen Bock wollt wieder kriegen,
Findet er noch Kopf und Seil
An dem hinteren Wagenteil.

7. Und der Bauer kriegt e Zore,
Packt de Bock bei seine Häre,
Schmeißt er was er schmeisse kä
'Em Kondukteur an d' Leffel nä.

8. Des is G'schicht von sellem Bauere,
Der sei Gaisle het verlaure,
Der Gaisbock nimmt e traurigs End,
'Em Kondukteur der Leffel brennt.

211. Das Kanapee.

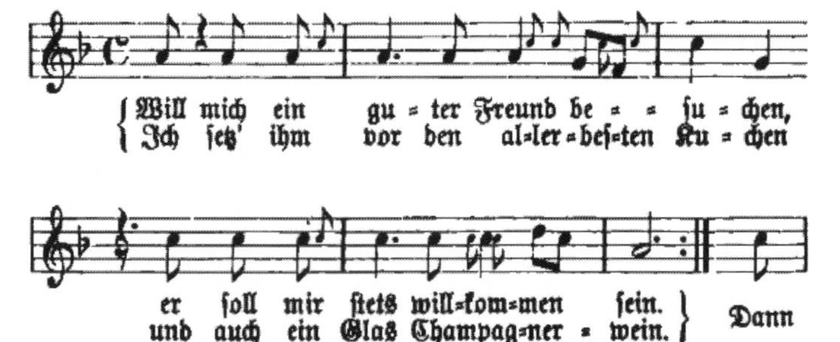

2. Und auf dem Kanapee, da möcht ich sterben
Und auch wohl einst begraben sein.
Das Kanapee bekommen meine Erben,
Doch muß ich erst gestorben sein.
Die Seele schwinget sich wohl in die Höh, juchhe!
Der Leib bleibt auf dem Kanapee.

* * *

Als Petrus fragt, wie ich mich amüsiere,
Da machte ich draus keinen Hehl.
Er sah mich groß an bei der Himmelsthüre
Und machte einen Blick ganz scheel.

* * *

Handschuhsheim.

Geschichte. Nach Böhme, Vtl. Lb. Nr. 710, ist der älteste Text in einer Hs. des Jahres 1740 befindlich, aus der Phil. Nathusiusschen Bibliothek; auch soll es in einem Fl. Bl. vor 1750 existieren. Vgl. noch Friedländer, Vierteljahrschr. f. Musikw. 1894, Heft 2, und Verhandlungen d. Wiener Philologenversammlg. S. 401 f. (J. Meier).

Verbreitung. **Nassau** †Wolfram S. 480; **Frankfurt** Böhme, Vtl. Lb.; **Sachsen** Erks Ms. (Friedländer), Böhme; Zs. d. V. f. d. Gesch. **Mährens und Schlesiens** I, 1897, 38 (J. Meier); **Brandenburg** Böhme.

VI.

Schnönkel und Tanzliedchen.

212. Den i gar nit mag.

A.

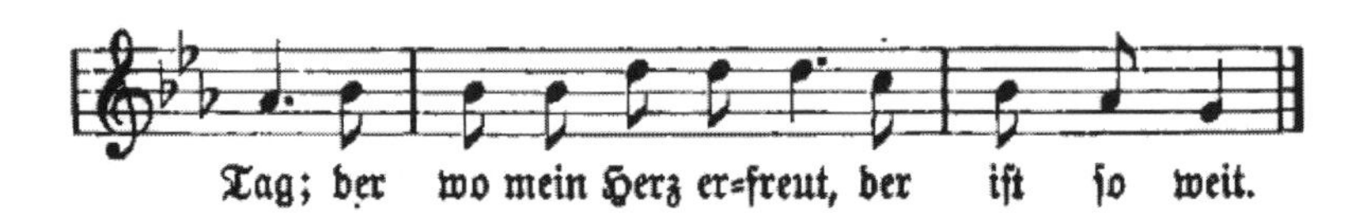

2. Der ist so weit ewek,
Das ist dene Leite recht —
Mir awer nit — juhe!
Mir awer nit.

3. Ju, ja, der Wald ist schwarz;
Ich lieb 'nen falschen Schatz,
Hab's aber nit gewißt,
Daß' so falsch ist.

4. Hält i das Ding gewißt,
Daß du e falsch Börschel[1]) bist,
Hätt' i mei treues Herz
Nit an di kenkt.

5. Hätt i des Ding gewißt,
Daß die Kuh Hecke frißt,
Hätt i die ganze Nacht
Hecke gemacht.

---

[1]) Oder „Luder“.

6. Schatz, wenn du mei willst sei
Trink nur kei Branntewei,
Lieber Kaffee, Kaffee,
Lieber Kaffee.

Handschuhsheim, Rüstenbach
(wo es zur folgenden Melodie gesungen wird).

B.

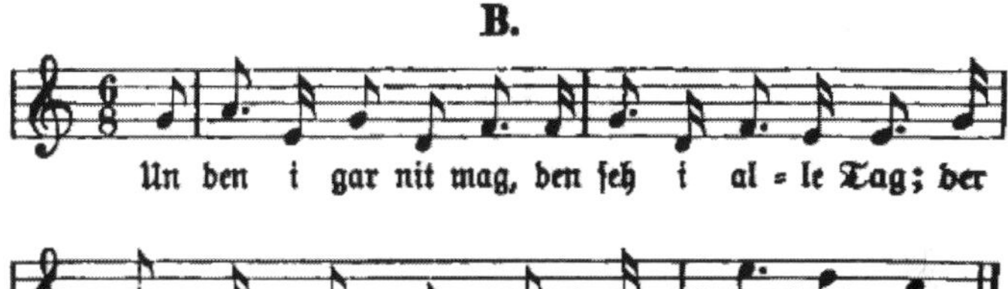

Diese Melodie ist nach Tappert eng verwandt mit einer „Fantasie über ein Original-Thema" von L. Kruber (Wandernde Melodien S. 24).

2. Hätt i des Ding gewißt,
Daß mei Schatz Hecke frißt,
Hätt i die ganze Nacht
Räwe voll g'steckt.

3. Weit ewek leb i nit,
Grad in der Näh,
Wenn mei Schatz Wasser holt,
Daß i nachseh.

4. Juhe! der Wald is grî,
Mei Schatz isch nit von hier,
Er isch von drauße rei
Drum kehrt er mei.

Kirchardt.

A.

1. Str. 1: Älteste Fassung wohl Valentin Hausmann, Neue teutsche weltl. Lieder, 1597, Nr. 15: „die ich gar wol köndt leiden, die muß ich leider meiden, die ich aber nicht leiden mag ohn schertzen, die muß ich alle tag sehen mit schmertzen." Verwandt ist weiter:

„Krach jungh Hertz und brich nicht,
Die ich will bergertt meiner nicht,
Die ich nicht woll vermagh,
Die b'gegnet mir al den tagh."

Aus der sogen. niederrheinischen Liederhs. der Kgl. Bibl. Berlin Ende des 16. Jhs., wo die Str. als Anhängsel hinter dem Liede: „Drei Gesellen inn einem Weinhaus saeßen" steht. **Schweiz** Erk-Böhme II, 446; **Elsaß** ib., Mündel Nr. 93, Str. 6; **Schwaben** Meier S. 95, Erk-Böhme II, 446; **Kärnten** Pogatschnigg I, 936 u. 244; **Salzburg** Süß Schnaderhüpfl Nr. 67; **Süddeutschland** Schn. Oberl. Liabln S. 13; **Franken** Itzgrund 175; **Sachsen** Rösch S. 122, Rundås Nr. 566; **Schlesien** Hoffmann Nr. 66, Kommersbuch S. 395; **Böhmen** Hruschka S. 331; **Egerland** Frommanns Zs. V, 127.

2. Zu Str. 3: **Schwaben** Meier S. 63, Nr. 356; Frommanns Zs. VII, 465.

3. Zu Str. 4: **Schwaben** Meier S. 63, Nr. 355; **Badische Pfalz** Neue Heidelberger Jb. VII, Art. Frau von Pattberg; **Voigtland** Rundås Nr. 449, vgl. Nr. 511.

4. Zu Str. 6: **Schwaben** Birlinger, Schwäb. Bl. S. 99; **Nürnberg** Frommanns Zs. VI, 417; **Voigtland** Rundås Nr. 289 und 1081.

B.

5. Zu Str. 4: **Schwaben** Meier, Kinderreim Nr. 228; **Franken** Ditfurth Nr. 117—18; **Nassau** Wolfram Nr. 165; **Hessen** Lewalter V, Nr. 1.

213. Wie geht's?

Wiesloch, Rüstenbach.

Verbreitung. Schwaben, als mehrstrophiges Lied, Meier p. 111.

214. Vorsicht.

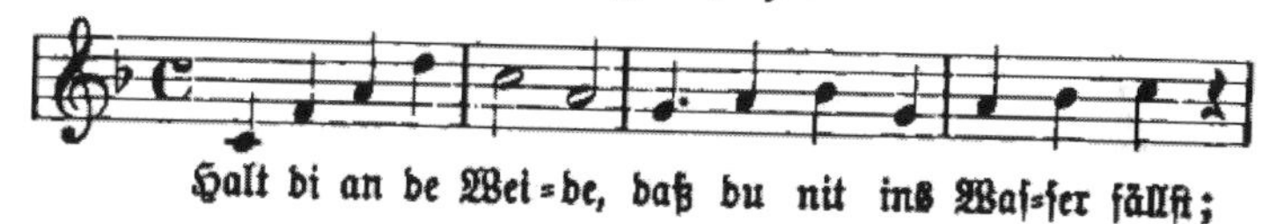

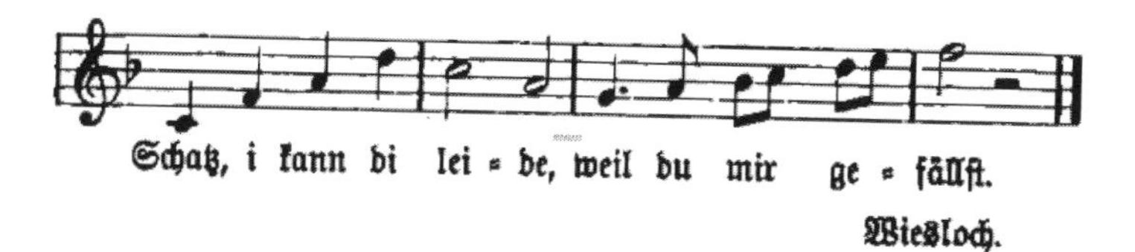

Wiesloch.

Verbreitung. Aus Düsseldorf Firmenich I, 431.

215. Regenwetter.

A.

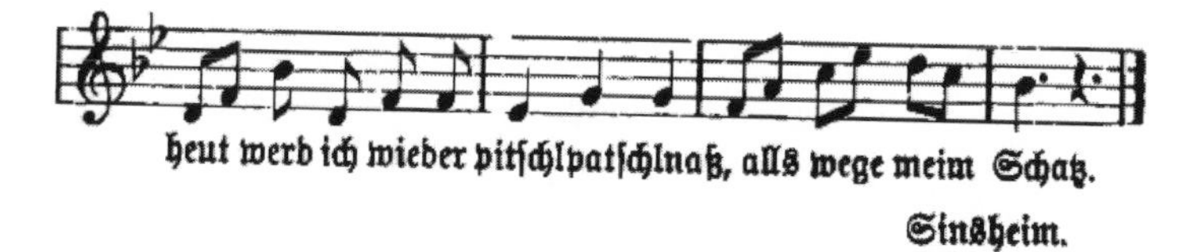

Sinsheim.

B.

Hört nur wie's regne thut,
Hört nur wie's schneie thut,
Heut wär ich wieder durch nei naß
Wege mein Schatz, trallala,
Heut wär ich wieder durch nei naß
Wege mein Schatz.

Wiesloch.
(Lied der Mädchen beim Traubenschneiden.)

C.

Schau auf wie's regne thut
Und mei Hut tropfe thut,
Heut wär i wieder witschlwatschlnaß
Alls wege mein Schatz.

Kirchardt.

D.

Seht nur wie's regen thut
Auf meinen neuen Hut,
Heut werd ich wieder witschwatschnaß
Und doch geht's zum Schatz.

Schriesheim.

E.

Schau auf wie's regne thut
Auf meinen Sonntagshut!
Heut werd ich wieder durch nei naß
Als wege mein Schatz, trallala.
Wege mein schönen Schatz,
Der mich verlasse hat.

Handschuhsheim.

F.

1. Schau auf wie's rëë thut,
Tropfe falle auf mei Hut,
Heut werd i wieder witschlwatschlnaß.
Als wege mei Schatz.

2. Dreimal ums Haisel rum,
Dreimal ums Haus, Juhe!
Hab i's en Pfiff gethan
Schatzel komm raus.

Rüstenbach.

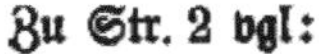
Zu Str. 2 vgl:

Aus Schwaben mitgeteilt von einer Bekannten B. Auerbachs, die ihn das Lied singen hörte.

1. Wunderhorn III, 16, mit Überschrift „Hessisch"; Schwaben *Meier 95; Salzburg Firmenich II, 716.

2. Zu F, Str. 2: Schwaben Birlinger, Schw. Bl. S. 102, 131, 63; Meier 20, Nr. 100, vgl. Nr. 99; Meier, Kinderreim Nr. 237, *Erk=Böhme II, 629; Tirol Firmenich III, 397; Voigtland Rundås Nr. 351—2; Anhalt=Dessau Fiedler 117.

3. Zur Melodie werden gesungen: „Da droben in Schwabenland steht ein schönes Haus", Ditfurth Nr. 180; „Drüben im Odenwald, da wächst ein schönes Holz", Wolfram Nr. 329, Erk=Böhme III, 321; und der bekannte Text von Gottfr. Weigle: „Drunten im Unterwald da ist's halt fein", Weckerlin II, 344, Kommersbuch S. 418, wo die Weise schwäbisch genannt wird.

216. Regen.

Heidelberg.
(Angeblich im nassen Sommer von 1895 aufgekommen.)

Das Liedchen habe ich nicht gedruckt finden können.

217. Wenn ich Kaiser wär'!

Handschuhsheim.

Mir sonst unbekannt. Zur Melodie vgl. Nr. 218.

218. Alles eins!

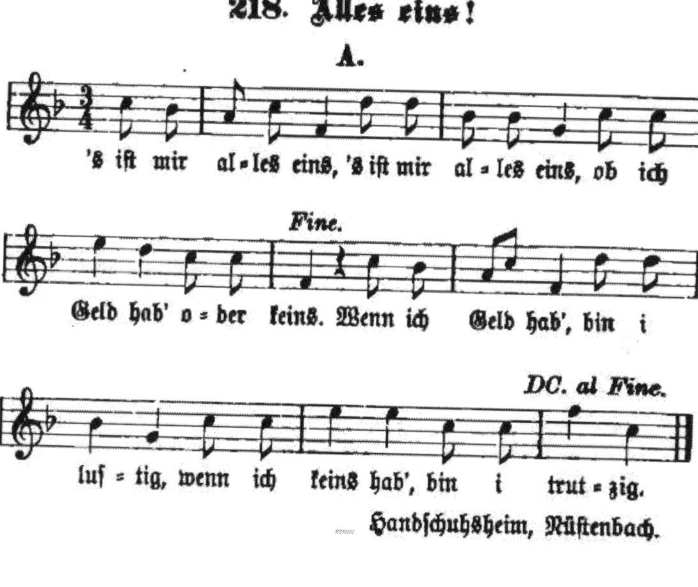

Handschuhsheim, Müstenbach.

Man vergleiche die Melodie mit Nr. 217: „Wenn ich Kaiser wäre!“ Ähnlich aus Freiensheim in der Pfalz.

Verbreitung. Nach Böhme, Tanz II, 139, ein alter Dreher aus dem 18. Jh. **Süddeutschland** Neues Volksliederbuch, Reutlingen S. 30; **Ungarn** Wiener Sitzgsber. 44, 403; **Wien** Erk-Irmer II iv 16; **Böhmen** Hruschka S. 264, Gesch. d. D. in B. XX, 281; **Norddeutschland** Erk-Irmer II iv 17; **Westpreußen** Treichel Nr. 114, 25.

219. In der Fremde.

{ Wenn das mei - ne Mut - ter wüß - te, wie mir's in der
{ Schuh und Stie-fel sind zer - ris - sen, durch die Ho - sen

Frem-de ging: }
pfeift der Wind. } Ach, ich bin so mü - de! Ach, ich bin so

matt! Hab' ke Geld im Portemonnaie, hab' ke Geld im Sack.

Handschuhsheim, Kirchardt.

Verbreitung. Zu den beiden ersten Zeilen vgl. oben Nr. 110: „Ach ich bin so müde u. s. w." ist dem Kehrreim von E. Beyers Schlummerpolka entnommen wie auch die Melodie, vgl. Treichel S. 163. (Schon 1861 in London veröffentlicht.) **Pommern** Bl. f. p. Volksk. V, 131, 135, 180; **Westpreußen** Treichel 163.

220. Aus ist's mit mir.

Aus, aus, aus ist's mit mir, und mei Haus, Haus,

Handschuhsheim, Wiesloch.
Kirchardt (nicht durchkomponiert
3. Str. zur Melodie bis: „bin
i los").

Oder: „Und was i im Sinn hab
Das führ i a aus,
Und die Hochzeit wird kalte
Im goldenem Strauß.

Oder auch „mit goldenem Strauß".

Verbreitung. Wunderhorn Anhang S. 125; **Schweiz** Wyß, Kuhreihen S. XIII; **Kurz**, „Ältere Dichter" S. 146; **Schwaben** Birlinger, Schwäb. Vl. S. 90 u. 100, Meier S. 111; **Schwarzwald** Erk-Böhme II, 465; **Tirol** Greinz und Kapferer, Schnaderhüpfl 60; **Salzburg** Süß Nr. 343; **Kärnten, Steiermark** Pogatschnigg I, 1712 bis 1713, Seidl II, 32; **Oberdeutschland** Vogl 23, Schn. Oberl. Liadle S. 80; **Pfalz und Kraichgau** Mone, QF. 164; **Bergstraße** Erk-Böhme II, 465; **Hessen** Alemannia VIII, 63; **Sachsen** Dunger Rundâs 598 u. 622; **Böhmen** Hruschka 185 u. 333, Nr. 574; vgl. auch Alem. X, 148 f., Nr. 5.

221.

1. Aus, aus, aus ist's mit mir!
Wenn die Donau austrocknet
Dann heiraten wir.

2. Sie trocknet nit aus,
Sie isch immer noch naß,
Und ich winsch dr viel Glick
Zu em ganz andre Schatz.

3. Und ich winsch dr viel Glick,
Daß es besser soll gehn;
Fir die Zeit wo d' mi g'liebt hast
Bedank i mi schên.

4. Die Zeit wo d' mi g'liebt hast
Soll di nit krenke,
Wirscht noch viel dausendmal
An mi denke.

Neckar-Gerach.

222. Zwischen mir und dir.

Zwi-schen mir und zwi-schen dir isch e brei-te Stras-

sá, und wenn du mi nit willst, so kannst blei-be las-sá.

Nüstenbach.

Geschichte. 1512 Oeglins Liederbuch, hsg. Eitner und Meier S. 2; 1516 Heidelberger Hs. Nr. 109 (Liliencron, Deutsches Leben im Volkslied Nr. 85); 1534 Ott Nr. 94; um 1540 Bicinia (Goedeke und Tittmann S. 68); 1544 Antwerpener Liederbuch Nr. 221; Horae Belg. XI, 344; 1549 G. Forster III, 27; 1553 Vannius Bicinia 2 b.

Verbreitung. **Schwaben** Meier Nr. 252, S. 46, Birlinger S. 84; **Tirol** Greinz und Kapferer Schn. S. 107; **Steiermark, Kärnten** Seidl I, 12, Pogatschnigg I, 505; **Oberdeutsch** Vogl S. 16; Schn. Oberl. Liadln S. 31; **Voigtland** Rundás Nr. 450; **Böhmen** Hruschka 191, Nr. 171; **Thüringen** Erk-Böhme II, 332.

223. Das End' vom Lied.

Heit üwwer drei Woche,
Da geht der Schnee wek,
Da heirat' mei Schätzel,
Und ich lieg' im Dreck.

Schriesheim.

Verbreitung. **Schwaben** Birlinger S. 8, Frommanns Zs. VII, 465; **Tirol** Zs. f. österr. Volksk. II, 104; **Süddeutsch** Neues Vlbuch., Reutlingen, S. 13, Oberl. Liadln S. 9; **Rhein** Alem. XV, 44, Weyden 228; **Nassau** Wolfram S. 382; **Thüringen** Weimar Jb. III, 325; **Voigtland** Rundás Nr. 608 u. 1139; **Egerland** Frommanns Zs. V, 128; **Böhmen** Hruschka 308, Nr. 331; **Westfalen** Münster. Gesch. S. 234; **Brandenburg** Veckenstedts Zs. IV, 171. Vgl. auch Alem. X, 148 f., Nr. 2. Gewöhnlich lautet der Text: „Drei Wochen vor Ostern, da geht der Schnee weg", was ja besseren Sinn giebt.

224. Das Wegel.

2. Un's Wegel bin i gange
Bei Rege un bei Schnee,
Un's Wegel geh i nimmer
Sisch gar nimme schê.

3. Un's hot emol gerêêt
Die Däche tropfen noch;
Ich hab emol e Schätzel g'hat,
I wollt, i hêt es noch!

4. I bin emol gewannert
'em Eberdörfel zu,
'etz hab i wi' an Anner,
Sisch a e lieber Bu.

5. Das Liedel isch gesunge,
Der Kreitzer isch verdient;
Un wer mr noch en Kreitzer giebt,
Dem sing i noch e Lied.

Handschuhsheim.

Man vergleiche:

Es hat e-mal ge-regnet, die Dä-cher tropfeln noch; ich

hab e-mal e Schatz ge-habt, ich wollt', ich hätt' ihn noch!

Aus der Umgebung von Worms (mündlich).

Verbreitung. Zu Str. 1—2: **Schweiz** Kurz, Ältere Dichter S. 98 u. 139; Erk, Ldh. 78a; **Oberrhein** Elsässisches Volksbüchlein S. 84; **Aus** den „Quellen des Wunderhorns" Alemannia X, 148 f., Nr. 17; **Odenwald** ib. XV, 109; **Baiern** und **Oberpfalz** ib. XV, 109.
2. Zu Str. 3—4: **Schweiz** Erk, Ldh. Nr. 78; Wyß, Kuhreihen S. 87, Kurz, Ältere Dichter S. 98, Firmenich II, 664, Erk-Böhme II, 767; **Elsaß** ib., Weckerlin II, 318 (zur Melodie wie unser „Bauer im Odenwald" Nr. 197), Alem. IX, 235, Firmenich II, 514; **Oberrhein** Elsäss. Volksbüchl. S. 81; **Metz** Jb. VI, 108; **Schwaben** Meier Nr. 82, S. 17; Birlinger, Schwäb. Bl. S. 88, 100, 153; **Tirol**

Greinz und Kapferer I, 102; **Baiern** Erk-Böhme II, 767; **Süddeutschland** Schn. u. Oberländ. Liabln S. 79; **Saar** (Melodie wie diejenige aus Worms) *Köhler-Meier Nr. 348; **Sonneberg** Schleicher Nr. 3; Fl. Bl. um 1804 Hannover? brit. Museum 11521 ee 28 (60); **Sachsen** Roesch S. 128, Dunger Rundâs Nr. 613; **Anhalt-Dessau** Fiedler S. 120, Firmenich II, 231. Vgl. auch Voss. Musenalmanach 1776 (Erk-Böhme); Wunderhorn Anhang S. 137; Kommersbuch S. 438. Für weitere Litteratur vgl. Köhler-Meier.

3. Zu Str. 5: Wunderhorn Anhang 128; **Österreich** Ziska und Schottky S. 250; **Saar** Köhler-Meier Nr. 348.

225.

Hat mich kein Mädchen lieb,
So laß sie's bleiben.
Wer weiß, ob mir's beliebt
Ihr treu zu bleiben?
Ich lieb' nur einen,
Den ich hab' schon lang' geliebt,
Aber er liebt eine andere,
Die reicher ist als ich.
Es macht aber nix!
Es giebt noch einen anderen,
Der mich wieder liebt.

Schriesheim.

Vgl. Heines „Ein Jüngling liebt ein Mädchen“!

226. Figelix.

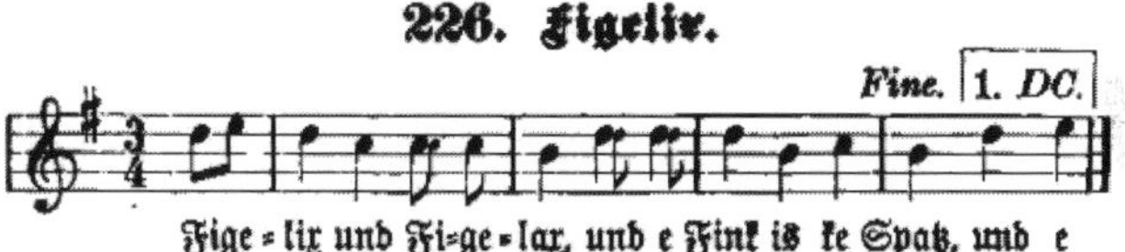

Fige-lix und Fi-ge-lax, und e Fink is ke Spatz, und e rothaarigs Mädel mag i a nit zum Schatz.

2. Und i hab emol eine nemme solle,
War fuxfeierrot,
Und wenn ich das Mädel g'nomme hätt'
Hätt i mich g'ärgert zum Tod!

Rüstenbach.

Verbreitung. Ob die ersten Wörter des Liedchens je einen Sinn gehabt haben, weiß ich nicht; alle möglichen Varianten finden wir: Fillefix, Fideritz, Vogel Fiks, Fiderix, Hiderix, Fidelix, Giggerixum, „holb Wichs und holb Wachs“, „Stieglitz und Stieglatz“. **Schweiz** Rochholtz Kinderlied 305; **Elsaß** *Weckerlin II, 314; **Schwaben** Meier Nr. 175, Birlinger S. 62; **Tirol** Greinz und Kapferer Schn. 15; **Salzburg** Süß Schn. Nr. 877; **Vorarlberg** Hörmann Schn. 47; **Kärnten** Pogatschnigg I, Nr. 24; Seidl III, 20; **Oberdeutsch** Oberl. Liadln S. 99; **Voigtland** Rundäs 105 und 597; **Böhmen** Hruschka S. 289, Nr. 150 und S. 330.

227. Die faule Magd.

(Zur bekannten Melodie.)

Steh' ich in finstrer Mitternacht
Vor meinem Bett, 's ist nicht gemacht,
Da denk' ich an die faule Magd,
Die mir mein Bett so schlecht gemacht.

Kirchardt.

Parodie des Hauffschen Liedes gleichen Anfangs 1824 (Hoffmann, Vtl. Ld. 126, Nr. 821). Eine ähnliche Parodie aus Kr. **Saarbrücken** *Köhler-Meier Nr. 355.

228. Gut versehen.

Ich hab' e Schatz im Odewald,
Un i hab' e Schatz im Dal;
Denn die, wo i hab' im Odewald,
Des isch e aldi Fraa;
Und die, wo i hab' im Dal,
Die brauch' i im Jahr nur emal.

Schriesheim.

Mir sonst unbekannt.

229. Wetzen.

Handschuhsheim.

Zur Melodie vgl. Köhler-Meier Nr. 360.

230. Unglückliche Liebe.

Kirchardt.

Verbreitung. **Süddeutschland** Schn. Oberl. Liabln S. 81 u. 99. Zur ersten Zeile: **Schwaben** Birlinger, Schwäb. Vl. S. 72 und unsere Nr. 231.

231. Der kleine Schatz.

A.

Kirchardt.

Zur Melodie vgl. oben Nr. 184.

Verbreitung. Mir sonst nicht bekannt. Aber die Geschichte vom winzigen Liebhaber oder Gemahl ist in volkstümlichen Überlieferungen wohl bekannt. z. B. der Schneider, welcher beim Essen in die Suppe fällt und mitgegessen wird (Mitth. d. hist. Ver. f. Steiermark IX, 74) und der kleine Mann im englischen Kinderreim: „I had a little husband no bigger than my thumb, I put him in a pintpot and there I bade him drum.“ Noch näher unserem Liede verwandt ist Puymaigre, Chansons du Pays Messin S. 274 (auch 276):

„Mon pèr' m'a donné un mari . . .
Les diables de chats me l'ont pris
Croyant qu' c'était une souris.“

Aus Metz, Retonféy, Champagne mit Hinweis auf Scarrons Roman Comique IIIe partie, chap. III.

B.

[1]) Kater.

2. Drei schneeweiße Täublein
Die fliegen so hoch;
Und jetzt lauft m'r mei alter Schatz
A wieder noch.

Handschuhsheim.

Verbreitung. Zu 2: **Schwaben** Meier S. 20, Nr. 101, S. 60, Nr. 336—7; Birlinger, Schwäb. Bl. S. 81; **Kärnten** und **Steiermark** Seidl III, 11.

Zu 2cd: **Kärnten** Pogatschnigg I, 1720. „Zwei" oder „Drei schneeweiße Täuble" ist ein außerordentlich beliebter Eingang zu Schnaderhüpfln. Sie fliegen so hoch, oder über das Haus, über den See u. s. w., oder eins hat einen Stern, oder beide Täublein sind kohlschwarz! Solche Schnaderhüpfl sind z. B.: **Aus Schwaben** Meier 28, Nr. 146; Birlinger, Schw. Bl. S. 65; **Tirol** Greinz und Kapferer S. 139; **Salzburg** Süß Nr. 204, 238, 636; **Steiermark, Kärnten** Seidl I, 18, Pogatschnigg I, 456, 475, 721, 1506 und 1650; **Österreich** Ziska S. 122, 145, 218, Vogl S. 3 und 7; **Nassau** Wolfram S. 383—4; **Sachsen** Rösch S. 126, Dunger Rundâs Nr. 8, 592, 777—8; **Böhmen** Hruschka 274, Nr. 11, 287, Nr. 131, 321 Nr. 457.

C.

Rüstenbach, Heidelberg.

232. Religionsunterschied.

Mei Schatz is katholisch,
Und i reformiert;
I laß ihn nit fahre,
Un alles krepiert.

Zur selben Melodie wie oben Nr. 184 „Die Kircherter Bube".
Verbreitung. Vgl. **Kärnten** Pogatschnigg I, 816.

233. Papierner Himmel.

Forst bei Bruchsal.

Wird beim Hopfenzupfen gesungen.
Verbreitung. Reinhold Köhler in Orient und Occident II, 546 und 549, vgl. auch Hauffen, Die deutsche Sprachinsel Gottschee, Graz 1895, S. 174. Auf einem englischen Einzelndruck, um 1805 bei W. Eade in Lindfield erschienen, ein Sedezblättchen geistlichen Inhalts, steht als angebliche Antwort eines Idioten auf die Frage was die Liebe Gottes sei:

Could we with ink the ocean fill,
Were the whole earth of parchment made,
Were every single stick a quill,
And every man a scribe by trade,
To write the love of God above
Would drain the ocean dry,
Nor could the roll contain the whole,
Though stretched from sky to sky.

234. Mein Schatz.

2. Mei Schatz is aus Laurig,
Und i aus Tirol:
Mei Schatz is so traurig,
Un mir is so wohl!

3. Was braucht denn e Bauer?
E Bauer braucht nix,
Als e wunderschêns Mädel
Un 'ne Peitsche, die fitzt.

4. Was braucht denn e Jäger?
E Jäger braucht nix,
Als Hunde zum Jagen
Zum Schießen e Bix.

Kirchardt.

Verbreitung. 1. Zu Str. 1: **Elsaß** Firmenich II, 514, E. Volksbüchlein S. 81; **Sachsen** Rundäs Nr. 117.

2. Der Schatz stammt auch aus Baiern, Wallis, Pinzgerland, Grassal, Ungarn und Ungern, der Sänger immer aus Tirol. **Schweiz** Rochholtz, Kinderlied S. 305; **Salzburg** Süß, Schn. Nr. 876; **Tirol** Greinz und Kapferer, Schn. S. 68; **Steiermark, Kärnten** Seidl I, 2; **Oberdeutsch** Oberl. Liadln S. 11; **Thüringen** Weimar Jb. III, 325; **Voigtland** Rundäs Nr. 569—70; **Harz** Proehle Nr. 96, Str. 7.

3. Zu Str. 4: **Kärnten** Pogatschnigg II, Nr. 267; **Nassau** Wolfram S. 383; Oberl. Liadln S. 78.

235. Der Gerstenkern.

2. Mei Schatz der isch von Hawerstroh

*　　*　　*

„und so von allen Sämereien."

3. Gel' Mädel? wenn du mi nit witt, nit witt,
Vielleicht isch des mei Glick, mei Glick.

Handschuhsheim, Kirchardt.

Vgl. Nr. 236.

236. Mein Glück.

A.

2. Koleri=, Koleri=, Kolerabischnitz,
Wer hat mr denn mei Schatz verstift?
Un e alte Frau, die in em Ofe sitzt,
Die hat mei Schatz verstift.

Müstenbach, Kirchardt.

Verbreitung. Zu Str. 2: **Schwaben** Meier S. 54, Nr. 299.

B.

1. Mein Glück das giebt ein Wagen voll,
Ich weiß nicht, wie ichs tragen soll;
Drum lad' ichs auf ein Wägele
Und fahr's dem Neckar zu.

2. Und wenn du auch nit witt, nit witt,
Das ist vielleicht mein größtes Glück!
Dann trag' ich dir auch dein Bündele nit,
Und geh nit mit dir ham.

Heidelberg.

Zu Str. 2 vgl. oben Nr. 235.

237. Der rechte Simpel.

A.

Handschuhsheim.

Zur Melodie vgl. unten Nr. 238 und 239.

B.

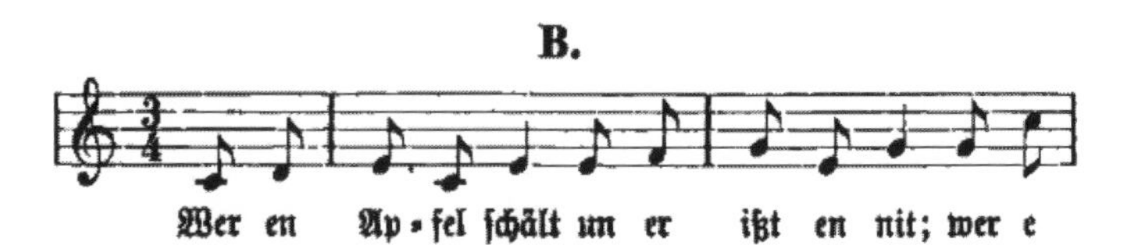

Verbreitung. 1643 **Keil**, Ein denkwürdiges Gesellenstammbuch, Lahr o. J. S. 40. **Kärnten** Pogatschnigg I, Nr. 1806; **Westpreußen** Treichel Nr. 110, 18. J. Meier: [**Kärnten** Lexer Wb. § 18. **16. bis 17. Jh.** Hoffmann, Findlinge[2] Nr. 207, S. 459. **Voigtland** Rundas S. 76, Nr. 411. **Keils** Stammbücher 1604, 1643, 1654.]

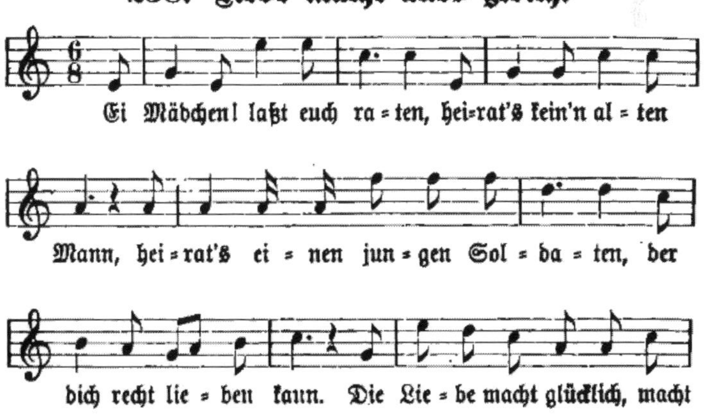

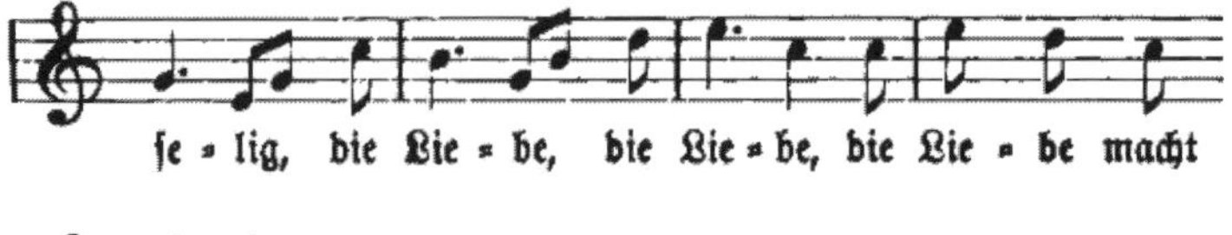

2. Einst stand ich vor dem Kerker
Bei Wasser und bei Brot.
Ei Leut'! ihr derft mir's glauben,
Mein Arsch war feierrot.
Die Liebe macht glücklich ꝛc.

3. Ein Mädchen, das nicht tanzen kann,
Erspart sich ein Paar Schuh.
Es setzt sich hinter den Ofen
Und guckt den Andern zu.
Die Liebe macht glücklich ꝛc.

4. Der Himmel ist so trüb,
Es leucht't kein Mond, kein Stern.
Das Mädchen, das ich liebe,
Das ist so weit, so fern.
Die Liebe macht glücklich ꝛc.

Kirchardt.

Verbreitung. Zu Str. 1: **Franken** Ditfurth Nr. 200; **Böhmen** Hruschka 222; **Graubünden** Hs. Bd. des 18. Jh. als zweite Strophe des Liedes: „Ich bin ein schön jungs Weibigen".
2. „Liebe macht alles gleich": **Elsaß** Mündel Nr. 125; **Lahn** Erk-Böhme II, 440; **Westpreußen** Treichels Ms.
3. Str. 4: siehe unten Nr. 239.

239. Das liegt in der Natur.

A.

2. Der Himmel ist so trüb,
Scheint wedder Mond noch Stern,
Das Mädchen, das ich lieb,
Das ist es so weit in die Fern.

3. Mit deinem schneeweißen Haar
Du verführst mich ganz und gar;
Willst du mein Weibchen sein?
Komm her, dein' Hand schlag' ein!

Handschuhsheim.

B.

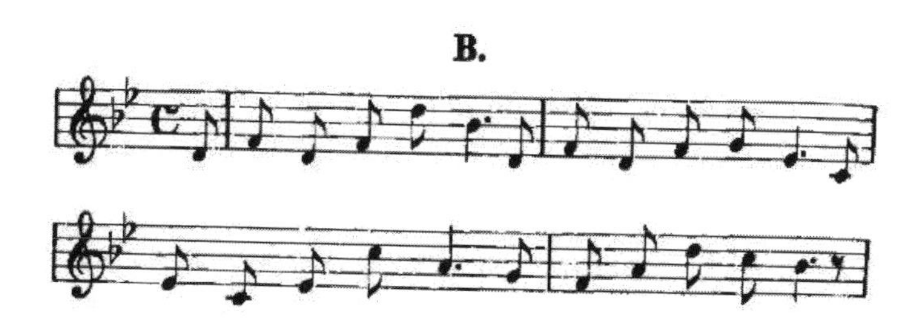

Hochhausen.

Verbreitung. Str. 2 gehört nach Böhme, Vtl. Lb. Nr. 467 einem Gedichte von Leopold Fr. Günther von Göcking 1787. Sie ist weit verbreitet: **Hessen** Lewalter III, Nr. 1, Böckel Nr. 51 D; **Nassau** Wolfram Nr. 198a und b, Erk-Böhme II, 512; **Saar** Köhler-Meier Nr. 51; **Rhein** Becker Nr. 89a und b (zur selben Melodie wie unsere Nr. 96 „Wer lieben will muß leiden"); **Sachsen** Rösch S. 41, Müller S. 71; **Böhmen** Hruschka 161; **Hannover** Erk-Böhme II, 512.

240. 's Leibele.

2. Schnir mir's nur von unten auf,
So ist in der Welt Gebrauch,
Hibscher Bu, feiner Bu!
Komm und schnir mir's zu!

Müstenbach.

Verbreitung. Schwaben Meier 43, Nr. 234; **Tirol** Hermann Schn. 114; **Kärnten** Pogatschnigg I, Nr. 1361; **Vogtland** Rundås Nr. 359.

241. Die Schürze.

Rüstenbach.

Mir sonst unbekannt.

242.

(Zur selben Melodie wie oben Nr. 96.)

Mei Hut der hat drei Ecke,
Drei Ecke hat mei Hut,
Und hätt' er nicht drei Ecke,
So wär' er nicht mei Hut.

Vgl. Köhler=Meier Nr. 362*.

243. Die Kappe.

2. Wenn einer zum Mädchen geht,
Nimmt er 'ne Kappe mit.
:|: Kappe kann man in die Tasche stecke, :|:
Hut aber nit.

Rüstenbach.

Mir sonst unbekannt.

244. Hausschlüssel.

A.

Heidelberg.

B.

Verbreitung. Elsaß Weckerlin II, 102 zur selben Melodie die Worte: „Dü einfältig Birschle was bilsch dü dir ein? dü hasch nur ä Paar Heesle un dia sin nit dein". **Voigtland** Rundás Nr. 1118; **Böhmen** Hruschka S. 358.

245.

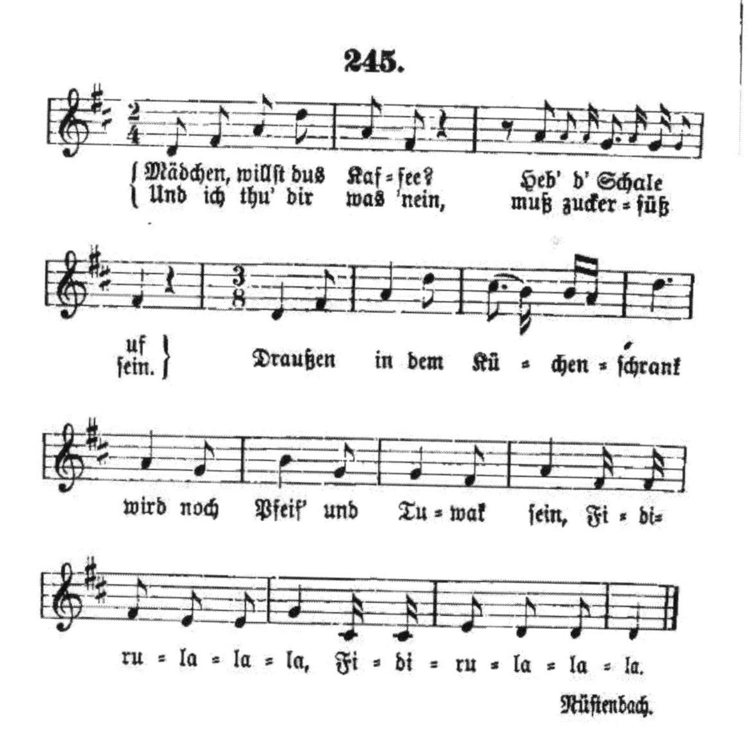

Vgl. Reuß j. L. I, 159.

Sehr verdorben nach einem älteren Gesellschaftslied, das ich hier nach einem Fl. Bl. o. O. u. J. im Brit. Museum 11521 ee 28, Nr. 19 anführe:

1. Bruder, willst du Toback rauchen,
Vallalldra, Vallalldrie!
Will dir eine Pfeife kaufen,
Vallalldra, Vallalldrie!
Greif' in meine Taschen ein,
Da wird Pfeif' und Toback seyn.

2. Mädchen, willst du Kaffee trinken,
Will ich dir den Thee einschenken.
Greif' in meine Taschen ein,
Da wird Thee und Kaffee sein.

3. Bruder, willst du Branntwein trinken,
Will ich dir das Wasser schenken.
Mein Herr Wirt, es soll nicht sein,
Ich trink' Bier und Branntewein.

5. Lustig ist das Tischlerleben,
Vallalldra, vallalldrie!
Es thut blanke Thaler geben,
Vallalldra, Vallalldrie!
Ob ich gleich kein Tischler bin,
Lieb' ich doch die Meisterin,
Vallalldra, Vallalldrie!

246. Reifrock.

Heidelberg.

Verbreitung. Pommern Bl. f. pomm. Vk. V, 179.

247. Polka.

A.

2. Tanz' ich nit, so guck ich zu,
Verreiß mir au kei Strumpf und Schuh;
Kommt ein Schatzel, das m'r g'fallt,
Tanz' ich, daß der Bode knallt!

Heidelberg.

B.

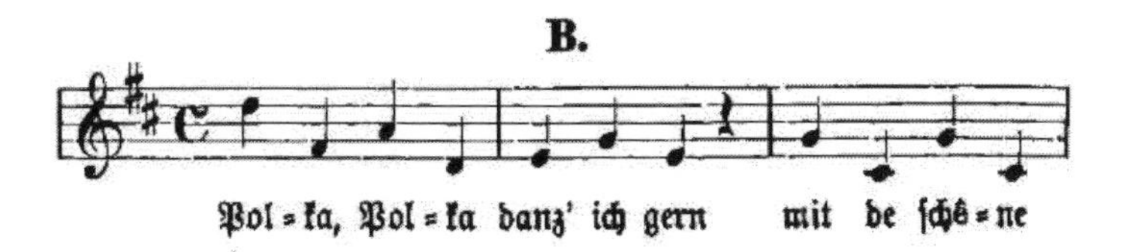

Handschuhsheim.

Verbreitung. Verwandtes **Böhmen** Hruschka 443, Nr. 378; **Pommern** Bl. f. pomm. Vk. VI, 4.

248. Die Lauterbacherin.

A.

Heidelberg.

Verbreitung. In Nüstenbach als Schlaflied gesungen.

B.

Wiesloch.

Der joblerartige Zusatz von B stimmt beinahe zum Jobler in Erks Liederschatz, Bd. I. Melodie und Jobler sind eigentlich dieselben wie zu dem in England und Amerika weitverbreiteten Liedchen „oh vhere and oh vhere is my leetle dawg gone“: ein Spottlied auf die Deutschen, wozu die Lauterbacherin wohl als typische deutsche Volksweise verwendet wurde.

Verbreitung. Nach Böhme, Tanz II, 141 ist das Liedchen bald nach 1800 entstanden.

*Elsaß, Tirol, Österreich, Hessen, *Nassau, *Franken, *Saar, Voigtland, Böhmen, Harz, vgl. *Köhler-Meier Nr. 364. Dazu **Appenzell, Kanton Bern**, Schwz. Archiv f. Vk. V. Heft 1, Nr. 67; ***Elsaß, *Oberrhein, Oberbaiern, Tirol** Erk-Böhme II, 768; **Nieder-Österreich** Frommanns Zs. V, 510 (Latterbám statt Lauterbach); ***Hessen, *Nassau, *Rhein** Erk-Böhme II, 768; ***Thüringen** ib., *Boehme, Tanz II, 141; ***Franken** ib.; **Mittel-Saar** Firmenich II, 556; **Süddeutsch** Neues Vlbuch., Reutlingen S. 92; ***Kommersbuch** S. 497. Bei Ditfurth Nr. 188—9 kontaminiert mit unserer Nr. 53 „Sitzt ein schöner Vogel im Tannenwald“. Nach Köhler-Meier wird bei der Mosel und Saar das Liedchen auf ein Lauterbach im Preußischen bezogen, das eine halbe Stunde von Breitenbach in der Pfalz liegt. Als ich 1893 bei Lauterbach im Schwarzwald ein Mädchen darnach fragte, bestand sie darauf, es sei dieses Lauterbach gemeint.

249. Narrenseil.

Sinsheim, Handschuhsheim, Nüstenbach.

Verbreitung. Schwaben Meier S. 30, Nr. 160; **Westpreußen** Treichel S. 57.

Die Melodie ist besser bekannt als Weise zu „Wohlan die Zeit ist kommen", vgl. Wolfram Nr. 284, Erk-Böhme III, 281. Tappert (Wandernde Melodien S. 66) nimmt L. Schubarts „Ich bin ein Webermädchen" als Grundlage derselben an.

Zum „Narrenseil" vgl.: Wunderhorn I, 371; Ausg. Birlinger-Crezelius nach Fl. Bl. von 1804, I, 553; **Franken** *Ditfurth Nr. 264; **Niederrhein, Thüringen, Brandenburg** *Erk, Ldh. Nr. 112; **Schlesien** ib., *Hoffmann Nr. 236.

250. Die rote Nase.

Tanzlied.

Handschuhsheim.

Mir sonst unbekannt.

251. Tanzlied.

Handschuhsheim,
Kirchardt (nur der zweite Teil).

Verbreitung. 1. Zum ersten Teile: **Westpreußen Treichel** Nr. 114. 2.

2. Zum zweiten Teile: Saar, Thüringen, Niederdeutschland, Osnabrück, Magdeburger Land, Preußen vgl. Köhler=Meier Nr. 351. „Niederdeutsches Tanzliedchen" **Thüringen, Sachsen,** Erk=Böhme II, 770; „Reigentanz zu Osterzeit" **Westfalen** Frommanns Zs. I, 136.

Nach Treichel Nr. 120. 49 wird dieser Text oft dem Barcarole (Io son ricco) aus Donizettis Liebestrank „L'Elisire d'Amore" untergelegt. Hier aber, worauf mich Prof. W. Braune aufmerksam machte, ist die Melodie „Herzliebchen mein unterm Rebendach". Den Text desselben Liedes fand ich auch in einem hs. Liederbuche aus Handschuhsheim.

252. Tanzlied.

Handschuhsheim.

Mir sonst unbekannt.

253. Tanzlied.

A.

Rüstenbach.

B.

Unsre Frau Müllerin
:|: Hat e papierene :|:
Schnupftuwaksdos'.
:|: Wenn mr emal e Schnuppe will,
Hat se kei Tuwak, Tuwak drin. :|:

Handschuhsheim.

Verbreitung. Zu B: **Schwaben** Meier 21, Nr. 105 **ähnliche** Reime auf Müllerin, Schreinerin, Pfarrerin; sie klingen **wie eine** Art Gesellschaftsspiel, wie z. B. die Leberreime.

254. Holzapfel-Tanz.

2. Dir hab i eimol traut,
Haibibeldum, haibibeldum,
Un's hat mi au schier g'raut,
Haibibeldum, bum!

Dossenheim.

Verbreitung. Wunderhorn III, 23, nach Birlinger=Crezelius III, 196 aus der **Mosbacher** Gegend. **Elsaß** Alsatia 1856—7, 195. **Schwaben** Meier S. 195. Folgende Beschreibung des Tanzes entnehme ich Aloys W. Schreibers Trachten, Volksfeste, und charakteristische Beschäftigungen im Großherzogtum Baden. Freiburg um 1820? 4°. „Zu vier Seiten des Kreises stehen vier Bürger des Ortes mit Gewehren als Kampfrichter, wovon einer den Zweig eines Wallnußbaumes in der Hand hält. Ehe der Tanz beginnt, geht ein Mann, mit einem Sack voll Holzäpfel, rings im Kreise umher, und leert die Äpfel auf den Boden aus. Außer dem Hofe hängt an einem Baume eine geladene Flinte mit einer brennenden Lunte. ... Wenn der Tanz beginnt, erhält der erste in der Reihe den Wallnußzweig und behält ihn in der Hand bis zum nächsten

Kreiswärtel, der ihn abnimmt und an den zweiten Tänzer übergiebt. So wälzt sich nun der fröhliche Haufe ... über die Holzäpfel hin, wobei hie und da ein Pärchen auf die Erde zu liegen kommt, bis die Flinte losgeht, und derjenige den Preis davon trägt, in dessen Hand sich in demselben Augenblick der Zweig befindet." Der Tanz wird im Schleifwalzerschritt ausgeführt.

255. Tanzliedchen.

A.

Handschuhsheim.

Als Tanzlied sehr beliebt.

Verbreitung. Erste Hälfte des Textes nach Wilhelm Bornemann 1816; vgl. Hoffmann, Vtl. Lb. 88. Fink[4], S. 391—2, hat drei verschiedene Fassungen des Liedes. Melodie nach Gehricke (?) Erks Liederschatz I, 164. Zur zweiten Hälfte des Textes vgl. „Musketier sind lust'ge Brüder" Köhler-Meier, Nr. 248.

B.

Diese Fassung hörte ich in einem Dorf auf den Heiden von West-Yorkshire von einer wandernden Musikkapelle aus Kaiserslautern spielen und singen.

256.

1. Spielet auf ihr Musikanten!
Spielet mir's mein Leibstück auf,
Macht mir's einen Hopserwalzer draus,
Weil ich geh' nach Haus.

2. Und ich lieb' was Feines,
Wenn es gleich nicht mein ist.
Wenn es mein nicht werden kann,
Hab' ich doch meine Freude dran.

Handschuhsheim.

Als Schnörkel zu Nr. 153 gesungen.

Verbreitung. **Tirol** Greinz und Kapferer Schn. 17; **Kärnten** Pogatschnigg I, 1810. Str. 2 beinahe wörtlich übereinstimmend in P. Rivanders Quodlibet, Nürnberg 1615, und in einem Stammbuch Wilhelm Weiers, Anfang des 17. Jh., auf der Bonner Bibliothek. Letzteres nach einer Aufzeichnung Hoffmanns von Fallersleben in der Hs. der Kgl. Bibl. Berlin, MSG. quart. 716.

257. Hochzeit.

A.

Wiesloch.

B.

Judemädle wasch' di, kämm' di, putz' di schön,
Du darfscht au mit de Christebible gehn.

Heidelberg.

Nach Böhme, Tanz II, 162 wurde zu dieser Melodie die russische oder Doppelpolka getanzt, die 1842 aufkam und bis 1860 sehr beliebt war.

Verbreitung. Zum Text: **Schwaben** Birlinger, Schw. Bl. S. 124; von der **fränkischen Grenze** Alemannia XVI, 72; **Voigtland** Rundäs Nr. 1060; **Böhmen** Hruschka 342, Nr. 670; Gesch. d. D. in B. XX, 138; **Pommern** Bl. f. p. Vk. VI, 4; **Westpreußen** Treichel 164.

258. Letzte Zuflucht.

Kirchardt.

Mir sonst unbekannt.

259. Mitgift.

E buckligs Paar Ochse,
E g'scheckete Kuh;
Die giebt mir mein Vater,
Wenn ich heirate thu.

Rüstenbach.

Ein altes Paar Ochsen, eine scheckete Kuh.

Kirchardt.

Wunderhorn III, 101.

Verbreitung. Schweiz Hörmann, Schn. S. 23; **Schwaben** Meier Nr. 56, S. 12; Birlinger, Schw. Vl. S. 93; Birlinger-Crezelius, Festgruß S. 54; **Salzburg** Süß, Schn. Nr. 590; **Kärnten** Pogatschnigg I, 1758; **Österreich ob der Enns** Erk-Irmer III, 55; **Oberdeutsch** Vogl 14; **Ungarn** Wiener Sitzgs.-Ber. XLIV, 399; **Hessen** Erk-Böhme II, 793; Alemannia VIII, 63; **Nassau** Wolfram S. 383; **Sonneberg** Schleicher Nr. 7; **Voigtland** Rundas Nr. 677; **Sachsen** Dähnhardt II, 54; **Böhmen** Hruschka 306, Nr. 311; **Österreich-Schlesien** Peter S. 313; **Brandenburg** Beckenstedts Zs. IV, 171; **Westpreußen** Treichel Nr. 14, 3.

260. Die Schwiegermutter.

2. Wenn der Buchsbaum Birne, Birne trägt,
Trio lio lio la,
Bin ich meiner Schwiegermutter recht,
Trio lio la.

3. Schwiegermutter, kränkt euch nimmer!
Euern Sohn, den mag ich nimmer.

4. Euer Sohn ist mir zu gering,
Als daß ich mit ihm zur Musik ging.

5. Ich kann stricken, flicken und auch näh'n
Und dabei durchs Fenster sehn.

6. Dazu sind meine Äugelein gerecht,
Aber zum Heiraten nicht.

7. Mädel, wenn du wüßt' wie schön
Dir doch deine Simpelsfranzen stehn!

8. Selbst der Ochse, Rind und Kuh
Tragen Simpelsfranzen g'rad wie du.

9. Auch die Ziegen und der Schwein
Wollen bei der Mode sein.

10. Schätzlein, wenn ich dich nicht hätt',
Hätt' ich meine Freude nit!

11. Schätzlein, du mußt bei mir bleiben,
Du mußt mir die Zeit vertreiben.

Handschuhsheim.

Oder 6b Aber zu eurem Sohne nicht. 7b dir die Simpelsfranzen stehn.
9 der Esel und der Schwein.

Verbreitung. Zu Str. 1—2: **Schweiz** Rochholz, Kinderlied S. 471—2. In der Fastnacht und ums Frühjahr tragen die Kinder eine Strohpuppe herum, betteln und singen diesen Reim dabei. Die böse Schwiegermutter hat wohl die Stelle des Todes im bekannten „Todaustragen" übernommen, vgl. Tobler I, 213; **Schwaben** Meier, Kinderreim Nr. 251; **Kärnten** Pogatschnigg I, Nr. 1424. Vgl. auch Quellen des Wunderhorns, Alemannia X, 148 f., Nr. 9. Str. 5—6 als erste Strophe eines dreistrophigen Liedes aus **Hessen** in Mittlers Ms.; eingefügt in einer erweiterten Ausgabe des Liedes von le Pansiv „Keine Liebste nehm' ich mir". Fl. Bl. Berlin Yd 7912, 112, Lieder 8—9. (Kopp, Deutsches Volks- und Studentenlied in vorklassischer Zeit, Berlin 1899, S. 126.) **Mosel** Köhler-Meier Nr. 146, vgl. Anm. Vielleicht ist folgendes aus einem Bettelhochzeitlied vom Jahre 1639 (Bolte der Bauer im deutschen Liede, 1890, S. 252) mit Str. 1 verwandt:

Hinter meiner Schwieger Thür,
Da sieht ein altes Faß herfür.
Dasselbe nimb vnd mach ein Feur,
Besser Holtz ist mir zu theur.

261. Da kimmt er.

2. Vor dem Spiegel steht er,
Seinen Schnurrbart dreht er;
Seinen Schnurrbart muß er drehn,
Wenn er will zur Liebsten stehn.

3. Hinterm Ofen sitzt er,
Seinen Schnurrbart wichst er;
Seinen Schnurrbart muß er wichse,
Wenn er will zur Liebsten sitze.

Rüstenbach.

B.

In der Stadt zu Breslau
Stehn die Mädchen hellblau,
Haben rote Röcklein an,
Schaffen sich Franzosen an.

Handschuhsheim.

Nach dem bekannten Gassenhauer „Siehst du wohl, da kimmt er, lange Schritte nimmt er“ (Berliner Kreuzpolka von A. Schmasow und R. Daase). Aber sowohl Text wie Musik ist hier beinahe vollständig umgeändert.

262. Der schwarze Frack.

A.

2. Gelt Schatz? du weißt es ja,
Daß ich dich liebe,
Daß ich kein' andre lieb'
Als dich allein.

3. Der mit sein'm schwarze Frack,
Der hat kei Geld im Sack;
Der mit dem Schitzehut,
Der g'fällt mir gar zu gut.

4. Nur du alleine
Bist die ich liebe,
Ich lieb' ja keine
Als dich alleine.

5. Un vor der Hochzeit
Da sin wir's Brautleut',
Un nach der Hochzeit
Da sin wir's Eh'leut'.

6. Un vor der Hochzeit
Da giebt es Kisse,
Un nach der Hochzeit
Da giebt es Schmisse.

Handschuhsheim.

Oder Kirchardt: 2a daß ich sechs andre lieb und dich dazu. 4b bist meine Feine.

B.

Der mit dem schwarze Frack, der hat das Geld im Sack;
Der mit dem Schit=ze=hut, der g'fällt mir grad so gut.

Du bist al=lei=ne, bist mei=ne Freu=de,

wenn ich sonst nie=mand lieb' als dich al=

lei=ne. Jn der Hoch=zeit giebt's was Brautleut',

da giebt es Küs=se und giebt's auch Schmisse.

Nüstenbach.

Verbreitung. 1. Zu Str. 1: **Böhmen** Hruschka 164 („Zwei weiße Entlein die sah ich schwimmen"); **Schleswig-Holstein** *Erk-Böhme II, 446.

2. Zu Str. 3: **Steiermark** Seidl I, 74; **Böhmen** Hruschka 326, Nr. 508; **Egerland** Frommanns Zs. V, 127; **Voigtland** Rundás Nr. 110.

3. Zu Str. 5—6: **Böhmen** Hruschka S. 104.

263.

Uf'm Neckar bin in fahre,
'Schiffle hat sich dreht,
'wär Schad für mei alter Peter,
Wenn er unnergê dät!

Neckar=Gerach.

Mir sonst unbekannt.

264. Die Reche.

Müstenbach.

Verbreitung. Schwaben Meier Nr. 211, S. 39 „Kaufet an Recha und de Stiel dazua“. Die Sängerin aber, von der ich das Lied hörte, bestand darauf, es sei richtig „ke Reche“.

265.

2. Und i hab e scheckets Messerle,
Des klingelt und des schneid't.
Und ich hab e herzigs Schätzele,
An des i hab mei Freud'.

Nüstenbach.

Verbreitung. 1. Zu Str. 1: **Schweiz** Tobler I, 208, **Knoth** 1863, I, 200; Hörmann, Schn. S. 194; **Schwaben** Birlinger, Schwäb. B. S. 107; **Elsenzthal** Glock S. 52; **Hessen** Lewalter IV, 38; **Rhein** Becker Nr. 172 (als letzte Str. des Brombeerlieds siehe oben Nr. 6); **Franken** Ditfurth, Gesellsch.-Ld. S. 60; **Sachsen** Rösch S. 129; Dunger Rundâs Nr. 760; **Böhmen** Hruschka S. 221; **Kuhländchen** Meinert S. 20, auch als Anfang vom „Tod von Basel" und vom „Faulen Gretel", S. 149.

2. Zu Str. 2: **Tirol** Hörmann, Schn. S. 142:

Und ietzt hab i a Messerl,
Das auf beiden Seiten schneid't;
Und ietzt hab i a Büebel,
Das mehr Dienblen g'freut.

266.

Nüstenbach.

Verbreitung. **Pommern** Bl. f. p. Volksk. V, 135.

267.

Wär' ich bei mei'm Lie = be = le! Tri = a = li = a = la.

2. Eine kleine Viertelstund'
Wär' ich wieder ganz gesund.

3. Wärst du gestern Abend kommen,
Hätt'st du's einen Kuß bekommen.

4. Einen Kuß ja nicht allein,
's Mädle will geliebet sein.

Trinkt e = mal ihr Brü=der! Trinkt e = mal her = um!

6. Morgen kommt der Baierkönig,
Bringt en Sack voll Sibezehner.
Trinkt emal 2c.

Müstenbach,
1—4 auch Handschuhsheim, Kirchardt.

Verbreitung. 1. Zu Str. 1: Elsaß Mündel Nr. 127; Grenze von Schwaben und Franken Bragur 1792. II, 118; Nassau Wolfram Nr. 196; Erk-Böhme II, 466.

2. Zu Str. 4—6: **Straßburg** Alsatia 1856—7, S. 200; **Böhmen** Hruschka S. 355, Nr. 769; **Voigtland** Rundās Nr. 1003—4.
3. Zur Melodie vgl. oben Nr. 207 „Ach wo bleibt mei Josephche".

268. Aus!

(Die Mädchen singen.)
Aus wär's Liebele, nix mehr draus!
Jedes Mädele will ein süßer Rumbambimmelbammel.
Jedes Mädele will ein süßer Rumbimbam.

(Die Burschen singen.)
Wenn man sie nur herzt und küßt.

Schriesheim.

Verbreitung. Schwaben Birlinger, Schw. Vl. S. 123; **Saar** Köhler-Meier Nr. 202.

269.

Müstenbach.

Verbreitung. Elsaß Weckerlin I, 188 (als Schluß des Weihnachtsspiels von Adam und Eva); **Sachsen** Rösch S. 130, Rundās Nr. 920; **Odenwald** Volk S. 192.

VII.

Kinderlieder und Reime.

270. Sommertag.

A.

Dieses Lied wird in Heidelberg am Sonntag Lätare beim Sommertagsfestzuge gesungen. Die alte Sitte ist in den letzten Jahren wieder aufgekommen; früher zogen nur einzelne Gruppen singender Kinder herum, jetzt ist der Festzug organisiert. Ich unterlasse irgend welche Beschreibung, weil man das Fest schon öfters beschrieben hat, und weil ich nie Gelegenheit hatte es mit anzusehen.

B.

1. Mitten in der Faschte
Leert de Bauer de Kaschte.
Wann de Bauer de Kaschte leert,
Gott e gutes Jôr bescheert.

2. Summerdag stab aus!
'm Winder gehn die Äge aus.
Strî, Strâ, Strô!
Der Summerdag is do;
Heit üwers Jôr
Do simmer wider do.

3. Höre Schlüslin klinge,
Wolle uns was bringe.
Was dann? Rote Weî un Bretzle neî.
Was noch dazu? Paar neie Schuh.
Strî, Strâ, Strô!
Der Summerdag ist do ꝛc.

4. Die Veigle un die Blumme
Die bringe uns de Summer;
Strî, Strâ, Strô!
Der Summerdag ist do ꝛc.

5. O du alde Stockfisch!
Wammr kummt, do hoscht nix,
Gibst uns alle Jör nix,
Der Deifel soll dich hole!
Strî, Strâ, Strô!
Der Summerdag is dô 2c.

Neuenheim.
Ältere Version des Liedes. (1800 ca.)

Oder 2b Stecht 'm Winder die Age aus.

Verbreitung. Herr K. Christ, der mir Fassung B freundlichst mitteilte, fügte hinzu, daß das Lied in der Rheinpfalz verbreitet ist, auch in Speier, Mannheim, Heidelberg, Ziegelhausen, Handschuhsheim und Neuenheim, aber sonst weder auf der Bergstraße noch im Odenwald. Nach Volk S. 187 ist das Sommertagsfest in Horchheim bei Worms besonders schön erhalten. Auch in Buch bei Kirchzell im bayrischen Odenwald giebt es noch ein Sommer- und Winterspiel, aber mit anderem Texte. Der „Kümmele" soll ein Heidelberger Original gewesen sein, der am Schloßberg wohnte.

1. Das Lied ist Nachkommenschaft des alten Spiels von Sommer und Winter, zuerst erwähnt in einer württemberger Urkunde 1397 (Birlinger, Aus Schwaben II, 64), auch in Seb. Francks Weltbuch 1542 (Uhland, Abhdlg. Sommer und Winter), vgl. Germania 1872, S. 81; 1580 Fl. Bl. Uhland Bl. Nr. 8; Böhme, Ad. Lb. Nr. 494, eine geistliche Parodie von 1584. Ein Brief von Elisabeth Charlotte von Orleans (Stuttgart, Lit. Ver. 1867, S. 64) 1696 datiert, giebt eine Heidelberger Fassung des Liedes; Wunderhorn, Anhang S. 36 und 38. Hoffmann (Horae Belg. VI, 236) bringt ein lat. Gedicht des 9. Jh. „conflictus veris et hiemis" (vgl. das. VI, 125 und Anm. S. 233). **Schweiz** Kurz, Ältere Dichter S. 133; **Salzburg** Süß S. 267; **Steiermark** Sartori, Mahlerisches Taschenbuch 1812, S. 177; Zs. f. österr. Volksk. III, 12; **Kärnten** Pogatschnigg II, Nr. 574; **Erzgebirge** Hruschka 48 f. Besonders wichtig ist Uhlands Aufsatz „Sommer und Winter", Abh. z. d. Bl. I, und Grimm, Mythologie 724 f.; vgl. auch Erk-Böhme III, 11 f., E. H. Meyer, Deutsche Volksk. S. 256, und den ausführlichen Aufsatz von K. Christ, Mannheimer Geschichtsblätter I, 59.

2. Zu unserem Liede selbst: **Schweiz** Tobler II, 237; **Heidelberg** Lise Lottes Brief 1696, s. oben; Zell, Ferienschriften I, 71; Weinholds Zs. III, 228; Zs. f. Ethnol. XXVII, 145; Der Urquell I, 190; **Darsberg** ib. I, 190; **Hinterpfalz** ib. I, 105; **Badische Pfalz** Neue Hlbg. Jb. VI, 105; **Odenwald** *Böhme, Tanz II, 187; Erk-Böhme III, 130 f.; Alemannia XIV, 195; **Bergstraße** Firmenich II, 34; Erk-Böhme III, 130 f.; **Speier** Firmenich II, 15; **Forst** Alemannia XX, 197; **Rheinpfalz** Erk-Böhme III, 130 f.

3. Einen verwandten Text singt man: a) zu Fastnacht **Elsaß** Weckerlin II, 80; Elf. Volksbüchl S. 115; **Frankfurt a. M.** Firmenich

II, 66, 72; **Böhmen** Hruschka 52; b) auf dem Johannisabend im **Elsaß** Erk-Böhme III, 155; c) als **„Klöckerlied"** in **Kärnten** zur Adventszeit, Zs. f. d. Myth. IV, 300.

4. Verwandte Festspiele sind a) das **Todaustragen**, vgl. Grimm, Mythologie 727 f.; Erk-Böhme III, 129 f., 135 f.; Dunger Rundâs S. 189—90; b) **Umzug des Huzgür**, Hiesgir, Hirziger, E. H. Meyer, Deutsche Volksk. S. 256.

271. Fâsenacht.

A.

Heidelberg.

B.

's steht e Bible an de Wand,
Hat e Säckele in de Hand!
Kichle raus! Kichle rei!
Oder ich schmeiß' dir e Loch ins Haus hinei!

Handschuhsheim.

Ähnliche Reime aus Elsaß Alsatia 1851, 115 f.

272. Maria Lichtmeß.

A.

Maria Lichtmeß,
Spinnen vergeß!
Große Herre bei Tag ess',
Un kleine, wenn sie was habbe.

Heidelberg.

B.

Maria Lichtmeß
Bei Tag zu Nacht ess'.

Handschuhsheim.

C.

Wenn d' Sunn scheint un de Dachs sieht sei Schei,
Geht er nömals vier Woche in sei Loch hinei.

Handschuhsheim.

Verbreitung. 1. Zu A und B: **Elsaß** Volksbüchl S. 63; **Frommanns** Zs. IV, 11; **Elsenzthal** Glock S. 53; **Henneberg** Frommanns Zs. II, 407; **Tambach** Firmenich II, 404; **Voigtland** Dunger Rundâs Nr. 1532; **Mähren** Willibald Müller, Beitr. z. Volksk. d. D. in M. 1893, S. 318.

2. Zu C: **Distelhausen** Alemannia XXIV, 153. Nach F. L. W. Schwarz, Poetische Naturanschauungen XXII, würde die Sonne „als ein in die Wolken kriechender einäugiger Dachs" aufgefaßt. Vgl. weiter die interessante Stelle S. 120.

273. Vier Jahreszeiten.

Kinderspiel.

Es war ei = ne Mut=ter, die hat = te vier Kin = der;
Den Frühling, den Sommer, den Herbst und den Win=ter.

2. Der Frühling bringt Blumen, der Sommer bringt Klee,
Der Herbst der bringt Trauben, der Winter bringt Schnee.

3. Das Klatschen, das Klatschen das muß man verstehn,
Da muß man sich dreimal im Kreise umdrehn.

Rüstenbach.

Zu beiden letzten Zeilen vgl. **Hessen** Lewalter III, Nr. 11.

24*

274. Maikäfer.

Verbreitung. Nach Tappert, Wandernde Melodien XXV, wird in den Kinderstuben alles nach dieser Weise gesungen; jedenfalls sehr vieles, vgl. oben „Sommerdag" Nr. 270 und „Fastnacht" Nr. 271. Aber „Blauer Fingerhut" Nr. 275 singen auch sehr kleine Kinder, und diese Weise ist ganz verschieden.

Schweiz Rochholz, Kindld. S. 464; Unoth 1863, I, 57; **Elsaß** Volksbüchl. S. 43—4; **Schwaben** Frommanns Zs. VII, 469 (mit politischer Parodie aus der Zeit 1848—9); Meier, Kinderreim Nr. 77—8; **Siegelau** Alemannia XXV, 26; **Kärnten** Pogatschnigg II, Nr. 65; **Hessen** Hessenland V, S. 258; Wunderhorn I, 235; **Ausg.** Birlinger-Crezelius II, 768; Alemannia XIV, 201; **Badische Pfalz** Erk-Böhme III, 593; Glock S. 36 und 39; **Bruchsal** Alemannia XX, 196; **Waldeck** S. 284; **Rhein** Firmenich I, 526; **Köln** vor 50 Jahren S. 73; Jörres Sparren S. 35; **Düsseldorf** Firmenich I, 431; **Mülheim** im Möhnethal ib. I, 344; **Franken** Frommanns Zs. VI, 124; **Thüringen** Erk-Böhme III, 593; **Anhalt** Fiedler S. 95; Firmenich II, 228; **Sachsen** ib. I, 164; Erk-Böhme III, 593; Dunger, Kindld. 77 f.; **Böhmen** Hruschka 421, Nr. 267; **Mähren** Zs. f. d. Myth. IV, 325; **Westfalen** Münster-Gesch. S. 244; **Bremen** Der Urquell I, 115.

Wichtig sind die Aufsätze von O. Knoop, Bl. f. pomm. Volksk. II, 154 f., 167 f. und Karl Blind, Voss. Ztg. 1892, Nr. 181.

275. Blauer Fingerhut.

2. Jungfer, du mußt tanzen
In dem grünen Kranze.

3. Jungfer, du mußt stille stehn
Und dich dreimal umme drehn.

Heidelberg.

Verbreitung. Ein alter Volksreigen, den heutzutage nur die kleinen Mädchen zu ihrem Spiele benutzen.

1. Der alte Tanz scheint gerade im Rheinland beliebt gewesen: **Bonn** Erk, Ldh. Nr. 139 „Blaue Blumen auf meinem Hut"; **Rheindorf** bei Kessenich Simrock Nr. 110; **Aachen** Zs. d. A. Geschichtsvereins IX, 197; vgl. auch Böhme, Tanz I, 300.

2. Zum Spiel: **Schwaben** Meier, Kinderreim Nr. 431, vgl. Nr. 120; **Schapbach** Alemannia XXIII, 9; **Forst** bei Bruchsal, **Neckargemünd** ib. XX, 192; **Elsenzthal** Glock 39; **Hessen** Hessenland V, 296; Lewalter III, Nr. 22; **Krefeld** Frommanns Zs. VII, 87; **Köln** K. vor 50 Jahren S. 82; Firmenich I, 460; Jörres, Sparren S. 32; Böhme, Tanz I, 300; **Sachsen** ib.; Dunger, Kindld. S. 192; **Böhmen** Hruschka 443; **Gottschee** *Hauffen S. 379.

276. Auf der Heh'.

Auf der Heh' wächst der Klee, Fut = ter für mei

Gai = le; wenn der Mann ins Wirtshaus geht,

macht die Frau e Mai = le. Wenn sie aw = wer

Kaf = fee trinkt, hupft sie wie e Dis = tel = fink.

Wiesloch, Schlierbach,
Heidelberg, Nüstenbach.

Oder: wenn mei Vatter ins Wirtshaus geht, macht mei Mutter e Maile.

Verbreitung. **Langenbrücken, Badischer Taubergrund** Alemannia XX, 192; **Köln** Weyden 223. Zur Melodie vgl. „Trutz nit so" Weckerlin II, 430 Anm. „die Melodie ist von Jul. Thümmel 1854 mit Roquettes Text erschienen". Roquettes „Ach Gott das druckt das Herz mir ab" hat bekanntlich den Refrain „Druck nit so, 's kommt 'ne Zeit bist wiedrum froh." Thümmels Melodie dient gleichfalls heute im Volksmunde als Weise zu „Heit is Kirb unn morje is Kirb" (Köhler-Meier Nr. 359). „Meine Frau und deine Frau, die sind zwei schöne Weiber," und in Andlau in Elsaß habe ich sie zu folgenden Worten singen hören:

Ober-Ottrott und Unter-Ottrott
Das sind zwei schêne Stadtlä;
Im Summer gehne se Heidelbeer zupfe,
Im Winter gehne se battla.

Das Roquette-Thümmelsche Lied ist auch in anderer Beziehung für diese Sammlung von Interesse. Als Heidelberger Student sang er es zur Guitarre zuerst im roten Ochsen in Handschuhsheim, und im Dorfe wurde es auch zum Volkslied. So erzählt er in seiner Selbstbiographie (Siebzig Jahre, Darmstadt 1894, S. 195); das Lied habe ich nie dort singen hören, es ist vielleicht schon wieder vergessen.

277. Drei Jungfern.

Hotte, hotte Rössel!
Zu Mann'm steht e Schlössel,
's gucke drei Jungfern 'raus.
Die eine spinnt Seide,
Die zweite wickelt Weide,
Die dritte spinnt ein'n roten Rock
Für unsern lieben Herre Gott.

Heidelberg.

Verbreitung. 1. Wunderhorn, Anhang 70; **Schweiz** Rochholz, Kindld. 139 f.; Tobler II, 239; Unoth 1863, I, 48; Großätti aus Leberberg 24; Firmenich II, 665; **Elsaß** ib. II, 512, 523; Volksbüchlein S. 30; Weckerlin II, 46; Erk-Böhme III, 583; **Metz** Lothr. Jb. VI, 101; **Markgräflerland** Alem. XXV, 102; **Siegelau** ib. XXV, 26; **Schapbach** ib. XXIII, 17; **Langenbrücken** ib. XX, 198; **Schwaben** Meier, Kindrm. Nr. 14—15; Weinholds Zs. VI, 345; **Tirol** Greinz und Kapferer Schn. S. 93; **Vorarlberg** Rochholz Kindld. 139 f.; **Mittelsaar** Firmenich II, 555; **Sachsen** Dähnhardt

II, 131, entstellt I, 41; **Mähren** Zs. f. d. Myth. IV, 335; **Böhmen** Hruschka 441, Nr. 371, Gesch. d. D. in B. XXI, 340—1; **Schlesien** Weinholds Zs. VI, 346; Rübezahl XIII, 623; **Pommern** Bl. f. p. Volsk. V, 63; **Ostpreußen** Lemke I, 125.

2. Zur Mythologie dieses Reimes ist vieles geschrieben worden, vgl. Weinholds Zs. VI, 345; Rochholz, Kindld. 139 f.; Tobler II, 239.

278. Wiegenlied.

A.

2. Schlaf Kindele, schlaf!
Im Garte weide die Schaf'.
Die weiße und die schwarze,
Die wolle mei Kindele kratze.
Schlaf Kindele, schlaf!

Heidelberg, Rüstenbach.

B.

kannst du ar = mes Kind da = für, schlaf Kindele, schlaf!

Heidelberg, Baden.

Umgedichtet im *Mildheimischen Liederbuch³, Nr. 207.

Verbreitung. A. **Schweiz** Großätti aus dem Leberberg S. 23. Unoth 1863, I, 50; Firmenich II, 665; **Elsaß** *Weckerlin II, 10; **Schwaben** Meier, Kinderreim Nr. 1; **Ungarn** Firmenich III, 631; Wiener Sitzgsber. XXVII, 181; XLIV, 424; **Hessen** Zs. f. d. Unt. V, 359; Hessenland V, 190; *Erk=Irmer III, 19; Alemannia VIII, 70; **Rheinpfalz** ib. XX, 198; **Franken** Frommanns Zs. IV, 253; VI, 122; Zs. f. d. Unt. V, 359; **Sachsen** Der Urquell I, 84; Dähnhardt I, 2; Müller S. 174; **Anhalt=Dessau** Fiedler 13; **Böhmen** Hruschka 392, Nr. 68 und 72; **Mähren** vgl. Willibald Müller, Beitr. z. Volksk. d. D. in M. 1893, S. 277; **Hannover** Zs. f. d. d. Unt. V, 282; **Oldenburg** Dunger, Kinderlieder 13; **Brandenburg** Erk=Böhme III, 580; *Erk=Irmer II i 25; **Oderbruch** Firmenich I, 125; **Pommern** Bl. f. p. Volksk. I, 143; IV, 151 f.; **Westpreußen** Treichel S. 117; **Schleswig=Holstein** Zs. f. d. U. V, 282; vgl. auch „Aus den Quellen des Wunderhorns" Alemannia X, 148 f. und den Lübecker Spruch „de Schap de kümmt, de Kinner to Bedd!" Der Urquell I, 243.

B. Zur Parodie vgl.: Weinholds Zs. VII, 298 aus **Bukowina** und **Galizien**; **Sonneberg** Schleicher S. 95; **Anhalt=Dessau** Fiedler S. 13; **Holstein** Firmenich III, 56; **Westpreußen** Treichel Nr. 101. 6.

279. Schlaf Herzenssöhnchen.

Nach Böhme, Vtl. Lb. Nr. 620 komponierte C. M. Weber das Lied den 13. September 1810 zu Frankfurt a. M. Text von Carl Hiemer (Hoffmann, Vtl. Lb. 117). **Anhalt-Dessau** Fiedler S. 9.

280. Gickerle.

Heidelberg.

Verbreitung. Zur Melodie vgl. „Suse, léwe Suse" Erks Liederschatz III, 152 aus Brandenburg. Zum Text vgl. Wunderhorn, Anhang 66; **Straßburg** Firmenich II, 521; **Metz** Lothr. Jb. VI, 101; **Schwaben** Meier, Kinderreim Nr. 3; **Bruchsal** Alemannia XX, 191; **Frankfurt a. M.** Firmenich II, 65; **Franken** (Tambach) ib. II, 403; **Mittelsaar** ib. II, 555; **Köln** Weyden 219; **München-Gladbach** Firmenich III, 514; **Münster** Gesch. S. 240; **Kreis Kalbe a. S.** Firmenich I, 163; im **Lippischen** I, 265; **Soest** I, 346; **Lübeck** Der Urquell I, 243. Die Melodie ist im ersten Akte von Humperdincks „Hänsel und Gretel" verwendet.

281.

Eia popeia, schlag's Patschele z'samme,
Viele, viele Daite un e einzige Mamme!

Nüstenbach.

282. Simseredemsel.

Heidelberg.

Verbreitung. Blaubeuren Alemannia XVI, 253; **Voigtland** Rundâs Nr. 1184: beide haben Zimmermändl (Zimmermännl), wofür unser Simseredemsel gewiß ein Mißverständnis ist.

283. Gebet.

Heil'ger Sankt Veit!
Weck' mich bei Zeit,
Nicht zu früh und nicht zu spät,
Wenn das Glöckelein sechse schlägt.

Heidelberg.

Verbreitung. Schweiz Rochholz, Kinderlied S. 189; **Schaffhausen** Bnoth 1863, I, 45; **Elsaß** Frommanns Zs. II, 557; **Tirol** ib. 520. Rochholz weist nach, daß Sankt Veit „der kindliche Martyrer" genannt und ihm Hähne geopfert wurden. Zu dem kindlichen Martyrer dürften die Kinder wohl beten; und wenn der Hahn sein Vogel ist, kann er gewiß die Betenden früh wecken. Vielleicht hat der Heilige, weil er mit der Heilkunde zu thun hat (als Helfer gegen den Veitstanz ꝛc.), den Hahn des Äskulapius übernommen.

284. Gesundheitsregel.

Ein Trunk auf Salat
Nimmt dem Doktor e Dugat.

Heidelberg.

285. Lokalpatriotismus.

Schries'm is de Schepfkiebel,
Ze Dossem is de Deckel drieber,
Hendese is e schêne Stadt,
Ze Neien is de Bettelsack.

Handschuhsheim.

E. H. Meyer, Deutsche Volkskunde S. 336, zitiert als „landläufige Schablone" eine Ortsneckerei:

Basel isch e scheni Stadt,
Liestel isch der Bettelsack,
Binnige isch der Subelziber,
Bottnige isch der Deggel briber.

Vgl. Alemannia X, 272 und XVI, 253, wo viele solche Spottreime zu finden sind.

Die Ortsnamen oben lauten hochdeutsch: Schriesheim, Dossenheim, Handschuhsheim, Neuenheim; sämtlich auf der Bergstraße, nahe bei Heidelberg.

286.

1. „Seit de Baurebüble
Runde Hütle trage,
Darf e Bauremädle
Gar kei Wörtle sage."

2. „Seit de Bauremädle
Lange Röckle trage,
Darf e Baurebüble
A kei Wörtle sage."

Nüstenbach.

287. Sitzen geblieben.

Wenn ich an mei Elend denk',
Wackle alle Tisch' und Bänk';
Denk' ich, daß ich ledig bleib',
Wackelt mir das Herz im Leib'!

Heidelberg.

Nach Str. 1 von „E unbewachts Herz" von K. G. Nadler in „Fröhlich Palz, Gott erhalt's." Oder hat Nadler den Volksreim benutzt?

Verbreitung. **Lothringen** Jb. VI, 108; **Sachsen** Rösch S. 123, Müller S. 129; Rundas Nr. 231.

288.

Die Bibel im Herzen,
Den Liebsten im Arm;
Das eine macht selig,
Das andre macht warm.

Handschuhsheim.

Verbreitung. Um 1629 Töppen, Vtl. Dichtungen S. 80, Nr. 41. **Schweiz** Tobler I, 215; **Westpreußen** Treichel S. 164. [17. Jh. Keil, Stammbücher S. 159, Nr. 811; **Tirol** Greinz und Kapferer, Schn. II, 55. J. Meier.]

289.

Liebst du mich wie ich dich,
Nimmermehr verlaß ich dich.

Handschuhsheim (schriftlich).

290.

Herzliebster du meiner,
Du bist wieder mein,
Und nächst Jahr vor Ostern
Soll die Hochzeit schon sein.

Handschuhsheim (schriftlich).

Anhang.

I.

Weitere Volks- und volkstümliche Lieder, welche meines Wissens in der badischen Pfalz gesungen werden.

Titel	Vergleiche	Ort, wo gesungen
Als ich ein Junggeselle war. (Tod von Basel.)	Wolfram Nr. 271	Handschuhsheim
Auf einem Baum ein Kuikuk.	" " 454	Heidelberg
Die Anna saß auf einem Stein.	" S. 67	"
Die Leineweber haben eine saubere Zunft.	E. Meier S. 166	Kirchardt
Drei Lilien.	" " 361	Nüstenbach
Ein Herz, das sich mit Sorgen quält.	Böhme, Vtl. Lb. Nr. 285	Handschuhsheim
Ein Sträußchen am Hute. (Conrad Rotter.)	—, Nr. 662 a	"
Einst hat mir mein Leibarzt. (Langbein?)	—, " 349	"
Es steht ein Wirtshaus an der Lahn.	Wolfram Nr. 419	"
Fern im Süd im schönen Spanien. (Geibel.)	Böhme, Vtl. Lb. Nr. 537	" und Nüstenbach
Freut euch des Lebens. (Usteri-Nägeli.)	—, Nr. 304	Heidelberg
Herzliebchen mein unterm Rebendach. (Pohl-Wilken.)		Handschuhsheim
Ich liebe dich, so lang' ich leben werde.	Erk-Böhme II, 426	Nüstenbach
Im Frühling, wie ist's auf den Alpen so schön.	—	"

Titel	Vergleiche	Ort, wo gesungen
Im Grunewald ist Holzauktion.	—	Handschuhsheim
In Stücke möcht' ich mich zerreißen.	Lewalter III, 16	Nüstenbach
Mei Schatz is e Reiter.	Wolfram Nr. 169	"
Mein Herz ist wie ein Bienenhaus.	—	Heidelberg
Mein Lieb ist eine Alpnerin.	—	Handschuhsheim
Meine Nachbarin eine Wittfrau.	Mündel Nr. 224	"
Morgenrot. (Hauff.)	—	Nüstenbach
Muß i denn.	Erk-Böhme II, 586	Handschuhsheim
Nobbel nit eso, 's Häusele fällt um.	Bender S. 233	"
Nun leb' wohl, du kleine Gasse. (Schlippenbach.)	—	Nüstenbach
Nur achtzehn Jahre bin ich alt.	—	Handschuhsheim
Nur noch einmal in meinem ganzen Leben.	Böhme, Vtl. Lb. Nr. 263	Nüstenbach
Rosestock, Holderblüh.	—	Handschuhsheim
Sah ein Knab' ein Röslein stehn. (Goethe.)	—, S. 96	"
Seht ihr drei Rossen. (Russisches Lied.)	—	Nüstenbach
Sonnenlicht, Sonnenschein.	—, Nr. 441	Bockschaft
So willst du wieder einsam mich verlassen.	Erk-Böhme III, 249	Handschuhsheim
Steh' ich in finstrer Mitternacht. (Hauff.)	—	"
Still ruht der See.	—	Nüstenbach und Handschuhsheim
Waldeslust.	Köhler-Meier Nr. 89	Nüstenbach
Was e armes Weib muß leide.	—	Handschuhsheim
Wenn der Schnee von der Alma wega geht. (Parodie.)	Schabe, Hdwkslb. S. 132	Kirchardt
Wenn ich mich nach der Heimat.	Böhme, Vtl. Lb. Nr. 261	Heidelberg
Wie machen's denn die Bäcker? So machen sie's.	Wolfram Nr. 367	"
Zerdrück' die Thräne nicht in deinem Auge.	—	"

II.

Verglichene Litteratur.

---

1. Bücher.

(* = mit Musiknoten.)

Altrheinische Mährlein und Liedlein. Koblenz 1843. 12°.

Ambraser Liederbuch. Stuttgart, Litterarischer Verein, Bd. 12.

Baader, F., Sagen des Neckarthals, der Bergstraße und des Odenwalds. Mannheim 1843.

***Becker, C.,** Rheinischer Volksliederborn. Neuwied o. J.

Bergreihen. Ein Liederbuch des XVI. Jahrhunderts. Nach den vier ältesten Drucken von 1531, 1533, 1536 und 1537 herausgegeben von John Meier, Halle 1892.

A. Birlinger, Schwäbische Volkslieder. Freiburg i. B. 1864.

—, Volkstümliches aus Schwaben, 2 Bände. Freiburg i. B. 1861.

—, Aus Schwaben, 2 Bände. Wiesbaden 1874.

Birlinger und Crezelius, Des Knaben Wunderhorn, 2 Bände. Wiesbaden 1874.

—, Deutsche Lieder, Festgruß an L. Erk. Heilbronn 1876.

Böckel, Otto, Deutsche Volkslieder aus Oberhessen. Marburg 1885.

***Böhme, F. M.,** Altdeutsches Liederbuch. Leipzig 1877.

*—, Volkstümliche Lieder der Deutschen im 18. und 19. Jahrhundert. Leipzig 1895.

*—, Geschichte des Tanzes in Deutschland. Leipzig 1896.

Bothe, F. H., Volkslieder, nebst untermischten andern Stücken. Berlin 1795.

Brückner siehe **Reuß** j. L.

Büsching und von der Hagen, Sammlung deutscher Volkslieder, 1807. 16° und 8°.

Ceske národnj pjesne. W. Praze 1825, (Böhmische Volkslieder).

***Commersbuch** siehe Kommersbuch.

***Coussemaker, E. H.,** Chants populaires des Flamands de France; Gand 1856. 4°.

Curtze, L., Volksüberlieferungen aus dem Fürstentum Waldeck. Arolsen 1860.

Dähnhardt, O., Volkstümliches aus dem Königreich Sachsen, auf der Thomasschule gesammelt. Leipzig 1898. Zwei Hefte.
*****Ditfurth, F. W. v.**, Fränkische Volkslieder. Leipzig 1855. (Nur Band II kommt in Betracht; Band I enthält nur geistliche Lieder.)
*—, Deutsche Volks- und Gesellschaftslieder des 17.—18. Jahrhunderts. Nördlingen 1872.
Döring, M., Sächsische Bergreihen. Grimma 1839—40.
*****Dunger, H.**, Rundâs und Reimsprüche aus dem Vogtlande. Plauen 1876.
—, Kinderlieder und Kinderspiele aus dem Vogtlande. Plauen 1874.
Elwert, A. C., Ungedruckte Reste alten Gesangs. Gießen und Marburg 1784.
*****Erk** und **Böhme**, Deutscher Liederhort. Leipzig 1893—4. 3 Bände.
*****Erk** und **Irmer**, Die deutschen Volkslieder mit ihren Singweisen. Berlin 1838. 12°. 2 Bände und 1 Heft.
*****Erk, L.**, Deutscher Liederhort (Ldh.). Berlin 1856.
*—, Deutscher Liederschatz. 3 Bände. Leipzig o. J.
Fiedler, E., Volksreime in Anhalt-Dessau. 1847.
*****Fink, G. W.**, Musikalischer Hausschatz der Deutschen[4]. Leipzig 1854.
Firmenich, R., Germaniens Völkerstimmen. 3 Bände. Berlin 1846.
Freudenberg, R., Söitelsch Plott-Süchtelner. Viersen 1888.
Freytag, E. R., Historische Volkslieder des sächsischen Heeres. Dresden 1892.
Frischbier, H., Hundert ostpreußische Volkslieder. Herausgegeben von F. Sembrzycki. Leipzig 1893.
Glock, J. Ph., Lieder und Sprüche aus dem Elsenzthale. Bonn 1897.
Goedeke und **Tittmann**, Liederbuch aus dem 16. Jahrhundert. Leipzig 1881.
Gottschee siehe Hauffen.
Greinz und **Kapferer**, Tiroler Schnaderhüpfl. Leipzig 1889. 24°.
—, Tiroler Volkslieder. I, Leipzig 1889. 24°. II, Leipzig 1893.
Halm, H., Skizzen aus Frankenlande. Hall 1884.
Haltrich, J., Zur Volkskunde der Siebenbürger Sachsen. Wien 1885.
Hauffen, A., Die deutsche Sprachinsel Gottschee. Graz 1895.
*****Haupt** und **Schmaler**, Volkslieder der Wenden in der Ober- und Niederlausitz. Grimma 1841—3. 2 Bände. 4°.
Herder, J. G., Volkslieder. Leipzig 1778. 2 Bände.
*****Hoffmann** und **Richter**, Schlesische Volkslieder. Leipzig 1842.
Hoffmann, A. H., Unsere volkstümlichen Lieder; 3. Auflage. Leipzig 1869. 4. Auflage hsg. K. H. Prahl, Leipzig 1900.
—, Horae Belgicae. 12 Teile. Vratislavae 1830—62.
—, Findlinge. Leipzig 1860.
—, Fundgruben für Geschichte deutscher Sprache und Litteratur. Breslau 1830—37.
*****Hruschka** und **Toischer**, Deutsche Volkslieder aus Böhmen. Prag 1891.
Jörres, P., Sparren, Spähne und Splitter. Ahrweiler 1888.

Köhler, K., Alte Bergmannslieder. Weimar 1858.
***Köhler, C.** und **J. Meier**, Volkslieder von der Mosel und Saar. Halle 1896.
***Kommersbuch**, Allgemeines deutsches. Silcher und Erk. Lahr, 53. Auflage, o. J.
*—, ib., 9. Auflage.
Kurz, H., Ältere Dichter, Schlacht- und Volkslieder der Schweizer. Zürich 1860.
Lemke, E., Volkstümliches in Ostpreußen. 2 Teile. Mohrungen 1884—87.
Leoprechting. Aus dem Lechrain. München 1855.
***Lewalter, J.**, Deutsche Volkslieder in Niederhessen[2]; Kassel 1896.
***Meier, E.**, Schwäbische Volkslieder. Berlin 1855.
—, Deutsche Kinderreime und Kinderspiele aus Schwaben. Tübingen 1851.
Meinert, J. G., Alte teutsche Volkslieder in der Mundart des Kuhländchens. Wien und Hamburg 1817.
Mittler, F. L., Deutsche Volkslieder[2]. Frankfurt a. M. 1865.
Mone, F. J., Quellen und Forschungen zur Geschichte der teutschen Litteratur und Sprache. Leipzig 1830.
Müllenhoff, C. V., Sagen, Märchen und Lieder der Herzogtümer Holstein und Lauenburg. Kiel 1845.
Müller, A., Volkslieder aus dem Erzgebirge. Annaberg 1883.
Mündel, Curt, Elsässische Volkslieder. Straßburg 1884.
Münsterische Geschichten. Anon. Münster 1825.
Nicolai, C. F., Eyn feyner kleyner Almanach. (Berliner Neudrucke Nr. 2). 2 Teile. Berlin 1888.
Oberlandler Liadln, siehe Schnaderhüpfln.
***Ott, J.**, 115 Lieder. Nürnberg 1544. Herausg. v. L. Erk. Berlin 1873—6. Folio.
***Peter, A.**, Volkstümliches aus Österreich-Schlesien. Troppau 1866.
Pfeiffer Freimund, Goethes Friederike. Leipzig 1841.
Pogatschnigg und **Hermann**, Deutsche Volkslieder aus Kärnten. Graz 1879. 16°.
Pröhle, H., Weltliche und geistliche Volkslieder rc. Aschersleben 1855.
Puymaigre, T. J. Boudet de, Chants populaires recueillis dans le pays Messin. Metz 1865. 12°.
Reuß j. L. G. Brückner, Landes- und Volkskunde des Fürstentums Reuß j. L. 2 Teile. Gera 1870.
Rochholz, E. L., Alemannisches Kinderlied und Kinderspiel in der Schweiz. Leipzig 1857.
Rösch, H., Sang und Klang im Sachsenland. Leipzig 1887.
Rundás siehe Dunger.
Schade, O., Deutsche Handwerkslieder. Leipzig 1865.
Scherer, G., Jungbrunnen. Berlin 1875.
—, Die schönsten deutschen Volkslieder. Leipzig 1875. 4°.
Schild, F. J., Der Grosätti aus dem Leberberg (Solothurn). Biel 1864. 16°.

25*

Schleicher, A., Volkstümliches aus Sonneberg. Weimar 1858.
***Schlossar**, A., Deutsche Volkslieder aus Steiermark. Innsbruck 1881.
Schmitz, J. H., Sitten und Sagen des Eifler Volkes. Trier 1856.
Schnaderhüpfln (die schönsten), Oberlandler Liabln 2c. Reutlingen bei Enßlin und Laiblin o. J.
***Spaun**, A. v., Österreichische Volksweisen[3]. Wien 1882.
Schuster, F. W., Siebenbürgisch-Sächsische Volkslieder. Hermannstadt 1865.
Schwäbische Volkslieder siehe Birlinger.
—**Seidl**, J. G., Almer. Wien 1850. 12°.
Simrock, C. J., Die deutschen Volkslieder. Frankfurt a. M. 1851.
Stöber, A., Elsässisches Volksbüchlein. Straßburg 1842.
Süß, M. V., Salzburgische Volkslieder. Salzburg 1865.
***Tappert**, W., Wandernde Melodien. Leipzig 1890.
Tobler, L., Schweizerische Volkslieder. 2 Bände. Frauenfeld 1882—4.
Treichel, A., Volkslieder aus Westpreußen. Danzig 1895.
Uhland, L., Alte hoch- und niederdeutsche Volkslieder[3]. 2 Bände. Herausgegeben von H. Fischer. Stuttgart o. J.
—, Schriften zur Geschichte der Dichtung und Sage. Stuttgart 1865—73.
Vilmar, A. F. C., Handbüchlein für Freunde des deutschen Volkslieds[2]; Marburg 1868.
—**Vogl**, J. N., Schnaderhüpfln. Wien 1850. 16°.
—**Volk**, G., Der Odenwald und seine Nachbargebiete. Stuttgart 1900.
Volksliederbuch, Neues. Zweiter Teil: Trink- und Schelmenlieder. Reutlingen bei Enßlin und Laiblin o. J.
—**Wagner**, M., Soldatenlieder aus dem deutsch-französischen Kriege 1870—71; (Virchow, Sammlung gemeinverständlicher Vorträge, N. F. Heft 241).
Weckerlin, J. B., Chansons populaires de l'Alsace. Paris 1881. 2 Bände.
Weyden, E., Kölns Vorzeit. Köln 1826.
—, Köln a. Rh. vor fünfzig Jahren. Köln 1862.
Wolff, O. L. B., Halle der Völker. Frankfurt a. M. 1837.
***Wolfram**, E., Nassauische Volkslieder. Berlin 1894.
Wunderhorn, Des Knaben, Arnim und Brentano. Heidelberg 1806 f. 3 Bände.
Wyß, J. R., Texte zu der Sammlung von Schweizer Kühreihen und Volksliedern[4]. Bern 1826.
Zimmer, Zur Charakteristik des deutschen Volkslieds der Gegenwart; (Frommel und Pfaff, Vorträge Bd. VII) 1879.
***Ziska** und **Schottky**, Österreichische Volkslieder[2]. Pesth 1844.
Zopf, N., Odenwälder Volkslieder. Beerfelden o. J.

---

2. Zeitschriften.

Alemannia. Hrsg. von Birlinger, Pfaff. Bonn, Freiburg 1873 f.
Alsatia. Hrsg. von A. Stöber. Mühlhausen 1850—77.
A. f. d. A. Anzeiger für deutsches Altertum.
Anzeiger für Kunde des deutschen Mittelalters. Hrsg. von Aufseß und Mone; (später „Anz. f. K. d. teutschen Vorzeit," „Anz. d. germ. Nationalmuseums"). München 1832 f. 4°.
Mitteilungen des Vereins für Geschichte der Deutschen in Böhmen. Prag 1862 f.
Mitteilungen des nordböhmischen Excursions-Clubs. Leipa 1878 f.
Bragur. Hrsg. von Böckh und Gräter. Leipzig 1791 f.
Ethnologische Mitteilungen aus Ungarn. Hrsg. von A. Hermann. Pest 1887 f. 4°.
Frommanns Zs. Die deutschen Mundarten. Hrsg. von Pangkofer und Frommann. Nürnberg 1854 f.
Hd. Jb. Neue Heidelberger Jahrbücher. (H. historisch-philosophischer Verein.) Heidelberg 1891 f.
Hessenland. Kassel 1887 f. 4°.
Jahrbuch der Gesellschaft für lothringische Geschichte und Altertumskunde. Metz 1889 f.
Blätter für pommersche Volkskunde. Stettin 1892 f.
Rübezahl. Breslau 1868 f.
Sartoris Mahlerisches Taschenbuch für Freunde interessanter Gegenden. Wien 1812—18.
Mitteilungen des historischen Vereins für Steiermark. Graz 1850 f.
Der Unoth, Zs. für Geschichte und Altertum des Standes Schaffhausen. Schaffhausen 1863.
{ **Am Urquell.** Hamburg 1890 f. }
{ **Der Urquell.** Lunden 1897 f. }
Wm. Jb. Weimarisches Jahrbuch. Hrsg. von Hoffmann von Fallersleben und O. Schade. Weimar 1854 f.
Wiener Sitzgsber. Sitzungsberichte der kaiserlichen Akademie der Wissenschaften. Wien, Philosophisch-historische Klasse, 1849 f.
Zs. f. d. A. Zeitschrift für deutsches Altertum. Leipzig 1841 f.
Zs. f. d. Myth. Zeitschrift für deutsche Mythologie. Göttingen 1853—9.
Zs. f. d. d. U. Zeitschrift für den deutschen Unterricht. Leipzig 1877 f.
Zeitschrift für Ethnologie. Berlin 1895. XXVII.
Zeitschrift für österreichische Volkskunde. Wien 1895 f.
Zeitschrift für vergleichende Litteraturgeschichte. Berlin 1886 f.
Zeitschrift des Vereins für Volkskunde (Weinholds Zs.). Berlin 1891 f.
Zeitschrift für Volkskunde (Veckenstedts Zs.). Leipzig 1888 f.

III.

Nachträge.

Nr. 88. Nach freundlicher Mitteilung Dr. Max **Friedländers** rührt die Komposition von **Alfred Regert**, der Text von **Otto Hausmann** her.

Nr. 252 ist nach freundlicher Mitteilung Prof. **Braunes** entstanden aus einem 1866 in Preußen nach der Schlacht von Königgrätz allgemein gesungenen Spottvers über den österreichischen Feldherrn Benedek. Dessen Text lautet: „Der Benedek, der hatt' in seinem Sinn, er wollt mit sein'n Kroaten nach Berlin: Prinz Friedrich Karl, der hat es ihm gezeigt, bei Königgrätz den Buckel vollgegeigt." Auch die Melodie ist in den Grundzügen dieselbe.

Nr. 270. Vgl. 1610 in Johann **Mollers** Quodlibet „wimbele wimb ein new bar Schue fa la la la ein bar strümpff drzu Hew Hew Stro Stro." Moller war der Zeit Hoforganist zu Darmstadt, wo er vielleicht das Lied kennen lernte. Belege aus 1613, 1669 und 1707 in den Mannheimer Geschichtsblättern, I, 122. Über den Text vgl. Fr. Kauffmann, Balder, Mythus und Sage, Straßburg 1902, S. 281 f.

Nr. 278. Schon 1611 belegt in Melchior **Francks** Fasciculum Quodlibeticum: „Schlaf Kindlein schlaf, die Mutter hüt der Schaf."

Als gegenwärtige Sammlung schon zur Hälfte gedruckt war, erschien in Karlsruhe (Pillmeyers Verlag) Augusta **Benders** „Oberschefflenzer Volkslieder und volkstümliche Gesänge". Dieses Buch ist für das heutige Volkslied zu wichtig, als daß man es gern unberücksichtigt lassen wollte, und weil diese Lieder auch aus der Pfalz stammen, haben sie ganz besondere Beziehungen zu den unserigen; daher lasse ich hier ein alphabetisches Verzeichnis derjenigen unserer Lieder folgen, die mit denen jener Sammlung verwandt sind. Dabei verweise ich besonders auf das Roquettesche Lied „Ach Gott das druckt das Herz mir ab", das, obschon in Handschuhsheim zur Welt gekommen, dort, so weit ich weiß, keine Spuren hinterlassen hat, aber in Oberschefflenz auftaucht (S. 244, Nr. 116) und auf Karl Sands „Abschiedslied", S. 203 (s. oben S. 152). Frl. Benders Anmerkung (S. 305) „so weit meine Quellen reichen hat das Volk aus dem jugendlich verblendeten Schwärmer keinen Helden gemacht" bezeugt, daß in Oberschefflenz die Sagen über Sand, die ich sowohl in Nüstenbach wie in Handschuhsheim und Heidelberg unter dem Volk hörte, nicht verbreitet sind. Diese Sagen haben ihn zu einem Korpsstudenten umgestaltet, dem durch Lose die Aufgabe zugeteilt worden ist, den „Kurzerbub", der dem Korps „Chicane gemacht", zum Duell zu fordern. Bekannte Sagenmotive, wie der nach der Hinrichtung eintreffende Pardon und die Liebesgeschichte (s. oben S. 152), schmückten die Erzählung aus, die dadurch weit alltäglicher und sentimentaler wurde als die Wirklichkeit, wie sie in Hitzigs Annalen der Kriminal-Rechtspflege, Berlin 1830, Heft 11—13 geschildert wird. Frl. Benders Sammlung und die gegenwärtige ergänzen sich nicht nur in solchen Einzelheiten und in der Zahl der Lieder. Ihr Liederschatz ist derjenige von drei Menschenaltern im selben Dorfe, er gewinnt dadurch einen historischen Charakter, er zeigt uns die Entwicklung der Geschichte des Volkslieds für über ein halbes Jahrhundert und für ein einziges Dorf in allen Einzelheiten, und ihre Anmerkungen über die Geschichte der Lieder innerhalb des Dorfes sind höchst wichtig. Weniger Gewicht wird auf die Geschichte und Verbreitung der Lieder im weiteren Sinne gelegt.

Meine Sammlung bringt Lieder aus den Jahren 1897—1900, ist also auf einen einzigen Zeitpunkt beschränkt, aber umfassender inbezug auf Ort und dabei auf die Personen, die so gut waren, mir als Quellen zu dienen. Ich habe auch mehr Gewicht auf die Liederforschung gelegt. Aus diesen Gründen ergänzen sich die beiden Sammlungen und sollten dem Leser die Oberschefflenzer Volkslieder noch nicht bekannt sein, möchte ich sie ihm aufs wärmste empfohlen haben.

151. Ach Gott wem soll ichs klagen.[1]) *159.
152. Ach sie naht die bange Stunde. *203.
82. Ach wie ist mein Herz so schwer. *41.
121. Als ich an einem Sommertag. 199.
373. Auf der Heh wächst der Klee. 238, Nr. 96—97; vgl. 244, Nr. 116.
319. Aus, aus, aus ists mit mir. 222.
321. Aus, aus, aus ists mit mir. 224.
362. Aus ists mit dem Liebele. 236, Nr. 83.
109. Bald gras' ich am Neckar. Str. 3, 229, Nr. 48.
201. Blau blau sind alle meine Kleider. *92.
187. Das Lieben ist kein Muß. 48.
228. Der Jäger in dem grünen Wald. *101.
251. Die Bergwerksleut sein hübsch und fein. *176.
171. Die ich so treulich liebte. 235, Nr. 81.
295. Die Liesel, die Kattel, die Maid. 77.
244. Die wo en Schäfer liebt. 237, Nr. 92.
240. Dort wo die klaren Bächlein rinnen. *192.
328. Drei schneeweiße Tauben. 232, Nr. 63.

1) Die Liederanfänge werden nach meiner Sammlung zitiert, auf welche sich die erste Seitennummer bezieht.

IV.

Chronologisches Register der Lieder.

Die fett gedruckten Liedernummern gehören den Liedern, die im betreffenden Jahre zuerst erschienen. Klammern deuten darauf, daß nur ein Teil des Liedes für das betreffende Jahr belegt ist.

Jahr	Lieder
1512	222.
1528—36	5.
1531	2.
1535	195, 4.
1536	(5), 202.
1540	(195), 208.
1544	3.
1550	171, (186).
1560	195.
1563	10.
1569	(190).
1572	1.
1575	200, (6).
1597	(212).
1606 ca.	7, 8.
1610	270.
1611	278.
1615	256.
1620	9.
1629 ca.	288.
1643	237.
1660 ca.	75? 114.
1688	11?
1695	(72).
1740	61, 169, (179), 211.
1743	72?, 167.
1750	55, 88.
1770 ca.	49, 56, 73.
1771	12,87,133.
1772	**188.**
1773	(204).
1775	45, **170.**
1776	116, 125, 224.
1777	203.
1779	**31, 36,** (135).
1780 ca.	**109, 110,** (168).
1781	(68), **166.**
1784	54, 134.
1785	71.
1787	239.
1789	**209.**
1791	10.
1792	267.
1793	**180.**
1794	49.
1796	(69),(70).
1800	**32.**
1800 ca.	15, 37, 91, 153, 248.
1803	**34, 138.**
1804 ca.	98, 99.
1805 ca.	106.
1806	14, 15, 16, 17, 43, 46, 48,66,143.
1808	20, 63, 65, 215, 220, (224), 254, 259, 277.
1809	**77,** 157.
1810	53, 71?, **279.**
1811	74.
1812	150.
1813	**163.**
1815 ca.	**51.**
1816	**255.**
1817	**(75), 76.**
1818	**19.**
1820 ca.	**164,** 21.
1822	**194.**
1823	**79.**
1824	**227.**
1826	**(175),126.**
1828	**128.**
1829	**57.**
1830	**115,** 111, 120.
1832	**82.**
1836	**29,** (172).
1838	**155.**
1840	130.
1842	257.
1843	**85, 86.**
1844	**80.**
1845	**127.**
1846	**84.**
1849	**26,** 117?, 205.
1850	**28.**
1851	**81.**
1861	219.
1864	(187).
1866	23, **252.**
1870	22, **24?,** 25?.
1895	216.
1897	**183,** 200c.
1898	**201.**

V.

Verzeichnis der Verfasser und Komponisten, von welchen einige Lieder herrühren.

Register.

A.

B.

D.

E.

K.

L.

M.

N.

O.

P.

R.

S.

. . . .

T.

U.

V.

W.

FSC
www.fsc.org

Druck:
Customized Business Services GmbH
im Auftrag der KNV-Gruppe
Ferdinand-Jühlke-Str. 7
99095 Erfurt